Né en 195 … ,
est égalem … t
et de chinc … u
Louvre, au musée … u
musée Guimet, il crée en 1985 la Vidéothèque de Paris. Il devient président-directeur général du *Midi libre* et membre du conseil artistique de la Réunion des musées nationaux. Il anime aujourd'hui une agence de communication et dirige une galerie d'art. Il a publié plusieurs essais, notamment sur Toulouse-Lautrec et sur le Caravage chez Gallimard ; il est également l'auteur de deux trilogies romanesques parues aux éditions XO : *Le Disque de jade* et *L'Impératrice de la soie*, ainsi que de *Moi, Bouddha* (2004) et *Il était une fois la Chine* (2005).

MOI, BOUDDHA

DU MÊME AUTEUR
CHEZ POCKET

Le disque de Jade :

I. LES CHEVAUX CÉLESTES

II. POISSON D'OR

III. LES ÎLES IMMORTELLES

L'impératrice de la soie :

I. LE TOIT DU MONDE

II. LES YEUX DE BOUDDHA

III. L'USURPATRICE

JOSÉ FRÈCHES

MOI, BOUDDHA

XO ÉDITIONS

www.josefreches.com

ISBN : 2-266-15637-3

La conquête engendre la haine car le vaincu demeure dans la misère ; celui qui réussit à se maintenir paisiblement à l'écart de toute idée de victoire ou de défaite se maintient heureux.

De même que le volatile à crête rouge et à gorge bleue n'atteint jamais la vitesse ni la hauteur de l'oie sauvage, de même le laïc ne peut égaler le moine, le sage qui médite, seul, dans la forêt profonde !

Avant-propos

J'ai mis longtemps à oser me glisser dans la peau du Bouddha pour écrire ses Mémoires.

Je m'y suis décidé : d'ailleurs, la façon de faire du Bouddha lui-même – à la fois si humaine et si proche de nous, puisque, selon lui, chacun est appelé, s'il le veut, à devenir Bouddha à son tour, c'est-à-dire Éveillé – m'y aura encouragé.

Et puis je suis sûr que je n'encourrai pas ses foudres : le Bouddha a toujours voulu du bien à ses semblables.

Du coup, j'ose espérer que, du haut de son nirvãna, il aura quelque indulgence pour moi.

José Frèches

1

Je suis là

Je suis là.

Devant le grand fleuve dont les eaux boueuses sont irradiées de zébrures mordorées par les rayons d'un soleil déjà haut.

Je suis là, sous l'arbre de la Compassion.

C'est un figuier banian immense, à l'ombre duquel j'aime méditer.

Ses racines, amples et tortueuses, plongent depuis des siècles dans les eaux du fleuve Gange.

Ses lianes, certaines de la finesse d'une pousse de bambou et d'autres larges comme un tronc d'ébénier, retombent de ses branches pour s'enraciner à leur tour dans le sol.

L'arbre a besoin de l'eau, comme l'homme a soif de délivrance.

Bientôt, je serai moi-même libéré du poids de ma charge d'homme et j'entrerai au nirvãna.

Alors, je m'éteindrai pour devenir plus petit encore que le plus petit des grains de sable, plus léger encore que le plus léger des duvets du rouge-gorge, et plus transparent encore que la plus transparente des gouttes de pluie...

Je suis l'ultime réincarnation de millions d'êtres

humains et animaux dont mon âme a pris la forme depuis des temps immémoriaux.

Pour moi, le cycle des naissances, des morts et des renaissances du Samsãra s'est arrêté. J'ai appris aux hommes et aux femmes comment il fallait se comporter pour cesser de souffrir.

Quand le vent de la mort aura pris mon dernier souffle, je n'aurai plus à me réincarner...

Je suis là.
Pour toujours.
Au milieu de vous.

2

Mon enfance

Nous sommes jeunes et nous ne respectons rien.

À côté du bambin aux cheveux noirs et bouclés que je suis, il y a un autre enfant du même âge.

C'est Ananda, mon cousin préféré.

— J'ai peur du feu ! Je n'aime pas le feu ! crie celui qui est presque un demi-frère pour moi.

Il vient de projeter une feuille de bananier remplie d'eau sur les braises du feu qui du coup a failli s'éteindre.

Le prêtre s'en étrangle d'indignation.

— Allez donc jouer ailleurs ! éructe le brahmane.

Trop heureux d'avoir accompli notre farce, nous nous enfuyons en éclatant de rire.

— Il a failli te frapper... dis-je à mon petit camarade qui a osé tenir tête à l'officiant.

En cette fin d'après-midi, dans le parc de Lumbini, sous l'effet d'une brise légère, la chaleur jusque-là étouffante, qui faisait frissonner le ciel et flétrir les feuilles des caroubiers, des canneliers, des acacias, des sals et des manguiers disposés autour des bassins d'agrément, commence doucement à retomber.

Au milieu des arbres splendides, quelques tables d'offrandes sont dressées, sur lesquelles les dévots ont l'habitude de disposer des fruits et des colliers de fleurs, afin d'honorer les dieux et les déesses des plantes et des arbres.

Ici et là, sur des guéridons ouvragés, des mains généreuses ont placé des montagnes de mithai [1] dans d'immenses plateaux de cuivre.

Avec Ananda, nous raffolons des mithai.

Dès que notre gouvernante a le dos tourné, nous allons en dérober en cachette, sous le regard courroucé des dévots qui crient au sacrilège mais ne peuvent rien faire, parce que nous appartenons à une caste supérieure.

De l'autre côté du parc, en ce jour de Holi, la fête des Couleurs, au cours de laquelle les fidèles ont l'habitude de s'asperger d'eau et de poudre colorée, le brahmane vêtu de blanc a allumé son feu sacrificiel, pour honorer Agni ainsi que les dieux des arbres.

Vers le fond du jardin, un petit groupe d'hommes et de femmes sarclent le sol ; aux quatre coins d'un carré qu'ils ont délimité, ils posent des bougies et des fleurs de lotus que le brahmane ira bénir, à la fin de la cérémonie, après avoir longuement tisonné son feu.

— Siddhãrta Gautama ! Veux-tu venir, s'il te plaît ! C'est l'heure de la galette au miel de rose et de la bolée de lassi [2] à la purée de mûres.

La voix qui m'appelle est celle de ma gouvernante, madame Oudéa.

Madame Oudéa est une matrone aussi large que haute ; son embonpoint jaillit par tous les plis de son sari de coton aux mille fleurs.

J'enfouis mon nez dans cette masse de chair parfumée à l'eau de jasmin et de fleur d'oranger. J'aime me

1. Friandises luxueuses, destinées aux grandes fêtes religieuses.

2. Sorte de yaourt à boire.

jeter dans sa lourde poitrine et me faire enlacer par ses bras immenses, gras et doux.

Quand elle est de bonne humeur, Oudéa nous appelle, Ananda et moi, « mes deux petits guerriers ». Comme la plupart des jeunes garçons appartenant à la caste des guerriers, les Kçatrya, nous portons à la ceinture un petit sabre de bois tandis que sur notre dos est accroché un minuscule bouclier de peau d'antilope.

— Mais où est donc passé ce garnement d'Ananda ? s'écrie madame Oudéa.

N'ayant pas envie de lui avouer qu'Ananda s'est caché dans un bosquet de lilas pour échapper au brahmane lancé à sa poursuite, je décide de faire celui qui ne sait pas.

— Pour lui comme pour toi, c'est l'heure de goûter ! ajoute-t-elle.

Puis, furieuse, elle achève de remplir de lassi crémeux et parfumé à souhait deux petites coupes de cuivre gravées à nos initiales.

— Je crois bien qu'il essaie d'attraper un merle, madame Oudéa, finis-je par lâcher, histoire d'apaiser le courroux de ma gouvernante.

— Si tu connais sa cachette, s'il te plaît, Siddhãrta, va lui dire de revenir. Je n'aime pas quand il s'échappe au fond du parc. Là-bas, la jungle est toute proche et les herbes hautes sont infestées de serpents !

Je me hisse sur un banc.

Au fond du parc, le prêtre est à présent en train de ranger son matériel cultuel.

— À quoi sert ce brahmane, madame Oudéa, s'il ne parvient même pas à débarrasser le parc de ses animaux malfaisants ?

— Il ne faut pas mettre en doute le pouvoir des brahmanes, Siddhãrta. Sans eux, personne ne pourrait sacrifier aux dieux. Ton père ne serait pas content s'il apprenait que tu tiens de tels propos... me répond ma gouvernante en me faisant les gros yeux.

— Qu'ai-je dit de mal, madame Oudéa ?

C'est alors que j'aperçois Ananda, caché derrière une touffe de bambous.

— Ananda ! Viens goûter. Madame Oudéa risque de se fâcher et nous serons privés de jus de mangue !

J'adore le jus de ces fruits, à la peau lisse et rouge, surtout lorsqu'ils viennent d'être cueillis sur l'arbre.

Après le goûter, nous jouons aux billes au pied du banc sur lequel est assise madame Oudéa, qui a été rejointe par une autre gouvernante.

Les deux femmes parlent de moi.

— Cet enfant m'étonnera toujours... Une telle précocité physique et une telle maturité intellectuelle ! Il fait la joie de son père ! confie Oudéa à sa collègue.

— Je me souviens du jour où il est sorti de son couffin pour accomplir ses sept premiers pas : vers le nord, l'est, le sud, l'ouest, le haut, le bas et le centre ! s'exclame l'autre femme, laquelle a pour rude tâche de surveiller trois bambins qui n'arrêtent pas de se disputer.

Six ans plus tôt, c'est là, devant le même banc, que j'ai appris à marcher, flageolant sur mes jambes maigrichonnes et mes pieds minuscules qui avançaient tels deux mulots à la poursuite l'un de l'autre !

Émue aux larmes, Oudéa s'est empressée de rapporter cet événement à mon père, Suddhoddana Gautama.

Plus tard, ce dernier me raconta que, quelques mois après ma naissance, il m'avait déposé au pied d'un arbre Jambu [1], avant d'aller creuser le premier sillon des semailles. Lorsqu'il était revenu me voir afin de

1. Le Jambu est l'arbre cosmogonique qui porte un fruit de grande taille dont les pépins produisent des pépites d'or d'une valeur inestimable.

s'assurer que je m'étais bien endormi, il m'avait retrouvé assis en lotus dans mon couffin, les yeux mi-clos.

Après cet épisode, un de ses vieux serviteurs a prédit à mon père que je n'aurais pas une existence banale.

— Ton fils est entré spontanément en méditation, Suddhoddana ! Vu son très jeune âge, le phénomène est extraordinaire. Les dieux soient loués ! a dit cet homme, avant de rameuter les autres domestiques de la maisonnée.

Du coup, chacun, à la maison, est au courant de ce qui s'est passé à l'ombre du Jambu et depuis ce moment je passe pour posséder les dons et les facultés d'une sorte de demi-dieu.

Je n'ai pas encore atteint dix ans que les miens ont déjà commencé à me forger une légende. Au début, ça me flattait, mais plus je grandis et plus ça me gêne.

Oudéa soutient volontiers que je suis capable de nommer des plantes que je vois pour la première fois et de m'adresser aux oiseaux et aux écureuils, de telle sorte qu'ils n'hésitent pas à venir me manger dans la main. Elle prétend même que si les arbres du parc de Lumbini pouvaient parler, ils passeraient des heures à raconter les innombrables prouesses dont je les ai gratifiés, depuis que je viens jouer ici. Je ne tire nulle fierté de ces prétendus exploits, qui sont pour moi de simples gestes, effectués naturellement et sans calcul.

Le « délectable parc de Lumbini » est un lieu d'agrément ombragé, planté de manguiers et de canneliers, ainsi que de buissons de lauriers-roses, où les enfants de la bonne société de Kapilavastu ont l'habitude d'aller prendre l'air, sous la surveillance d'une nombreuse domesticité.

Pour s'y rendre, il faut sortir de la ville de Kapilavastu, franchir un pont qui enjambe une rivière poissonneuse, puis aborder la plaine où le jardin a été aménagé deux cents ans plus tôt par les ancêtres de mon clan, en l'honneur des dieux et des esprits qui habitent cet endroit.

Du jardin, j'aperçois notre forteresse sur la tour principale de laquelle un étendard hors d'âge flotte au vent. Ce n'est plus qu'un haillon, et qui aurait besoin d'être changé. Il est aux armes du clan des Gautama ; on n'y distingue plus le « lion fier entre les deux épées terribles », symbole de la force et de la guerre, qui en est la devise, car le tissu, délavé par la pluie, décoloré par le soleil et déchiqueté par les vents, est en loques.

Depuis deux ans, tout le monde se plaint des moussons particulièrement violentes qui alternent avec des périodes où la sécheresse se fait de plus en plus sévère.

Les prêtres ont beau accomplir le plus important de tous les sacrifices, celui du Feu, le Homa, par lequel les êtres humains peuvent accéder à la santé, à la prospérité et, lorsque le dieu le permet, à l'immortalité, rien n'y fait : le soleil et la pluie ne veulent rien entendre.

De nombreux brahmanes profitent de leur statut, et demandent pour accomplir ces rituels des sommes d'argent si fortes que le culte des Puissances Divines de la religion issue des mille hymnes du Rig-Veda est peu à peu devenu une affaire réservée aux familles riches...

Cette situation frise le scandale, mais qui oserait remettre en cause la hiérarchie des castes ?

Certainement pas mon père, Suddhoddana !

D'ailleurs, il consacre près du quart des revenus du clan dont il est le chef à payer les salaires de la dizaine de brahmanes nécessaire à l'accomplissement des nombreux rituels quotidiens auxquels notre famille, compte tenu de son rang, est tenue.

Mais il se garde bien de s'en plaindre car ce serait

là un terrible sacrilège qui ne manquerait pas de susciter le courroux des dieux, lesquels s'empresseraient de jeter leur malédiction sur tous les siens.

La petite ville commerçante de Kapilavastu s'étend derrière la colline au sommet de laquelle se dresse la forteresse de ma famille, bâtie en moellons de pierre et enserrée par de tortueux remparts mangés par le lierre qui forment une étrange guirlande verte à ce mamelon.

Sa noble porte de pierre est flanquée de deux pilastres en forme de cordage que surmonte une frise représentant le combat entre deux tigres-lions, censée illustrer le courage nécessaire à tous les descendants mâles de la caste des guerriers Kçatrya.

Kapilavastu compte environ deux milliers d'âmes.

Contrairement à bien des bourgades de ce type, ses maisons de pierre sont plus nombreuses que celles en torchis. Elle est la capitale administrative d'une région où les forêts sont encore denses et peuplées d'une riche faune. On peut y chasser le singe, l'antilope, le cochon-sanglier et l'éléphant sauvage. Il arrive même aux plus vaillants des Kçatrya de s'y mesurer au roi des lieux : le tigre mangeur d'hommes.

Autour de notre ville, les champs et les prairies mangent peu à peu la jungle. À force de travail harassant et dangereux tant les serpents et les scorpions venimeux y pullulent, les habitants ont réussi à défricher les lisières de la forêt, afin d'y cultiver le blé, l'orge et le millet et d'y élever des troupeaux de bovins, d'ovins et de caprins.

C'est là, depuis des générations, sur les premiers escarpements des contreforts de montagnes si hautes qu'elles forment le Toit du Monde, que réside la famille de mon père, Suddhoddana.

En tant qu'aîné, il a été désigné chef du clan des Gautama.

À ce titre, il a hérité de la forteresse de la cité, avec pour charge de pourvoir à la défense de celle-ci contre tout assaillant.

Mon père dit toujours qu'un chef ça a des droits mais surtout des devoirs.

Pas moins de cinq domestiques, trois gouvernantes – dont madame Oudéa – et deux serviteurs, s'occupent à temps plein de notre maisonnée.

Après notre partie de billes, Ananda et moi décidons de partager les gâteaux du goûter avec les oiseaux.

J'adore voir s'abattre les merles et les pies lorsque nous leur émiettons nos galettes et nos gaufres.

D'ordinaire, nous faisons ça en cachette car Oudéa nous l'interdit ; mais cette fois, elle nous a suivis et a dû nous observer, cachée derrière un épais buisson de lantanas en fleur d'où elle a surgi.

— Siddhãrta ! Ananda ! Petits fripons ! Je vous y prends, à donner vos biscuits aux merles ! Et toi, Ananda, cesse de taquiner ces pies, elles vont finir par s'énerver et par te donner un coup de bec ! Je ne veux pas que vous partiez loin de moi !

Nous éclatons de rire.

— Ne riez pas ! Il faut obéir à Oudéa. Sinon, je serai obligée d'en référer à ton père, Siddhãrta ! ajoute-t-elle, de plus en plus énervée.

Il est rare qu'Oudéa nous crie dessus aussi fort ; son visage, dont les cheveux tirés en arrière accentuent la rondeur, tremble de colère et le gros diamant qui transperce son nez brille d'un éclat méchant.

Nous baissons le nez et cessons notre manège, avant de revenir jouer devant le banc où la gouvernante est allée se rasseoir.

Pour me faire pardonner, je monte sur le banc à côté d'elle et je couvre de baisers ses épaules nues ; elle frissonne et éclate de rire comme une jeune fille à laquelle son amoureux fait des chatouilles.

Elle verse de nouveau du lassi dans nos bols.

Du haut du banc, soudain, j'aperçois, sur la route de Kapilavastu, quelque chose d'énorme, de gris, et qui avance.

Je me mets à crier :

— Viens voir, Ananda, cet éléphant, comme il est gigantesque ! Une vraie montagne ambulante !

La grosse Oudéa à nos trousses, nous nous ruons en poussant des cris de joie vers le portail d'entrée du parc de Lumbini devant lequel passe la route. Le chemin empierré épouse le flanc d'une colline, au sommet de laquelle, telle une manifestation sacrée, cet éléphant est apparu.

Muni de son crochet-harpon ankusã, un cornac picote les bajoues de l'animal immense sur le cou duquel il est juché.

Dans sa trompe, le pachyderme tient un énorme tronc d'arbre qui occupe toute la largeur de la route. Après l'avoir posé à terre, il entreprend de faire rouler le bois dans le sens de la pente, juste devant l'entrée du parc où, émerveillés et ravis, nous assistons au spectacle.

L'éléphant, front baissé, pousse en avant le tronc d'un coup sec, pour en faciliter la descente, en utilisant le bord extérieur de sa trompe qu'il a enroulée sur elle-même, à la façon d'un escargot.

L'arbre commence à dévaler la pente, d'abord lentement, puis de plus en plus vite, avant de passer à toute vitesse devant nous.

Nous nous penchons pour voir comment il va terminer sa course.

Il ralentit et s'arrête quelques mètres plus loin, sur le méplat du chemin, à un endroit où pousse un banian séculaire.

Puis l'éléphant et son cornac descendent lentement

la colline pour rattraper le tronc, afin de le pousser de nouveau.

Lorsque l'animal passe devant nous, de son pas majestueux, nous applaudissons à tout rompre ; alors, le pachyderme nous salue dignement, en soulevant sa trompe, qui prend la forme d'une volute élégante.

— Regarde un peu cet éléphant, comme il paraît intelligent... dis-je à Ananda.

— J'aimerais bien en avoir un à moi !

— Rentrez tout de suite ! Il est interdit de sortir de Lumbini ! hurle alors Oudéa, enfin arrivée devant le portail du parc.

Elle est en sueur et nous fait les gros yeux. Je proteste.

— Nous n'avons même pas mis une pointe de pied dehors, madame Oudéa...

— Siddhãrta, tu as toujours réponse à tout. Il faut avoir pitié de ta pauvre Oudéa, mon chéri ! Elle est payée pour veiller sur toi. Ton père me l'a encore précisé, pas plus tard qu'hier soir ! gémit la grosse femme.

Il est vrai qu'hier, pendant qu'Oudéa surveillait ma toilette du soir, Suddhoddana mon père lui demanda, l'air inquiet :

— Je compte sur toi, Oudéa, pour surveiller de près Siddhãrta. Il devient si dégourdi qu'il ne s'agirait pas qu'il échappe à ton regard, quand vous vous rendez au parc de Lumbini.

J'étais stupéfait, mais le respect dû à mon père m'empêcha de protester.

— Monseigneur, je vous jure que j'y fais attention comme à la prunelle de mes yeux ! Cet enfant, je l'ai toujours considéré comme le mien ! lui répondit ma gouvernante avant de s'incliner et de baiser la main de celui qui avait eu l'extrême bonté de s'adresser directement à elle, malgré sa caste inférieure, celle des Shudra.

— Siddhãrta dit la vérité ! Nous ne sommes pas sortis du parc, madame Oudéa ! proteste Ananda, pas plus décidé que moi à s'en laisser conter par la gouvernante.

— De toute façon, il est l'heure de rentrer à la maison. Monseigneur Suddhoddana risque de s'inquiéter si tu es en retard pour la séance de tir à l'arc.

Depuis que ma mère est morte des fièvres, trois mois après ma naissance, mon père a reporté sur moi tout l'amour qui l'unissait à Mãyãdevi, l'épouse qu'il aimait.

Un jour, j'ai entendu les gouvernantes raconter que juste avant de tomber enceinte de moi, Mãyãdevi avait assuré à mon père qu'elle avait vu en rêve un éléphant blanc pénétrer son ventre par le côté droit.

— Monseigneur Suddhoddana se contenta d'en rire. Et, le soir même, le chef du clan des Gautama enlaça tendrement sa femme, avant de la pénétrer avec fougue ! avait expliqué Oudéa, en riant, à sa collègue.

J'ignorais ce que signifiait le verbe « pénétrer ». Je le compris plus tard.

— Au petit matin, Mãyãdevi murmura à son époux, à l'issue d'une nuit d'amour envoûtante qui s'est prolongée jusqu'à l'aube, qu'il était aussi doué que l'éléphant de son rêve... avait ajouté Oudéa.

— Comment peux-tu savoir que, cette nuit-là, Mãyãdevi et Suddhoddana avaient fait l'amour de façon envoûtante ? avait demandé l'autre gouvernante.

— Quand le plaisir fait crier une femme, ça s'entend ! avait répondu Oudéa.

Je suis un enfant de l'amour.

Le nom de Siddhãrta signifie « celui qui a atteint son but ».

Le bonheur conjugal de mes parents aura été de courte durée, amputé par la mort très rapide de ma mère.

J'imagine sans peine l'affliction de mon père après cette disparition soudaine.

Il cessa de se nourrir pendant huit semaines.

Au bout d'un an, ainsi que le veut l'usage, il prit pour épouse Mahãprajapati, la sœur cadette de ma mère, Mãyãdevi.

Depuis ce moment funeste, autour de moi, chacun m'explique que voir grandir son précieux fils, le fruit de son sang et de celui de l'épouse aimée, est la seule consolation de mon père.

Quand, il y a deux ans, ses obligations militaires éloignèrent mon père de Kapilavastu, il me confia à son frère et à sa belle-sœur, les parents d'Ananda. Pendant six mois, j'allai habiter chez eux, et Ananda et moi sommes maintenant comme deux frères.

Depuis qu'il est revenu de ses campagnes militaires, tout auréolé de gloire, mon père rêve de faire de moi un valeureux guerrier, digne de lui succéder. Dans ce but, il ne ménage pas sa peine, mettant un point d'honneur, comme tout guerrier qui se respecte, à m'apprendre à chasser, à manier l'épée et à tirer à l'arc.

Le tir à l'arc exige un long apprentissage et une rigoureuse discipline.

À peine arrivons-nous au château que j'aperçois mon père qui m'attend, assis sur un fauteuil de repos, dans le jardin intérieur de la forteresse, à quelques pas de la cible sur laquelle je m'exerce tous les jours, sous la conduite d'un professeur rigoureux.

Devant la cible, l'archer fait les cent pas. Dès qu'il me voit, il s'empresse de m'apporter un petit arc sculpté et une rangée de flèches aux empennages multicolores, plantées dans une planchette de bois tendre.

— N'oublie pas, Siddhãrta, tu dois mettre la flèche juste au milieu du panneau, m'explique mon père, après m'avoir embrassé sur le front.

Il me désigne la planche ronde clouée à un tronc d'arbre, sur laquelle l'archer a peint de couleurs vives des cercles concentriques.

— Elle est belle, cette cible, Père ! Mais je la trouve petite...

— C'est toujours la même, mon fils ! Le tir à l'arc suppose de bien viser. Quand la corde de l'arc se détendra, si elle produit la troisième note de musique, c'est que tu auras réussi à tirer comme il faut.

Avant de tirer à l'arc, je tiens toujours les mêmes propos à mon père et il me répond invariablement de la même façon.

Alors, avec la douceur dont seul un homme de guerre de son espèce est capable lorsqu'il s'agit de sa propre descendance, mon père s'empare de ma main et la place juste au bon endroit, là où il convient de pincer, entre le pouce et l'index, le boyau de chat sauvage avec lequel les Kçatrya fabriquent la corde de leurs arcs.

Puis il m'aide à bander mon arc.

À cet instant précis, je sais qu'il m'aime.

La flèche part.

Je sens la vibration musicale remonter comme une onde, tout le long de mon bras.

J'ai mal.

— Père, je n'aime pas tellement le tir à l'arc. Ne pourrais-je pas plutôt jouer du sitar ?

— Ta corde a produit une très belle note, Sidhãrta... Ton tir est réussi. La flèche s'est plantée juste à côté du rond central. Continue sur cette voie et tu deviendras un bon archer.

— C'est plus difficile que le maniement de l'épée !

— Un guerrier doit non seulement savoir bander l'arc, manier l'épée, mais également pointer la lance dans la poitrine de ses adversaires !

Je tire une nouvelle flèche, laquelle, cette fois, se fiche en plein milieu du rond central.

Mon père pousse un cri de joie.

La séance de tir à l'arc est terminée et je prends un air renfrogné.

Tandis que l'archer détend mon arc pour le ranger dans sa caisse, mon père me demande, chiffonné :

— Qu'as-tu, Siddhãrta ? Au lieu de te réjouir, tu parais contrarié...

— Père, à quoi servent les guerriers ? Pourquoi fait-on la guerre ? Dans quel but faut-il détruire et faire le mal ?

Jusqu'à maintenant, par respect pour sa personne, je n'ai jamais osé lui poser ces questions que j'ai sur le cœur, mais à présent que je sais tirer à l'arc, j'estime que le moment est venu.

— Entre deux Çãkya[1], mon fils, de surcroît issus de l'illustre famille des Gautama, « ceux des meilleurs d'entre les bovidés », on ne pose pas de telles questions ! On doit se contenter de faire ce pour quoi on est né.

Mon père a l'air courroucé, mais ça ne m'intimide pas.

— Pourquoi les hommes ne sont-ils pas libres de changer de caste, s'ils le veulent ?

— Parce que les dieux l'ont voulu ainsi.

— Pourquoi les dieux ne veulent-ils pas qu'un homme change de caste ?

— Mon petit Siddhãrta, à force de te poser des questions sur tout, tu vas te faire éclater le crâne...

Mon père est furieux.

1. Çãkya est le nom du clan des Gautama ; Kçatrya, déjà rencontré, le nom de la caste des guerriers à laquelle appartenait ledit clan.

Il n'a pas répondu à ma question. Par respect, je décide de ne pas le lui faire remarquer. Je me contente de lui lancer :

— Un jour, s'il le faut, je changerai de caste !

Il me regarde d'un drôle d'air, entre l'accablement et l'étonnement.

Je suis sûr qu'il ne me prend pas au sérieux et doit se demander quelle mouche m'a piqué.

D'ailleurs, que peut valoir aux yeux d'un adulte la parole d'un enfant de dix ans ?

Je ne sais pas ce qui m'a pris de faire une telle déclaration, mais je n'en ai pas honte et ne la regrette pas.

C'est bizarre, mais, malgré mon âge, je suis sûr, déjà, de savoir où je veux aller !

3

Ananda

Ce matin, j'ai constaté que la perruche est restée dans sa cage alors que la servante en avait ouvert la porte... À croire qu'un oiseau gavé n'a plus envie ni besoin de voler !

Dans un mois, j'accomplirai onze ans et, depuis ces onze années, je vis à l'abri du reste du monde, derrière les hauts murs de la forteresse de Kapilavastu, l'existence des jeunes garçons de la caste guerrière dont je suis issu.

Je ne sais pas encore que c'est une vie faite d'oisiveté et de gâteries puisque c'est là ma seule expérience.

De ce qui passe à l'extérieur des murs dans lesquels je vis, je ne connais rien et j'imagine par conséquent que mes semblables, malgré l'organisation de la société en castes, vivent plus ou moins la même existence que moi, qu'ils ne manquent de rien et qu'ils partagent leur temps, à mon instar, entre les jeux, l'apprentissage des poèmes et les leçons de tir à l'arc.

Suddhoddana, mon père, n'a qu'un rêve : que je lui succède, mais en plus grand et en plus fort, que je sois le Grand Roi ou le Grand Chef de Guerre qu'il n'a jamais pu être !

Alors qu'il n'a pas exercé de souveraineté au-delà des limites de la région de Kapilavastu, il me prédit un destin royal et reporte sur moi les désirs de gloire auxquels il n'a pu accéder. Je sens qu'il nourrit pour son fils, auquel il souhaite déjà de pouvoir conquérir d'importants royaumes, d'immenses ambitions guerrières.

D'ailleurs, il annonce à qui veut l'entendre que j'ai vocation à devenir un terrible héros dont le nom s'affichera sur tous les frontispices.

Cela me pèse.

J'ai envie de lui dire que je trouverai ma voie tout seul et que je serais le plus heureux des enfants, si on me laissait un peu tranquille....

Il est vrai que rien n'est trop beau pour parfaire mon éducation. Les meilleurs précepteurs et les plus doués des maîtres d'armes, rémunérés à prix d'or, se succèdent, du matin au soir, à la forteresse de Kapilavastu.

Au fur et à mesure que je grandis, mes journées sont envahies par les cours, les prescriptions, les démonstrations et les entraînements de toute sorte. Je ne compte plus le nombre de fois où il me faut sortir et ranger mes épées pour les astiquer, pousser et retirer mon bras droit pour lui apprendre à bien frapper, exercer plusieurs fois de suite une pression de ma paume sur un petit coussin pour que ma main ne lâche jamais l'arme, au plus fort du corps à corps.

Face à de tels déploiements, destinés à développer en moi des instincts belliqueux, je me sens mal à l'aise.

Mais plus le temps passe et plus il me semble compliqué d'avouer à mon père que je ne sens pas d'attirance pour le métier de guerrier.

Heureusement qu'il y a Ananda !

Lui et moi sommes inséparables ; toujours ensemble, comme des frères jumeaux !

Ananda, qui est bien le seul à qui je peux ouvrir son cœur !

Ananda dont je sais qu'il m'aime autant que je l'aime...

Nous passons des heures à rêvasser d'un monde sans castes, où chacun pourrait se placer là où il veut, où les gens seraient tous égaux et où il n'y aurait plus de chasses gardées.

Il y a des fois où j'aimerais être berger, pour mener les brebis sur les collines verdoyantes qu'on aperçoit à l'horizon, tandis qu'Ananda se verrait bien dans la peau d'un oiseleur, à parcourir les forêts profondes une cage à la main pour y emprisonner les perruches aux empennages multicolores.

Nos chambres étant contiguës, souvent, la nuit venue, nous nous rejoignons pour nous raconter mutuellement nos petits secrets.

Ce n'est pas la même histoire avec Devadatta, ce cousin éloigné d'un naturel jaloux et vindicatif qui ne cesse de se disputer avec moi dès qu'il me voit. La dernière fois que ses parents sont venus nous rendre visite, le sacripant m'a roué de coups de poing sans oublier de me pincer subrepticement les côtes, quand j'avais le dos tourné.

Mahãprajapati, ma mère adoptive, s'étant aperçue du manège, le signala aux parents de l'intéressé, qui prit une fessée et, du coup, m'en veut de plus belle...

Mahãprajapati me comprend beaucoup mieux que mon père ; aussi, je la considère comme une alliée.

C'est à elle, d'ailleurs, qu'un matin, n'y tenant plus, je m'en vais confier que l'intransigeance dont fait preuve Suddhoddana à mon égard finit par me peser :

— Mon père me pousse vers le métier de la guerre ! Non seulement elle m'est étrangère, mais surtout je n'ai pas envie d'abîmer le monde ni d'abîmer les autres !

— Abîmer le monde, abîmer autrui ? Pourquoi dis-tu ça, mon petit Siddhãrta ?

— Parce que le monde est beau, petite maman !

— En es-tu sûr ?

— Ce château où je vis et le parc de Lumbini où Ananda et moi allons jouer tous les jours ne sont-ils pas beaux ?

— Le monde ne se résume pas à ton château et à ce parc, Siddhãrta !

Je pousse mes feux un peu plus loin.

— Petite maman que je respecte tant ! Quand me laissera-t-on aller chasser le daim ou attraper les lièvres au collet, comme tous les autres enfants de Kapilavastu ? Pourquoi Suddhoddana nous interdit-il, à Ananda et à moi, de mettre un pied dehors ?

— Que vous manque-t-il ? Ici vous avez tout ! Deux Çãkya de votre espèce n'ont pas à se mêler aux enfants des autres castes. Et même si tu parvenais à me convaincre du bien-fondé de ta requête, je ne pourrais pas aller contre les directives de ton père... N'oublie pas que Suddhoddana est le chef de ton clan ! me réplique-t-elle un tantinet courroucée.

Aurais-je dit une grosse bêtise ?

Son regard affligé en dit long sur ce que mes propos d'enfant insouciant et ignorant ont suscité en elle.

Ma belle-mère est incontestablement dans le camp des adultes.

Soudain j'ai honte ; sans plus attendre, je me glisse derrière la tenture rouge qui occulte l'entrée de ses appartements privés lorsque leur porte, pendant la journée, est ouverte, et je quitte précipitamment Mahãprajapati, après lui avoir fait la révérence, en prétextant que mon maître d'armes m'attend sur le pré.

Le soir même, mon père me convoque et me passe un savon. Ma mère adoptive a dû lui rapporter mes propos.

— Siddhãrta, mets-toi dans la tête que tu seras un guerrier. D'ailleurs, tes professeurs sont unanimes : tu manies de mieux en mieux les armes et les muscles de ton corps se renforcent chaque jour. Si ton esprit cesse de divaguer, tu seras un grand chef de guerre. Bien plus que moi encore ! Te rends-tu compte de la chance qui est la tienne ?

C'est indirectement que je décide de répondre à sa réprimande :

— Père, quand j'ai dit à petite maman que le monde de dehors était beau, j'ai lu dans ses yeux qu'elle n'en croyait rien !

— Tu es beaucoup trop jeune pour aller voir ce qui se passe à l'extérieur ! réplique sèchement mon père qui convoque Oudéa sur-le-champ.

— Madame Oudéa, à compter de ce jour, pas plus Ananda que Siddhãrta n'iront au parc de Lumbini. Il y a là trop d'enfants issus des castes inférieures ! déclare-t-il à la gouvernante qui me jette un regard éploré.

Suddhoddana est persuadé que les enfants qui fréquentent le parc d'agrément exercent une mauvaise influence sur moi.

Ce soir-là, accoudé au balcon de ma chambre, je comprends que remettre en cause l'ordre immuable des castes, tout comme, d'ailleurs, celui des choses, tel que les dieux l'ont institué depuis des temps immémoriaux, n'est pas une attitude convenable aux yeux de mon père.

Que défend-il avec autant d'acharnement ? Pourquoi est-il si hostile à mes points de vue ? Que cache une telle véhémence ?

Je suis loin de m'en douter.

Quoi qu'il en soit, à Ananda qui vient me retrouver comme d'habitude après son cours d'écriture, je préfère ne rien dire.

Je m'en voudrais de lui insuffler des pensées qui feraient de lui un rebelle. Ce ne serait en outre pas juste de ma part. Il m'admire tellement qu'il adopterait, sans se poser la moindre question, le même point de vue que moi, ce qui lui vaudrait les mêmes réprimandes.

Or, il ne les mérite pas !

Le lendemain, mon père vient me trouver, tandis que je m'exerce à faire des nœuds sur de la corde à bander les arcs.

— J'ai réfléchi. Pour compenser le fait que tu n'iras plus à Lumbini, je t'accorde la permission d'aller jouer, les jours impairs, près de la source d'eau claire... Cela étant, tu as interdiction de traverser le ruisseau ! lâche-t-il sans me laisser le temps de le remercier.

L'eau coule en contrebas de la forteresse, juste derrière un petit bosquet d'arbres.

Avec Ananda, tous les deux jours, dès que nos studieuses journées s'achèvent, tandis que le soleil inonde encore de rose les murailles de Kapilavastu, nous courons comme des fous jusqu'à cet unique point d'eau qui permet de ravitailler la forteresse.

C'est l'heure où les troupeaux de moutons et de chèvres viennent se désaltérer, encadrés par les chiens de leurs bergers.

Nous nous ébattons dans les eaux vives qui surgissent du sol et jouons à éclabousser, tandis que notre peau sèche instantanément, tellement l'air est embrasé.

Depuis la forteresse, du haut du chemin de ronde d'où elle continue à nous surveiller d'un œil, la grosse madame Oudéa peut nous entendre rire comme des fous, lorsqu'un chevreau ou un agneau malhabile glisse dans l'eau et surnage, avant de se hisser miraculeusement sur la berge.

« C'est encore mieux qu'à Lumbini, où il est interdit

de se baigner dans les bassins d'agrément », répète Ananda chaque fois que nous nous rendons à la source.

Heureusement qu'il est là.

Grâce à lui, le temps passe plus vite et surtout, je me sens moins esseulé, avec mes idées non conformistes, dans ce milieu familial où j'étouffe.

Demain, j'accomplirai onze ans.

Demain, je serai un grand.

Et peut-être, alors, mon père me prendra-t-il au sérieux...

4

Onze ans

Allongé sur mon lit étroit et dur, dont les pieds se terminent en pattes de lion sculptées, je viens de sentir un souffle tiède balayer ma nuque ; ce qui m'a fait ouvrir un œil, puis l'autre.

Ô surprise ! C'est mon père.

— Aujourd'hui, tu as onze ans, mon fils ! C'est l'âge d'un vrai petit homme. Dans cinq ou six ans tu seras en âge de te marier. J'avais moi-même dix-sept ans lorsque Mãyãdevi et moi convolâmes en justes noces. Joyeux anniversaire, ô mon petit Siddhãrta, et que les dieux te protègent ! Aujourd'hui, tu as droit à un cadeau de la part de ton père. Il te suffit de le lui demander !

Onze ans ! Chez les Kçatrya, c'est l'âge à partir duquel on peut accompagner son père à la chasse au tigre. Mais ce n'est pas la faveur que je compte lui demander.

— Mon père, un seul cadeau me ferait plaisir...

— Parle, mon fils.

— Vous savez déjà fort bien ce que je vais vous demander ! Laissez-moi aller chasser le lièvre où bon me semble. C'est le seul cadeau que je souhaite, pour mes onze ans !

— Le jour de tes onze ans, je ne vais pas te refuser ça ! Mais il te faudra revenir ici avant la tombée de la nuit.

Je suis heureux que mon père, vu les circonstances, n'ait pu faire autrement que d'accepter.

— Et Ananda ? Il faut absolument qu'il m'accompagne ! Il attend aussi ce moment depuis si longtemps...

— Si je le propose à son père, je suis sûr qu'il donnera son accord. Ne veux-tu pas également emmener ton cousin Devadatta, dont j'ai invité les parents à venir partager ton repas d'anniversaire ?

— Non, ce garçon est jaloux de moi. La dernière fois que je l'ai vu, il s'est arrangé pour briser mon arc. Je n'ai pas confiance en lui !

— Puisque tu le dis... Dans ce cas je vais aller prévenir mon frère, pour qu'il prépare le carquois d'Ananda.

— Je ne vous remercierai jamais assez pour ce si beau cadeau que vous venez de me faire ! dis-je à mon père, en même temps que je lui baise la main.

Dès que celui-ci a tourné les talons, je me précipite dans la chambre contiguë à la mienne, où dort mon cousin germain.

Je le réveille en lui chatouillant les pieds.

Dès qu'il me voit, il hurle de rire et me souhaite un bon anniversaire.

— Ananda ! Mon père m'autorise à aller chasser le lièvre et il compte bien obtenir du tien que tu puisses m'accompagner ! C'est mon cadeau !

— Génial ! Vivement que j'aie onze ans moi aussi ! À mon tour, ce jour-là, ô Siddhãrta, je m'arrangerai pour obtenir de mon père une faveur dont je te ferai profiter ! s'exclame Ananda en battant des mains.

— Dire que onze années se sont écoulées depuis ma

naissance et que je vis toujours enfermé dans notre cocon familial sans jamais pouvoir mettre le pied dehors...

— Tu oublies Lumbini et la petite source...

Quand je pense à ces deux minuscules espaces de liberté où nous pouvons aller librement, je me dis qu'Ananda est plus sage que moi puisqu'il se contente de ce qu'on lui donne alors que moi, j'ai envie de prendre.

Lui et moi ne sommes pas pareils.

D'ailleurs, chacun n'est-il pas différent de l'autre ?

Moi, tout ce que j'aperçois depuis le chemin de ronde de la forteresse : les toits de tuiles plates des maisonnettes de Kapilavastu blotties les unes contre les autres ; les cimes montagneuses aux bordures dentelées qui s'étagent, au-dessus de l'immense plaine qui poudroie sous le soleil ; les routes qui se déploient, tels de longs serpents, et sur lesquelles marchent dès l'aube les hommes, les femmes et les enfants ; le ciel, dont la symphonie des couleurs est si changeante qu'elle le fait passer en un rien de temps de l'azur à l'ocre et du violet au vert... tout cela, j'ai furieusement envie d'aller le toucher.

Tout comme j'ai envie de me plonger dedans, à peine j'arrive devant le ruisseau !

Voir et toucher, pour mieux saisir et pour mieux comprendre, c'est ce que je veux.

Et puis, surtout, il y a les autres, ces milliers d'hommes et de femmes que je vois aller et venir, dans la campagne et sur les routes, et dont mon père m'a toujours enjoint d'éviter de croiser le regard !

Tous les autres, comme j'aimerais aller à leur rencontre et plonger mes yeux dans les leurs...

Je suis sûr que de leur chaleur et de leur force, de leurs bonheurs et de leurs malheurs, je tirerais des enseignements autrement plus pertinents que ceux de mes maîtres d'armes.

Depuis des mois que je brûlais de demander à mon père, sans trop savoir comment m'y prendre, de me laisser sortir du château, sous prétexte d'aller capturer les lièvres et les mangoustes qui pullulent dans les champs au moment de la récolte, voilà que de lui-même, il a accédé à mon désir !

Aussitôt avalés nos fruits et nos biscuits, nous nous faisons préparer deux baluchons par Oudéa et nous quittons en chantant à tue-tête la forteresse de Kapilavastu, non sans avoir promis de revenir à l'heure dite.

À peine la porte du château ouverte, nous nous ruons dehors, tels des poulains enfermés dans leur enclos dont le palefrenier aurait brusquement soulevé les barrières.

En ce jour béni, la saison a voulu que la nature s'offre à mon regard parée des mille couleurs de ses bourgeons printaniers. Les oiseaux chantent dans les branches des arbres et les grillons, malgré l'heure matinale, font entendre leur assourdissante musique.

Le monde extérieur m'ouvre toutes grandes les portes de son inépuisable trésor.

Comme des chiens de chasse, nous nous mettons à courir le nez au vent, humant les odeurs et jouant à qui attrapera l'autre, vers la plaine inondée par le soleil qui s'étend devant nos yeux, lisse et calme, à perte de vue.

Hors d'haleine, nous nous arrêtons à mi-pente de la colline, pour reprendre notre souffle, sur une terrasse naturelle où pousse un banian.

À présent, nous sommes assis sur une grosse pierre, à l'ombre de cet arbre-roi.

Je suis ébloui par la beauté du paysage dont les formes et les couleurs sont exaltées par le poudroiement de la lumière semblable à un bruissement.

Les paysans et leurs bêtes s'adonnent aux travaux des champs, tandis que les femmes reviennent des puits en cortège, portant sur leurs têtes au chignon serré d'immenses calebasses de cuivre.

Ils sont là, au loin, devant mes yeux et à ma portée, même s'ils paraissent minuscules, tous ceux que je voulais tellement découvrir.

— J'aimerais parler à ces gens... dis-je à Ananda.

— Et que leur dirais-tu ?

— Je ne sais pas, au juste... Je les saluerais et puis, surtout, je leur sourirais.

Une femme s'avance, qui tient par la main deux enfants en bas âge.

Je la regarde et lui fais un salut de la tête.

Elle me répond par un timide sourire.

Je regarde à nouveau ses yeux, qu'à présent elle détourne, mais où j'ai eu le temps de découvrir l'ombre de la tristesse. J'y ai même perçu un sentiment nouveau pour moi et dont je comprendrai un jour qu'il s'agit de la souffrance.

Un peu plus tard, c'est un paysan qui porte un énorme sac de jute sur ses frêles épaules. L'homme ne peut même pas relever la tête, lorsque je le salue avec civilité, tant sa charge est lourde.

La vie serait-elle à ce point difficile, pour les autres ?

Je ne sais pas encore que le monde n'est, en réalité, qu'un inextricable mélange de beauté et de souffrance.

Je m'assieds à califourchon sur une des racines du banian.

Tels de gros reptiles à la recherche d'une proie réfugiée au fond d'un terrier, les racines du *ficus bananus* [1]

1. Quelques années plus tard, ce sera sous un autre ficus, de l'espèce « religiosa », dont il décrira, le moment venu et avec précision, chaque feuille une à une, que Siddhãrta connaîtra l'Éveil.

serpentent à partir de la base évasée de son tronc côtelé, avant de s'enfouir dans la terre, où elles vont puiser les éléments nutritifs, puis de remonter vers le ciel pour se mêler à ses branches.

— Tu ressembles à un prince sur son destrier terrible ! Si on jouait aux cavaliers ? propose Ananda.

Il vient d'extirper de sa poche un morceau de peitha [1] qu'il me tend.

— Prends cette sucrerie, elle te donnera des forces ! insiste-t-il en chassant d'un geste un marmot crasseux qui s'est approché de nous, à la vue de la friandise.

Ne voulant pas gâcher la fête de mon cousin, je me garde bien de lui faire part du malaise que son attitude vient de provoquer en moi.

— Descendons plutôt vers la plaine, Ananda.

Nous repartons dans la poussière.

Un peu plus loin, sur la même route, c'est un homme totalement nu qui vient à notre rencontre.

Sa longue chevelure est couverte de cendres ; il marche rapidement et de façon presque mécanique. Son regard extatique a l'air de scruter un point fixe, il ne nous voit pas.

Médusés, nous le regardons passer.

J'avise un homme qui doit être un paysan, à en juger par les outils qu'il porte sur l'épaule, et je lui demande où va ainsi cet étrange personnage.

— Sais-tu ce qu'est un çramana ?

Pas plus Ananda que moi ne le savons.

— C'est un ascète, un errant. « Celui qui fait des efforts » marche ainsi sur les routes en mendiant sa nourriture ! précise le paysan dont je découvre, au passage, le trou noir de sa bouche où la moindre trace de dentition a disparu.

1. Friandise à base de potiron confit et caramélisé.

C'est la première fois que je vois un homme entièrement nu « qui fait des efforts » et une bouche totalement édentée.

Je suis effaré par l'apparition simultanée du chaos de cette bouche et de cet homme nu.

— Mais où va-t-il comme ça, tout nu ? Ne risque-t-il pas d'attraper froid, quand le soleil se couche ?

— Il va, vêtu d'azur, sur les chemins infinis... Un çramana n'a jamais froid, pas plus que chaud, d'ailleurs ! marmonne l'édenté, l'air soudain plus grave, avant de repartir d'un pas pressé.

Je rattrape le paysan et le retiens par la manche.

— Qu'est-ce à dire ?

— En fait, cet ascète n'a pas d'autre but précis que d'avancer toujours plus loin pour trouver sa propre vérité ! conclut, agacé, mon interlocuteur.

Ainsi il existe des gens qui courent sur les routes, de village en village, le corps nu et la chevelure recouverte de cendres, qui avancent vers une Vérité Première à laquelle tout le monde n'a pas accès...

Personne ne me l'avait jamais dit.

Je me retourne.

Celui que nous venons de croiser marche si vite qu'il n'est plus, au bout de la route, qu'un petit nuage de poussière, lequel finit par se perdre à l'horizon.

— Le pauvre ! Je plains cet homme ! Vivre nu ! Marcher vers nulle part ! Jamais je ne pourrais ! s'exclame Ananda, bouleversé par la vision de cet être à l'aspect et au comportement si bizarres.

— Tu as tort de parler ainsi, cet homme ne possède rien, mais il est riche du bien le plus précieux : la liberté d'aller et de venir ; la liberté d'aller à la rencontre de qui on veut.

— C'est vrai qu'on se sent bien quand on est libre ! me répond-il.

Il n'a pas compris tout mon propos, mais peu importe.

À notre tour, nous nous mettons à courir, au milieu des arbres en fleurs et des buissons odorants.

Le monde est enfin à moi.

Je n'ai plus envie d'aller chasser le lièvre et la mangouste.

Désormais, je me délecterai des sensations nouvelles. Je humerai les fleurs des champs sur lesquelles se posent les ailes des papillons géants ornées d'étranges masques. Je plongerai mes lèvres dans l'eau des sources limpides et fraîches. Je caresserai les troncs des arbres majestueux, à l'ombre desquels les hommes et les femmes se reposent, et les enfants jouent. J'appréhenderai par tous mes pores la richesse de tout ce qui est extérieur à moi-même et que je connais si peu. Je me laisserai absorber par ce qui est extérieur à moi, et que je découvre.

L'autre et l'ailleurs m'appellent et je leur répondrai : « Présent ! »

La nature est un somptueux cadeau pour les êtres vivants, à commencer par l'homme.

La fin de l'après-midi est arrivée si vite qu'il est déjà temps de rentrer.

Sur le bord du chemin un majestueux magnolia me tend ses branches au bout desquelles jaillissent des fleurs odorantes, à la blancheur immaculée.

Ananda a très envie de cueillir la plus belle.

Mais au moment où il s'élance, je l'arrête d'un geste.

— Ananda, si tu coupes cette fleur de magnolia, elle mourra et son odeur cessera rapidement d'embaumer tes narines. Alors tu la regretteras ! Elle est mieux sur son arbre, à la disposition des autres.

— C'est qui, les autres, Siddhãrta ?

— Les autres, c'est tout le monde et chacun d'entre nous. Par exemple, les hommes, les femmes et les enfants que nous avons croisés depuis tout à l'heure, et qui vivent une existence moins facile que la nôtre...

— Pourquoi dis-tu cela ? s'écrie Ananda, interloqué.

— La nature est belle, mais les hommes souffrent, Ananda ! Voilà ce que m'inspire notre promenade !

— Tu as raison, Siddhãrta ! Mieux vaut ne pas toucher à cette fleur. Les autres en profiteront !

Pour rien au monde, Ananda ne me ferait de la peine...

Il se contente de se hisser jusqu'à la fleur et de placer son nez sur son pistil.

À ce moment-là, je sais qu'entre Ananda et moi, ce sera à la vie et à la mort...

Et la fleur de magnolia restera ainsi des semaines entières sur l'arbre, embaumant l'atmosphère à mille lieues à la ronde, tel un ineffable cadeau que le Bouddha, déjà, a fait au monde.

5

Le monde des hommes de peu

Notre première échappée dans le monde extérieur nous a donné envie de recommencer. Mais dès mon retour à la forteresse, après la promenade enchanteresse, mes rapports avec mon père ont failli s'envenimer quand je lui ai fait part de ma surprise au sujet de l'ascète errant.

— Père, pourquoi ne m'avez-vous jamais parlé des çramanas ? lui ai-je demandé sans le laisser, ainsi que le veulent les convenances, me questionner le premier.

— Aller nu sur les routes ne mène à rien. Les çramanas ne sont que des illuminés. Il faut toujours se méfier des illuminés.

— J'aimerais tant discuter avec l'un d'eux ! Où puis-je en trouver un ? Y en a-t-il à Kapilavastu ?

— Tu as mieux à faire, mon fils, que d'aller trouver les illuminés. Si tu veux en savoir plus sur le rôle des dieux, je peux faire venir un vieux brahmane qui t'expliquera comment il faut faire pour entrer en contact avec eux.

— La Chãndogya Upanishad[1] raconte comment un

1. Il s'agit de la plus ancienne et la plus célèbre des Upanishad, ces textes sacrés fondateurs de l'hindouisme primitif écrits entre le viie siècle et le ve siècle av. J.-C.

brahmane n'a pas été capable d'expliquer au roi de Vanãrasi la nature de l'esprit absolu, l'atman, pas plus que le yoga et le Samsãra !

— Es-tu sûr de ce que tu dis là, mon fils ?

Mon père avait l'air gêné et agacé, mais j'avais décidé de m'accrocher.

— Le professeur nous a fait lire à voix haute, pas plus tard qu'hier, ce passage de la Chãndogya Upanishad !

— Les brahmanes, jusqu'à preuve du contraire, sont les seuls à pouvoir communiquer avec le soleil, la lune et la foudre, a rétorqué mon père, l'air pincé.

Il en est resté aux vieilles croyances védiques qui fondent notre ordre social et selon lesquelles seuls les brahmanes ont la possibilité de s'adresser aux dieux...

— Père, les brahmanes passent leur temps à justifier leur importance. N'est-ce pas un signe de faiblesse de leur part ?

— Je t'interdis de parler ainsi des prêtres, Siddhãrta. Si tu leur manques de respect, les dieux risquent de se venger !

Malgré la violence de ces propos, je décidai de lâcher ce que j'avais sur le cœur.

— Je n'ai pas peur des dieux ! Dans les Upanishad, il est dit que l'esprit est supérieur à la matière et que l'amour est plus fort que la mort.

— Cela ne signifie en rien que les dieux n'existent pas, espèce d'effronté !

— Père, les autres, les êtres humains, mes semblables, m'intéressent plus que les dieux. Je ne vous remercierai jamais assez de m'avoir permis de sortir pour aller à leur rencontre !

Mes propos ont calmé mon père dont le courroux est subitement retombé et qui m'a frotté la tête en disant :

— Les autres ! Les autres, mon petit Siddhãrta ! Tu

n'as que ce mot à la bouche. Pense d'abord un peu à toi !

— Père, quand me laisserez-vous sortir à nouveau ?

— Lorsque tu seras capable de mettre ta flèche au centre de la cible trois fois de suite, nous en reparlerons !

Puis il m'a embrassé.

J'ai regagné ma chambre, pressé de retrouver Ananda.

Et le lendemain, dès la première heure, je me suis acharné.

— Je veux être un archer de première catégorie ! ai-je dit à mon professeur de tir à l'arc.

— Tu en es loin ! m'a-t-il répondu.

— Je ferai ce qu'il faut.

— Dans ce cas, il faut m'écouter et cesser de rêvasser !

Alors, je m'applique comme le plus studieux des élèves, en acceptant, tel un novice, de tout reprendre à zéro.

Pendant des semaines, je m'efforce de prendre les poses nécessaires, d'appliquer à ma respiration les rythmes requis par le maître d'armes, puis de viser la cible en retenant mon souffle, avant de lâcher la corde pincée entre mon pouce et mon index, et de suivre la trajectoire du trait qui m'échappe en espérant qu'il va se planter au milieu de la cible.

Des centaines de fois, je recommence, jusqu'à ce que mon corps finisse par apprendre le cérémonial immuable qui permet à un archer de faire mouche à tous les coups.

À force, je deviens un tireur émérite et le jour dit, sous les yeux de mon père dûment convoqué pour assister à l'exploit, mon trait atteint le cœur de la cible successivement à trois reprises.

— Père, je suis devenu un bon archer. Vous m'avez promis que vous me laisseriez sortir, si c'était le cas !

Mon père, ébloui par l'exploit, obtempère avec joie. Il a enfanté un champion auquel, sans se faire prier, il permet, conformément à ses engagements, de quitter la forteresse de Kapilavastu tous les derniers jours du mois lunaire.

Je suis aussi heureux que lui.

Le dernier jour du mois arrive.

Avec Ananda, nous décidons d'aller visiter des villages paysans comme il y en a des centaines dans l'immense plaine arable gagnée par les hommes sur la jungle à la sueur de leur front.

D'emblée, je découvre la vraie misère, que je n'avais qu'effleurée lors de notre première sortie. Je vois des enfants couverts de poussière dont les yeux tristes m'étonnent. Quand je m'approche d'eux pour leur tendre la main et leur dire bonjour, ils me tendent la leur, mais je comprends vite que c'est dans l'espoir de recevoir quelque chose à manger...

À l'entrée d'un village, nous tombons sur un homme dont le bras droit est levé et qui se tient debout sur une seule jambe, l'autre étant repliée sur sa cuisse. Cela fait quarante ans, selon ses dires, qu'il a pris cette posture d'échassier.

Je lui demande :

— Pourquoi faites-vous ça ?

Il me répond :

— Je suis yogi. La quête de la vérité impose des mortifications. Certains de mes collègues se transpercent le ventre avec un sabre, ou s'enfoncent dans la langue de longues aiguilles dont les bouchers se servent pour embrocher la viande. D'autres pratiquent le hathãyoga, ou yoga de l'effort, qui délivre de toutes les impuretés accumulées par l'organisme.

Le soir venu, je me rends auprès de mon père.

— Père, dehors, avec Ananda, j'ai vu des petits enfants qui me tendaient la main et quand nous leur demandâmes pourquoi, ils nous répondirent qu'ils avaient faim. Le plus petit d'entre eux ressemblait à ces acacias rabougris qui ont la malchance de pousser dans le désert. Père, est-ce normal ? Pourquoi les dieux laissent-ils faire cela ?

— Ils ont faim parce que leurs parents ne leur donnent pas assez de nourriture ! Et peut-être ne prient-ils pas comme il faut le dieu des récoltes !

— Quand j'ai fini mon goûter et que le plateau de mon repas regorge encore de gâteaux au miel et de confiture de roses, pourquoi ne me laisserais-tu pas le leur porter ?

— Mon petit Siddhãrta, si tu entends régler le sort de tous les hommes et donner à manger à tous ceux qui ont faim, non seulement il faudra te lever de bonne heure, mais surtout ta vie n'y suffira pas !

Le soir même, je surprends sa conversation avec sa femme.

— Te rends-tu compte, Mahãprajapati, non content d'être fasciné par les ascètes vêtus d'azur, voilà que Siddhãrta répond aux sollicitations des mendiants qui pullulent à tous les carrefours des chemins.

Ma belle-mère prend ma défense.

— Siddhãrta est très intelligent et mûr pour son âge. Aie confiance ! Il ne commettra pas d'excès !

— Confiance ! Confiance ! Je ne voudrais pas que tout ce que notre famille a mis des années à construire soit jeté aux orties sous de fallacieux prétextes.

Puis mon père lui raconte l'histoire d'un certain Sogda, fils d'une riche famille de la région voisine, qui n'a pas hésité à dilapider en offrandes secourables et parfaitement inutiles l'héritage familial.

Il ne veut pas, comme il dit, « d'un Sogda chez lui » !

— J'espère qu'il ne me fera pas un coup pareil ! ajoute-t-il en frappant si fort du poing sur la table qu'il en casse le joli vase où Mahãprajapati met toujours une rose.

Choqué et triste, je constate que mon père a peur d'avoir enfanté un fils sacrilège, un fils rebelle, un fils qui risque de lui échapper complètement ; pis encore, un fils capable, dans un élan de générosité incontrôlé, de se laisser aller à renier la condition sociale et matérielle de sa caste de naissance !

Je décide de ne plus évoquer devant lui l'existence des çramanas, des indigents et des enfants qui ont faim.

Mais à mesure que les mois passent, je me sens comme un oiseau en cage, et même, certains jours, comme un aigle dont les ailes auraient été rognées, privant de ses rondes dans l'azur l'oiseau à l'œil infaillible, ce qui le prive peu à peu de cette acuité.

Plus j'y réfléchis et plus je juge absurde la contrainte engendrée par l'ordre des castes qui m'empêche, par exemple, de regarder – fût-ce du coin de l'œil – la jeune lavandière somptueuse dont les seins frémissants m'émeuvent, sous sa robe mouillée et transparente, qui vient chaque semaine apporter le linge propre au château, au motif qu'elle appartient à la caste des Shu-dra, celle des sous-hommes.

Un jour, n'y tenant plus, je me campe devant elle et lui adresse un bref salut, assorti de mon plus beau sourire, histoire de lui faire comprendre qu'elle ne m'est pas indifférente. Et la belle, guère dupe, me répond par une moue adorable mais légèrement moqueuse, l'air de me dire : « Je te plains, pauvre garçon, prisonnier de ton statut social, qui n'as même pas le droit de faire la cour à une jolie fille... »

Des deux, à cet instant, c'est elle qui a l'ascendant sur moi.

Je baisse les yeux et j'enrage. J'ai l'impression d'être un beau vase exposé sur une étagère haute, condamné à toiser les autres...

Mais je sais déjà qu'un jour je quitterai cette étagère sur laquelle mon clan prétend que je dois rester.

Je ne suis pas un vase précieux.

Je suis un être humain.

Comme les autres.

6

La chasse au tigre

La peur m'enivre.

Demain, mon père m'emmène chasser le tigre.

Seuls les membres mâles de la caste des Kçatrya ont le droit de tuer ce fauve, une fois qu'ils ont accompli onze ans, parce qu'ils sont censés posséder la vertu du courage et l'excellence dans le maniement des armes.

Mon père m'a prévenu que nous partirions plusieurs jours d'affilée, juchés sur le dos d'éléphants caparaçonnés comme des tortues géantes, à la traque de ces grands fauves qui pullulent au bord des rivières, dans les bosquets de bambous où ils se déplacent à la recherche de leurs proies, sans faire le moindre bruit.

Hélas, nous revenons bredouilles, après avoir sillonné la jungle et ses plantes coupantes comme des lames ; cette année, de façon assez inexplicable, les tigres se font peureux et fuient la présence de l'homme.

Sur le chemin du retour je questionne Suddhoddana.

— Père, un brahmane a-t-il le droit de tuer le tigre ?

— Un brahmane est fait pour s'occuper des dieux et prier ! Pourquoi me poses-tu cette question, Siddhãrta ?

— On dit que la caste des Kçatrya est inférieure à

celle des brahmanes ! Normalement, un brahmane devrait pouvoir tuer le tigre...

— Sous le soleil d'Indra le Roi des dieux, chacun doit rester à sa place. Je te l'ai déjà dit, Siddhãrta !

Et ce jour-là, précisément, juché entre les oreilles d'un immense pachyderme qui file à travers les champs de roseaux, j'éprouve pour la première fois la certitude que personne, jamais, ne doit rester à sa place et que l'homme, au contraire, s'il veut trouver la Vérité, doit commencer par être libre d'aller où il veut, libre de rencontrer qui il veut, libre de parler à qui il veut.

L'homme doit être capable de sortir à la fois de lui-même mais aussi du rôle que la société lui assigne, telle est ma conviction intime.

Soudain, un rugissement fend l'air.

— Il est là ! dit mon père.

L'éléphant apeuré, les oreilles rabattues, s'est figé telle une statue géante du dieu Ganesh. Ses énormes pattes sont comme enracinées dans la terre. Le tigre est le seul prédateur capable de s'en prendre au pachyderme. Ses griffes arrivent à transpercer le cuir très épais de sa peau. Une famille de tigres est capable de venir à bout d'un éléphant et de n'en laisser qu'un squelette sur lequel il ne restera plus que la peau grisâtre et plissée.

À croire que le monde est ainsi fait que tout ce qui est puissant et redoutable finit un jour par tomber sur plus fort que soi ; à croire que la vie a besoin de la mort et la création de la destruction.

Je sais maintenant qu'un état donné a besoin de son contraire pour exister, mais je n'arrive pas à accepter ce concept cruel. Je me souviens de cette prise de conscience comme si c'était hier.

Ce jour-là, mon père Suddhoddana était de fort plaisante humeur.

Pour préserver nos relations, cela faisait des mois que je ne lui parlais plus des mendiants et des indigents, des çramanas, des brahmanes, des cultivateurs et des lavandières, bref, des autres.

— Aujourd'hui, je t'emmène avec moi dans les champs où se déroule le Premier Labour Rituel, m'annonça-t-il, guilleret.

Le Premier Labour Rituel, qui précède de quelques jours les semailles, est l'occasion de supplier le dieu des récoltes de se montrer généreux.

Derrière mon père, je suivais la charrue du prêtre.

C'est alors que, dans la plaie ouverte que le soc de la charrue sacrée inflige au sol, je découvris un spectacle de désolation.

Les jeunes pousses d'herbe ratiboisées, qui servaient de nids aux insectes, étaient jonchées de cadavres de bestioles déchiquetées dont les œufs avaient été détruits par le travail du prêtre-laboureur ; il y avait même un oisillon coupé en deux.

La tranchée était devenue un spectacle de désolation ; un véritable cimetière miniature.

Comment un rituel censé être bénéfique pouvait-il être aussi barbare ?

J'avais de la peine à retenir mes larmes.

Pourquoi, pour faire pousser l'orge, l'homme était-il obligé de faire mourir les plantes et les animaux ?

Accablé, je venais de prendre conscience que le cycle de la vie des uns était tributaire de l'anéantissement de celle des autres.

Je me penchai sur le sillon pour y saisir une poignée de terre mélangée à une touffe d'herbe arrachée, sur laquelle une coccinelle à qui il manquait une aile se traînait comme une âme en peine.

— Que fais-tu, Siddhãrta ? C'est dangereux de rester là accroupi comme un chien qui attend son maître.

De nombreux pieds d'imprudents ont été emportés par les socs des charrues ! Sors vite du sillon ! cria Suddhoddana.

— Mon père, pourquoi ce brin d'herbe qui est jeune et beau doit-il être coupé pour les semailles ?

J'avais conscience que ma question était ridicule, et surtout indigne d'un enfant sachant lire, écrire et compter, auquel son précepteur avait déjà enseigné l'histoire, la géographie et les sciences naturelles.

Le prêtre-laboureur avait stoppé net son travail pour se retourner ; il me regardait d'un air interloqué.

— Il faut bien que les hommes se nourrissent, Sidhãrta ! m'a rétorqué mon père.

Puis Suddhoddana a fait signe à l'officiant de poursuivre sa tâche, en levant les yeux au ciel, l'air de lui signifier qu'il fallait excuser ce garnement de se laisser aller à des propos irresponsables.

Le brahmane a repris son travail et, une fois creusé le long sillon rituel, a préparé le feu sacré du Homa sur l'aire sacrificielle située au bout du champ. Quand il fut hors de portée, mon père me glissa, dents serrées :

— Siddhãrta, ne me fais plus jamais ce coup-là ! Surtout en présence d'un prêtre !

— Mais tous ces œufs d'insectes anéantis qui ne demandaient rien à personne, Père, si ce n'est d'éclore ! La vie me paraît trop précieuse pour être gaspillée de la sorte.

— Les choses sont ainsi, mon fils ! Quand on laboure un champ, on dérange des bestioles et on arrache des herbes. Va donc t'asseoir sous cet arbre Jambu, et silence ! Tu vas finir par me faire regretter de t'avoir amené ici ! a-t-il conclu sèchement.

Docilement, je gagnai l'arbre Jambu que mon père m'avait désigné et je m'assis contre son tronc pour assister à la fin du rituel.

C'est là, sous cet arbre, que je pris clairement conscience du cycle vital, ce lent processus de construction et de déconstruction, de montée et de descente, d'absorption et d'expulsion, de plein et de vide, sans lequel notre monde ne serait pas ce qu'il est.

C'est là que je compris que la mort devait être acceptée puisque sans elle, il n'y aurait pas de vie. C'est là que je compris que la loi naturelle – qui me heurte – veut que le plus faible soit toujours mangé par le plus fort.

À l'exception, peut-être, de ce qui se passe entre un tigre et un éléphant, deux animaux-rois, chacun dans son domaine, l'un par sa taille et son poids, l'autre par sa vitesse et la force de ses mâchoires aux canines acérées comme des lances...

Je ne vais pas tarder à savoir, de ces deux princes de la forêt, qui est le plus fort, puisque devant nous, à présent, la haie de cannes à sucre et de roseaux se met à frémir.

L'éléphant a légèrement écarté ses pattes avant, pour mieux recevoir l'éventuelle charge du fauve. Du coup, mon père a beau serrer de toutes ses forces le cou de l'animal avec ses mollets, tandis que je m'agrippe à sa ceinture, nous nous retrouvons dangereusement penchés vers l'avant, à deux doigts de tomber sur le sol.

— N'aie pas peur, Siddhãrta. Il suffit de bien t'accrocher à moi... dit mon père d'une voix dont il essaie de masquer l'angoisse.

— Je n'ai pas peur de la mort !

— Qui te parle de mourir ?

C'est la première fois que je vois mon père en proie à l'inquiétude. Ses mains sont si crispées sur les harnais du pachyderme que leurs phalanges sont blanches comme des ossements.

Plus les craquements et les feulements, tantôt

assourdis et tantôt tout proches, se multiplient derrière l'épais rideau de cannes et plus la peur de mon père est palpable.

L'éléphant baisse la tête de sorte que ses défenses raclent le sol, prêtes à se relever, d'un coup sec, pour tenter, en cas de besoin, d'empaler le fauve à l'instant où il bondirait.

De près ou de loin, je n'ai jamais vu un tigre vivant.

De cet animal, je ne connais que les trophées qui trônent dans la salle à banqueter de notre forteresse. Il y en a une vingtaine. Leurs têtes sont toutes dépourvues de dentition. Les crocs des tigres sont donnés aux guerriers quand ils reviennent victorieux de leurs combats. Les intéressés les portent en pendentif ou en collier, autour du cou, selon leur degré de bravoure. Quand j'étais petit, je me souviens que j'aimais bien jouer avec cette pointe en ivoire jaune accrochée à la chaînette d'or qui ne quitte jamais la poitrine de mon père, même quand il procède à ses ablutions rituelles et à sa toilette journalière.

Soudain, le pachyderme fait un écart qui nous projette violemment à terre, avant de prendre ses jambes à son cou et de s'enfuir sur le chemin, nous laissant seuls, Suddhoddana et moi, face au rideau végétal derrière lequel une tragédie est peut-être en train de se préparer.

Mon père extirpe sa dague du fourreau.

N'ayant pas l'âge requis, je ne porte pas d'arme et mon père, à cet instant, doit sûrement regretter d'être soumis à ces règlements ineptes auxquels les membres de sa caste se soumettent sans jamais se poser la question de leur pertinence.

Je me place devant mon père, pour lui servir de bouclier.

Le tigre est devant nous, revêtu de sa somptueuse robe tricolore, et mon père tremble.

C'est là que je me rends compte que le poil d'un animal en vie est infiniment plus soyeux que celui d'un animal mort.

La tête du fauve ressemble à un masque rituel. Ses yeux me regardent et j'y vois de la connivence. Je plisse les miens, histoire de lui faire comprendre que je ne lui veux aucun mal. À son tour, le prince de la forêt abaisse imperceptiblement une paupière. Lui et moi nous sommes reconnus ; nous sommes désormais capables de communiquer par signes.

La jungle est silencieuse, comme si toute sa faune retenait son souffle pour assister à ce qui va se passer... Sur mon épaule, je sens tout le poids de mon père. Je fais un pas vers le tigre. Il ne bouge pas. Lentement, j'avance la main, paume tournée vers lui. C'est l'abhayãmudrã [1], le signe d'apaisement.

À la vue de ce geste, le tigre comprend que non seulement je ne lui veux aucun mal, mais que je cherche surtout à conjurer sa peur, qui est le seul facteur de dangerosité de cet animal prêt à tuer pour préserver sa propre vie.

Le tigre pousse alors un grognement et repart derrière le rideau de bambous en trottinant.

— Je suis fier de toi, ô Siddhãrta. Tu as vaincu le tigre. Si ta pensée ne dérive pas, tu deviendras un grand chef de clan ! me dit mon père.

De peur de lui faire de la peine, je ne lui réponds pas que je n'ai pas vaincu le tigre, mais que je me suis contenté de lui parler, et que précisément ma pensée – comme il dit – dérivera de plus en plus.

Au point qu'un jour il ne se reconnaîtra plus dans son fils.

Parce que la Vérité m'aura appelé, tandis que lui – pauvre homme ! – aura persisté dans l'erreur...

1. Mudrã signifie « geste » en sanskrit.

7

Être et avoir

Personne ne rognera mes ailes.

Personne ne portera atteinte à l'acuité de mon regard.

Aujourd'hui, c'est décidé, Ananda et moi ferons le mur.

Nous nous échapperons de la forteresse sans demander la permission.

Au début, lorsque je lui fis part de ce projet, mon gentil cousin se montra quelque peu réticent.

— Tu n'as pas peur de désobéir à ton père ?

— Qu'est-ce que désobéir, Ananda, quand la règle est absurde ? Dans quelques jours, tu auras onze ans. Crois-tu qu'il soit raisonnable de nous empêcher de sortir, sous prétexte de nous protéger d'un monde dans lequel tôt ou tard nous entrerons puisque nous sommes condamnés à y vivre ?

— Et si Suddhoddana nous demande des comptes, que diras-tu ?

— La vérité ! Je la dois à mon père. Autant désobéir, comme je me tue à te l'expliquer, ne veut rien dire, autant mentir ne serait pas bien !

— De toute façon, Siddhãrta, c'est toi qui décides. Je ferai comme toi... conclut en souriant celui qui me fera toujours confiance et m'accompagnera jusqu'au bout.

Le jour dit, nous nous laissons glisser le long de l'énorme tronc de lierre qui parcourt la muraille de bas en haut.

Nous voici dehors, dans la réalité du monde, à l'extérieur de ce cadre fait d'artifices et de codes où mon père prétend, au nom de mon bien, m'enfermer.

Puis nous nous ruons vers la petite source désertée par les troupeaux à cette heure-là, et, pour la première fois, traversons la rivière en hurlant de joie, comme si nous franchissions la frontière d'un pays de cocagne dont l'accès nous restait interdit.

Alors, il nous suffit de gravir une colline pour trouver le chemin qui mène au prochain village.

À l'entrée de celui-ci, sur la route, visage fermé de l'homme égoïste, un marchand de tissus ambulant refuse de verser dans l'écuelle que lui tend un ascète vêtu d'azur un peu du riz à la soupe dont il s'empiffre goulûment, assis à même le sol, à côté de sa carriole.

Je dis à Ananda :

— Cet homme vient de se priver d'une occasion de procéder à un acte positif ! Il n'a pas compris, le malheureux, que donner est une chance. Vraiment, je le plains de tout mon cœur !

Mon cousin a l'air stupéfait par ma remarque et me regarde d'un drôle d'air, où l'étonnement se mêle à l'incrédulité.

— Où as-tu appris ça ?

— Je ne l'ai pas appris. Je l'ai découvert. Ce que tu donnes t'enrichit. Ce que tu gardes t'appauvrit. Celui qui contemple tout seul sa caverne remplie d'or jusqu'au plafond, dont personne jamais ne profitera, est l'homme le plus pauvre du monde.

— Je comprends... Je suis d'accord avec toi. Donner est une chance.

— L'homme a le choix entre deux attitudes : être et avoir...

— Être et avoir ?

— Ce sont là deux postures inconciliables.

— Comment choisit-on d'adopter l'une ou l'autre ?

— Dans la plupart des cas, on ne choisit pas ! Quand tu « as », il est difficile d'« être », alors que pour ceux qui n'ont rien, c'est plus facile. De même qu'il est plus aisé de se hisser sur une corde à un individu qui ne possède rien qu'à celui dont les poches sont alourdies de monnaies de bronze.

— Est-ce à dire qu'il vaut mieux être pauvre que riche ?

— Tout dépend de ce qu'on cherche...

— Entre les deux, laquelle préfères-tu ?

— Être, bien sûr ! Car s'ils n'ont pas conscience de ce qu'ils sont, les êtres humains ne peuvent pas être heureux ! Si je ne « suis » pas, comment pourrais-je savoir ? Si je ne « sais » rien, j'avance en aveugle ! Si j'avance en aveugle, je finis par me perdre. Si je me perds, je deviens malheureux...

Conscient que ces réflexions pouvaient heurter les esprits familiaux pétris de certitude, je les ai jusqu'à présent gardées pour moi, et je suis satisfait de les partager désormais avec Ananda.

Nous nous remettons en marche.

Quelques pas plus loin, c'est un majestueux manguier, dont l'harmonie des branches s'étage jusqu'au ciel, qui nous fournit l'occasion de nous rassasier. Les fruits oblongs et si doux au toucher sont mûrs, et juste à portée de nos mains.

Je fais remarquer à Ananda que nous n'avons rien demandé à cet arbre, ce qui ne l'a pas empêché de nous offrir de quoi nous rassasier.

Il acquiesce.

Je vois dans ses yeux qu'il a compris l'antinomie entre la posture de l'« être » et celle de l'« avoir ».

À présent, la chaleur est si écrasante qu'elle fait trembler la ligne bleuâtre de l'horizon minéral qui barre la plaine désertique située à l'est de Kapilavastu.

— Qu'est-ce qu'on va déguster, si jamais Suddhoddana apprend que nous avons fait le mur... soupire Ananda.

Le malheureux a l'air terrorisé.

Je m'en veux d'aller trop vite ; de l'obliger à me suivre ; d'exercer sur lui une ascendance qui pourrait aliéner sa liberté de pensée. Il ne faudrait pas qu'il me prenne pour son guru, alors que je ne suis que son frère et qu'il est mon parfait égal !

— Si mon père nous laissait sortir plus facilement, nous n'en serions pas là ! lui dis-je, en m'efforçant de le rassurer.

— Tu as beau dire, Siddhãrta, cela s'appelle de la désobéissance !

— Pas au sens de la maturation de notre acte...

— Qu'appelles-tu « maturation d'un acte », ô Siddhãrta ?

Les yeux d'Ananda se sont agrandis ; ils me font penser à ces coupelles sacrificielles de bronze sur lesquelles les dévots placent les pétales de rose destinés à honorer les dieux.

— Te souviens-tu, Ananda, de cet éléphant que nous avons vu passer sur la route de Kapilavastu, et qui charriait un énorme tronc d'arbre ?

— Et comment ! Il ressemblait même à une montagne ! Et madame Oudéa n'était pas très contente que nous ayons échappé à sa surveillance...

— Cet animal nous a montré en quoi consiste l'expression que je viens d'employer et ce qu'elle recouvre...

— Tu parles des actes, ô Siddhãrta, comme s'ils étaient les fruits d'un arbre !

— Un acte peut être assimilé à une plante dont la graine, une fois tombée sur le sol, germe et se développe en une nouvelle plante, qui produit à son tour un fruit. Lorsque celui-ci est parfaitement mûr, il se détache de la branche qui l'a nourri et tombe à son tour, parfois sur la tête de celui qui a semé la graine... Souviens-toi de cet éléphant : c'est parce que cet animal a donné un coup sec à ce tronc tout en haut de la pente que l'arbre est descendu en roulant jusqu'à l'endroit où il s'est arrêté. La maturation de l'acte s'est produite au moment où l'animal a poussé ce tronc ; quant à l'acte, il s'est accompli au moment où le morceau de bois a arrêté sa course ! De même, Ananda, si nous avons été obligés de faire le mur, c'est parce que Suddhoddana nous interdit de sortir de la forteresse par la grande porte.

— Où vas-tu donc chercher tout ça, mon cher cousin ?

— Dans ma seule tête, Ananda. Je ne suis pas convaincu par ce que nous raconte à ce sujet Rũgla, notre précepteur religieux. Tu sais bien ! Cette histoire d'enfer et de paradis, où il suffirait de sacrifier aux dieux pour se retrouver dans la bonne case... Par exemple, je ne suis pas sûr que le labour rituel suffise à produire une bonne récolte...

— Tu ne crois donc pas aux sacrifices ? Tu ne crois pas que les dieux soient puissants ?

— Les dieux, c'est nous qui décidons de leurs supposés pouvoirs...

À présent, c'est devant un lopin de terre labouré de frais que nous passons, sur lequel des maraîchers, le dos courbé, s'affairent.

— Regarde un peu ce champ. Lorsqu'il a été

labouré, la charrue y a fait mourir des milliers d'herbes et d'insectes, sans compter des dizaines de mulots et d'oisillons ! Tu parles d'un sacrifice !

— Les brahmanes ne cessent d'expliquer que l'homme doit sacrifier aux dieux, s'il veut obtenir leurs bienfaits...

— Je ne crois pas que ce soit avec des fruits ou des poulets morts que l'homme échappe au Samsãra, mon cher Ananda !

— Tu veux parler du cycle infini des morts et des renaissances, ô Siddhãrta ?

— Oui ! Je fais bien allusion à cette errance qui mène les êtres d'une vie à l'autre. Je parle de cette roue immense dont le mouvement ne s'arrête jamais ! Je parle de ces existences infinies qui sont la conséquence des actes initiés dans des vies antérieures dont nous n'avons même pas conscience et qui ne produisent leurs effets que bien plus tard, Ananda ! Oui ! C'est bien du Samsãra [1] que je veux parler !

— Quel est le lien entre le Samsãra, dont l'espèce humaine est irrémédiablement prisonnière, et ce que tu nommes « maturation des actes » ?

— Réfléchis ! Je suis sûr que tu es capable de trouver la réponse à ta question !

— Tu veux dire que les actes que leur maturation

1. Samsãra, littéralement « migration », qualifie le cycle des naissances, des vies, des morts et des renaissances que seule interrompt la Délivrance. Cette notion, qui n'est pas propre au bouddhisme, est commune à toutes les religions de l'Inde. Le cycle infini des naissances et des morts était donc, à l'époque du Bouddha, une certitude partagée par toutes les religions indiennes qu'elles utilisaient comme un aiguillon, la menace de se réincarner sous une forme peu flatteuse en cas de comportement fautif restant le meilleur des arguments vis-à-vis de ceux qui s'écartaient du droit chemin.

rend mauvais peuvent entraîner une mauvaise renaissance pour leurs auteurs ?

— Assurément, je le crois. Ne serait-ce pas normal ? Qu'en penses-tu ?

— Qu'en sera-t-il, dans ce cas, pour toi et moi qui venons de désobéir à ton père en nous échappant du château ?

— Je te l'ai déjà expliqué, Ananda. Ce n'est pas là un mauvais acte. Notre existence est si protégée que le champ de nos actes se réduit à une prison dorée où il fait bon vivre, alors qu'à l'extérieur la plupart des hommes et des femmes souffrent ! En nous échappant de la forteresse, avons-nous lésé quiconque ?

— Mais nous avons contrevenu à une règle...

— La belle affaire !

— J'aimerais, moi aussi, faire le bien ! J'aimerais contribuer à atténuer les souffrances des pauvres enfants qui n'ont pas à manger... soupire Ananda.

— Là où nous sommes, c'est rigoureusement impossible ! C'est pourquoi nous échapper de ce carcan n'est pas un mauvais acte, Ananda ! C'est au contraire un acte salutaire...

Nous revenons au château par le même chemin et profitons d'un convoi de marchands de tissus venus présenter leur marchandise à mes parents pour nous glisser dans la cohue provoquée par leur arrivée.

Quand nous nous séparons, sur le seuil de nos chambres respectives, nous nous serrons mutuellement longuement dans les bras l'un de l'autre.

Sans qu'il soit utile de nous concerter à ce sujet, l'un comme l'autre, nous savons déjà que notre destin est ailleurs que dans la forteresse de Kapilavastu.

Allongé sur ma couche, je me sens heureux.

J'ai appris à Ananda qu'il valait mieux « être » qu'« avoir »... et que la seule possibilité d'« avoir » ce dont on a besoin c'est, précisément, d'« être »...

8

Je deviens un rebelle

S'il existe entre la cendre et l'or une grande différence, je sais désormais qu'entre un brahmane et un dalit[1] il n'y en a aucune !

Depuis plusieurs mois, Ananda et moi, nous faisons le mur en cachette.

Madame Oudéa, dont l'âge avance à grands pas, est retournée dans sa famille ; du coup, nous sommes désormais bien plus libres de nos allées et venues.

Mon père est souvent absent ; il surveille des opérations de maintien de l'ordre car la famine qui sévit, consécutive à la sécheresse persistante, provoque de nombreuses émeutes, lesquelles mettent à feu et à sang nos villages et nos villes.

Aujourd'hui, je propose carrément à Ananda d'aller voir à quoi ressemble Kapilavastu.

Nous n'avons encore jamais mis les pieds dans cette bourgade dont le clan des Gautama assure la tutelle administrative et la défense. Certaines de ses maisons sont pourtant pratiquement adossées à la muraille nord de la forteresse ; mais chaque fois que j'ai émis devant

1. Intouchable.

mon père le souhait de m'y rendre, il me l'a formellement interdit, au point que j'ai fini par trouver bizarre cet acharnement à m'empêcher d'y aller.

Jusqu'à maintenant, par respect pour mon père, j'ai tenu à honorer cette directive, mais à présent que le temps a passé et que je me suis enhardi, le moment me paraît venu de m'en affranchir.

Hier après-midi, une fois de plus, je me suis épuisé à essayer de comprendre les propos de notre précepteur au sujet du Dharma[1].

— Souvenez-vous-en ! Il y a le Bien et il y a le Mal. Il y a l'Enfer et il y a le Paradis. Et surtout, il y a les dieux, qu'il faut craindre et dont vous avez intérêt à satisfaire les désirs !

Pour la énième fois, de sa voix aigrelette, le vieux professeur au crâne chauve et au visage émacié auquel Suddhoddana a demandé de parachever ma formation religieuse nous assenait des dogmes, avant de nous les faire répéter pour être bien sûr que nous les avions assimilés, Ananda et moi.

Comme à l'accoutumée, armé de sa longue baguette, le précepteur exigeait que nous répétions au mot près les phrases de son exposé, sachant qu'à la moindre erreur il n'hésiterait pas à nous infliger un violent coup de règle sur les doigts.

C'est ainsi que je dus me résoudre à réciter par cœur la description du monde, selon le Dharma.

Comme je n'en crois pas un mot, je fis semblant, ce qui me répugne toujours.

— Le monde est pareil à un grand cylindre, dans lequel se meuvent, montent et descendent ou encore stationnent – mais c'est plus rare – tous les êtres, selon les actes qu'ils ont déjà accomplis et se préparent, demain, à accomplir.

1. Dharma signifie « doctrine » ou « vérité » en sanskrit.

— Comment appelles-tu ce mécanisme, Siddhãrta ? m'a alors demandé le professeur en haussant son sourcil broussailleux.

Du même ton mécanique et emprunté de l'élève qui récite sa leçon, j'ai répondu :

— Le karman des actes bons ou le karman des actes mauvais ! Les êtres vivants, selon leurs actes, peuvent être amenés à renaître dans cinq destinées qui sont, de la plus horrible à la plus satisfaisante : celle des enfers, celle des revenants affamés, celle des animaux, celle des hommes et enfin celle des dieux.

C'est bizarre, mais quand je récite cette partie du Dharma, je ne peux m'empêcher d'éprouver un léger frisson et de cligner des yeux.

— Récite-moi la liste des principaux dieux !

Comme je connais par cœur les noms des dieux – je sais même faire la description détaillée du moindre de leurs attributs ainsi que de leurs facultés –, je la lui débitai d'un seul trait, ce qui prit un bon quart d'heure.

— C'est bien ! fit le professeur, satisfait.

C'est alors qu'à brûle-pourpoint je lui posai une question à mon tour.

— Maître, l'enfer est-il aussi brûlant qu'on le dit ?

Il m'a regardé avec stupéfaction. Comment osais-je lui poser une question, alors même que j'étais en cours d'interrogatoire, ce qui était, à n'en pas douter, une attitude irrespectueuse ?

Ananda n'en menait pas large, qui devait s'attendre que la longue règle de bois du précepteur s'abatte sèchement sur mes épaules.

Mais, à ma grande surprise, le brahmane professeur a daigné me répondre.

— Brûlant ou glacial ! C'est selon ! Dans l'Avici, qui est l'enfer le plus redoutable de tous, les damnés subissent des châtiments tels que les déchirures de leur corps par les feuilles tranchantes des arbres infernaux ou encore par les becs de fer des redoutables oiseaux qui y nichent. Dans d'autres cas, leurs corps sont bouillis et rôtis, écrasés et déchiquetés ! Ces lieux lugubres sont hantés par Mãra, le dieu maléfique.

Ce pauvre Ananda en tremblait déjà, qui a gémi :

— J'imagine que le sort des revenants affamés n'est guère plus enviable !

— Les trépassés hantent les interstices situés entre les étages du cylindre, à la recherche de nourriture, mais, leur bouche n'étant pas plus grande que le trou d'une aiguille, ils sont toujours affamés car rien ne peut, jamais, les rassasier. C'est pourquoi on les appelle les revenants affamés !

La description avait de quoi donner des cauchemars.

— Quel est le sort le moins enviable, dans le Samsãra ? me suis-je alors enquis, par pure bravade, désireux de montrer au professeur que je n'avais peur de rien.

Au demeurant, depuis qu'on me l'a expliqué, ce phénomène de l'errance des âmes d'une existence à l'autre, au gré des humeurs du destin, n'en finit pas de me hanter.

Petit, j'imaginais les âmes tels des nageurs allant d'une rive d'un fleuve à l'autre mais incapables de remonter sur la berge, ce qui les obligeait à repartir, épuisés, de l'autre côté, avant de finir engloutis par les tourbillons.

— Celui de l'insecte, quand il tombe nez à nez avec le crapaud ! Ou encore celui de l'oiseau, lorsqu'il est la cible du chasseur ! Il n'y a que le serpent nãga, le descendant du Roi qui porte le même nom, à pouvoir, de temps à autre, sortir de sa condition de reptile pour se transformer en homme, a doctement répondu le professeur, qui paraissait plutôt ravi de terroriser ses deux jeunes élèves.

— Dans le Samsãra, la condition des hommes est, somme toute, l'une des plus enviables ! a fini par conclure Ananda.

— J'irai plus loin : je dirais qu'il n'y a guère que l'homme qui soit capable de sortir du cycle du Samsãra... ai-je ajouté, l'air buté.

— Il ne faut pas proférer de telles inepties, Siddhãrta ! Nul ne peut sortir du Samsãra ! Le Samsãra a été, est et restera ! s'est alors insurgé le professeur en tapant du poing sur la table.

— En quoi est-ce critiquable de vouloir sauver son prochain des affres de ce cycle interminable ?

— J'espère bien que tes mots outrepassent ta pensée. Je vais finir par voir en toi un révolté sacrilège... a déclaré, outré, le professeur de Dharma.

— Les hommes sont-ils heureux ? Telle est la vraie question à se poser. Suddhoddana, mon père, cherche à tout prix à me protéger de l'extérieur, comme s'il craignait ma réaction face à l'horreur dont le monde doit être fait... S'il a tellement peur que je ne m'apitoie, c'est que ça ne doit pas être rose, là-bas...

Sans écouter la fin de mon propos, le professeur, ulcéré qu'un blanc-bec de mon espèce osât lui tenir tête, avait claqué la porte.

— Tu y es allé un peu fort... a pouffé Ananda.

J'étais furieux et triste.

— Si le Samsãra était si idyllique que ce professeur veut bien le dire, il ne s'enfuirait pas de la sorte !

Le lendemain, j'ai posé à Ananda la question de confiance :

— Es-tu prêt à aller à Kapilavastu avec moi ? Je veux en avoir le cœur net. Je veux savoir si c'est aussi horrible que je l'imagine !

— Pourquoi pas ? me répondit-il sans hésiter, toujours prêt à participer à nos expéditions clandestines.

C'est ainsi que, pressés par l'excitation, à peine notre dîner avalé, au lieu de regagner nos chambres, nous escaladons le mur d'enceinte de la forteresse et hâtons le pas pour nous diriger vers les portes de la petite ville.

Nous calculons que nous disposons de deux bonnes heures pour explorer de fond en comble les quartiers de Kapilavastu, avant la fermeture de ses grandes portes cloutées de bronze qui s'ouvrent aux quatre points cardinaux des remparts de la ville.

Je brûle de savoir à quoi ressemble cette bourgade commerçante dont je ne connais que les toits de tuile.

Dès que je pénètre dans ce monde urbain, le choc est rude, tellement il me paraît affreusement sale et repoussant.

D'abord, l'horrible odeur qui s'en dégage me surprend ; elle prend à la gorge, au point de me faire suffoquer. Le bruit, aussi, est infernal. Personne ne peut entendre personne. Les gens se parlent dans le vide. Les pleurs et les gémissements, les rires et les insultes, tout se mélange dans un magma sonore qui m'oblige à placer mes mains sur mes oreilles.

À tous les coins de rue, les mendiants pullulent ; ils sont tantôt accroupis contre les murs et tantôt allongés à même le sol, pour ceux dont les forces ne leur permettent plus de tenir debout.

Des senteurs, je n'avais connu jusque-là que celles, délicates et subtiles, des parfums des fleurs et des plantes aromatiques utilisées aussi pour les onguents des femmes issues de la caste des guerriers : le jasmin et la rose, le laurier et le thym sauvage, le magnolia et le géranium.

Et là aussi, je découvre qu'il existe le pire à côté du meilleur.

Dans cette puanteur, j'aperçois des enfants misérables au ventre gonflé qui se penchent sur les tas d'immondices en décomposition dispersés le long des ruelles par les riverains ; les pauvres ! Ils doivent espérer y trouver des trognons de pommes ou quelque épluchure comestible.

Je suis heurté par la résignation dont témoigne leur regard, comme s'ils avaient par avance accepté ce destin qui fait d'eux des êtres plus malheureux encore que des animaux.

Je suis également affligé par l'indifférence des autres habitants, qui vaquent à leurs occupations comme si de rien n'était.

Entre la résignation et l'indifférence, je n'arrive pas à déterminer ce qui est le plus choquant. Inacceptable est l'acceptation d'une condition de vie animale, quand on est un être humain ; insupportable est la passivité des autres, devant quelqu'un qui a ce sort.

Je suis accablé devant un tel dénuement et un tel égoïsme.

— C'est terrible, Ananda : regarde un peu comme la douleur est partout ! Le bas monde n'est que douleur, Ananda, telle est la terrible vérité que mon père Suddhoddana cherche à me cacher...

Mais nous n'avons encore rien vu.

Plus nous avançons et plus le spectacle de la rue est pathétique.

Ici et là, des ascètes et des yogis en méditation exposent aux passants les blessures et les mortifications qu'ils infligent à leur corps. Certains s'enfoncent des poignards dans les côtes, tandis que d'autres, assis sur des tabourets à clous, se frottent la poitrine avec des touffes de plantes épineuses séchées ou posent sur leur langue un scorpion venimeux. Il y en a même un qui prétend – c'est écrit sur sa pancarte – tenir son bras levé depuis dix ans au-dessus de sa tête. La plupart de ces individus ont disposé à leurs pieds une écuelle dans laquelle les passants jettent une piécette, avant de se signer avec respect.

La révolte gronde en moi.

Ce monde n'est pas le mien.

Et je ne veux pas en être...

— Ne crois-tu pas que ces gens feraient mieux de donner à manger à ces enfants plutôt que de verser des aumônes à ces yogis qui ont fait en toute connaissance de cause le serment de ne pas se nourrir ! dis-je à Ananda.

— Tu as raison !

— Voilà le vrai monde, celui des villes, que mon père a souhaité me cacher, et pour cause ; voilà un monde où s'étale, à chaque coin de rue, de la douleur, subie ou consentie ; voilà un monde où les hommes vénèrent ceux qui ont choisi de s'infliger la douleur et méprisent ceux qui en sont les victimes ; voilà le monde de la désolation, de l'infamie, de la fureur...

— Pourquoi se font-ils autant de mal, ô Siddhãrta ? Ces cruautés que tous ces hommes s'infligent à eux-mêmes, ces petits enfants qui survivent sur leurs tas d'ordures, ce bruit qui empêche chacun de parler à l'autre et de l'écouter, tout cela me révolte.

— C'est pour moi un mystère. Ils croient sûrement que c'est la bonne façon d'attendrir les dieux. Et si c'était le cas, cela signifierait que ceux-ci ne les aiment pas ! Sinon, pourquoi leur imposeraient-ils de telles souffrances ?

— Comment se fait-il que les dieux laissent ainsi la misère se répandre sur terre ?

— C'est une bonne question ! Les dieux sont égoïstes ; ils sont bien là où ils sont... si loin des hommes !

— Moi, j'ai quand même un peu peur de la déesse

Durgã au terrible visage ! murmure Ananda, que mes propos ont dû choquer.

Le pauvre, s'il savait que je me fiche de Durgã comme d'une guigne ! S'il savait comme la déesse noire de la guerre, qui se nourrit exclusivement du sang de ses victimes, ne me fait pas peur ! Pas plus d'ailleurs que Çiva l'Effroyable, le maître absolu de l'anéantissement, qui a pour assistants les revenants et les vampires !

Les yeux d'Ananda croisent les miens. Il doit me prendre pour un illuminé, mais son sourire m'encourage à enfoncer le clou.

— Comment, devant un tel spectacle, peut-on prétendre que les dieux aiment les hommes ? Auraient-ils décidé de jouer sur nos peurs, et même d'en abuser comme si nous n'étions que de pauvres fétus de paille qui doivent filer doux, s'ils veulent renaître sous une forme agréable et flatteuse, qu'ils ne s'y prendraient pas autrement !

— Tu ne trouves pas que tu exagères ?

— Gare à celui qui ne suit pas les directives des dieux : il renaîtra, le malheureux, dans le corps d'un rat ou sous la forme d'un insecte ! Trouves-tu cela juste, toi ?

— Il est temps de rentrer, Siddhãrta. Tout ce que nous voyons là ne fait que te pousser à l'excès, lâche soudain Ananda, écœuré et au bord des larmes.

Pour le consoler, je lui prends la main.

— Pardonne-moi si je m'emporte... mais la révolte gronde en moi !

Avant de regagner la forteresse, comme des chiens en train de traquer le gibier qui veulent reconnaître leur terrain de chasse, nous décidons d'accomplir le tour de l'enceinte. Au moment où nous passons sous la voûte de la porte orientale de la cité, nous manquons de renverser un homme que la nuit tombante nous a empêchés de voir.

Il a le dos voûté comme les branches d'un saule pleureur et marche la main droite appuyée sur une canne noueuse.

L'individu, dont la chevelure est aussi blanche que l'écume du poitrail d'un cheval quand il transpire, me fait l'effet d'une plume emportée par le vent, tellement il paraît fragile.

— As-tu déjà vu un homme aussi frêle, Ananda ?

Pour en avoir le cœur net, je hèle un passant.

— Pourquoi cet homme paraît-il sur le point de tomber à chaque pas ? Pourquoi ses cheveux sont-ils aussi blancs que la neige des montagnes ?

— Tu ne vas tout de même pas me dire que tu n'as jamais vu un vieillard ! me répond le passant, effaré par mon ignorance.

La vieillesse !

J'ignorais ce qu'était la vieillesse, cette marque du temps qui pèse sur les épaules des hommes comme un fardeau de plus en plus lourd, et voilà que je découvre l'usure des corps sous l'effet du temps. Comme les plus belles fleurs, les êtres humains se fanent et je ne le savais pas !

Rien ne reste ; tout part et tout se transforme, pour revenir et repartir à nouveau ; tout se flétrit et pourrit, y compris ce qu'il y a de meilleur...

Près de la porte méridionale de Kapilavastu, j'avise une forme revêtue de loques, qui s'appuie contre un portail de pierre. Elle est maigre comme un squelette et fait d'immenses efforts pour respirer. Son visage aux yeux enfoncés dans les orbites est inondé de sueur, alors qu'il ne fait pas si chaud que ça, puisque le soleil est déjà couché.

C'est d'un homme qu'il s'agit, même s'il est permis d'en douter, tant son aspect est minéral.

Une femme s'avance vers nous.

— Madame, qu'arrive-t-il à cet homme ?

— Il est malade des fièvres et trop pauvre pour s'acheter des remèdes. Bientôt, il sera mort ! me répond la matrone.

Les maladies ! Je n'avais jamais vu l'effet des maladies, ce dérèglement de l'organisme contre lequel seules certaines plantes médicinales agissent, et encore, lorsque ce sont des maux dont on peut guérir, car le plus souvent on en meurt !

Tout se dérègle car tout, en fait, est fragile.

Ce qui est droit finit par devenir courbe ; ce qui est blanc finit par devenir noir ; ce qui est plein finit par se vider. Les plus subtils équilibres et les plus belles harmonies sont à la merci d'un grain de sable...

À quelques pas de la porte occidentale de Kapilavastu, c'est un cortège funèbre barrant la rue qui nous arrête. Les pleureuses précèdent le brancard sur lequel un jeune enfant est étendu. Sa peau est grise et fripée ; il ne bouge pas.

Il doit s'agir d'un mort.

Je n'ai jamais vu la mort, mais je crois savoir en quoi la mort consiste, puisque j'ai moi-même perdu ma mère.

La mort cerne le monde de toute part. Le monde est ainsi fait qu'il ne peut vivre sans la mort car tout ce qui est construit aura été, au préalable, détruit et reconstruit.

Le monde est fait ainsi, mais je l'avais oublié.

Je m'engouffre dans l'échoppe d'un barbier, un petit homme barbu qui taille les ongles d'un personnage richement habillé.

— Est-ce bien un mort que ces gens transportent ?

— C'est un enterrement. Tu n'en as donc jamais vu ? Tous les jours, ce sont bien trois au quatre cortèges funèbres qui passent ici devant ma porte !

— Tu sais, je n'ai pas vu grand-chose depuis que je suis né !

Je me présente.

— Je m'appelle Upali, se présente à son tour l'intéressé, flatté qu'un membre d'une caste supérieure à la sienne lui adresse aussi courtoisement la parole. Nous sommes coiffeurs de père en fils. Heureux de faire ta connaissance, Siddhãrta ! Ton père Suddhoddana protège cette ville ! Du coup, peu de voleurs s'y hasardent.

Je m'éclipse pour aller retrouver Ananda qui m'attend sagement dehors.

Je suis amer.

— Ce que nous avons découvert ici est encore plus terrible que je ne l'imaginais. Mon père a tort de me couper du monde comme il le fait.

Profondément abattus par tout ce que nous avons vu, nous hâtons le pas pour rentrer. Ma décision est prise : dès le retour de mon père, j'irai le trouver et je le sommerai de changer de comportement à mon égard.

S'il le faut, nous irons à la rupture.

Nous franchissons la porte septentrionale de la ville, celle qui jouxte le chemin qui mène à l'entrée de la forteresse, et là, je vois venir vers moi une silhouette étrange, revêtue d'une tunique ocre et tenant un bol à aumônes à la main.

C'est un homme bizarre, qui paraît ne plus faire partie de ce monde.

De ses yeux bleus, enfoncés dans ses orbites profonds comme des cratères, émane un rayonnement qui semble me transpercer de part en part et met mon âme à nu.

Fasciné par cet homme au regard de braise, je m'approche de lui et je lui demande de but en blanc qui il est. Il paraît redescendre sur terre et regarde celui qui vient ainsi de s'adresser à lui.

— Je suis un religieux errant, un çramana, et j'ai quitté ma maison !

— Que signifie l'expression « quitter sa maison » ? Quand on a une maison, on la garde ! Quand on a une famille qu'on aime, on y reste !

— Quand je parle de « quitter ma maison », je pourrais dire aussi que je me suis dompté moi-même, afin de mieux me trouver.

L'ascète me sourit.

— Se dompter soi-même ! Comme c'est étrange... ajoute Ananda.

— J'ai décidé de consacrer ma vie à la sainteté ainsi qu'aux bonnes œuvres. Je marche sur les chemins. Mon univers, désormais, est fait de poussière et de vent ! murmure en souriant le çramana, avant de repartir.

Frappé de constater à quel point cet homme a l'air en paix avec lui-même et profondément heureux, je dis à Ananda :

— Ananda, le monde tel qu'on nous l'a toujours dépeint n'est pas le vrai monde ! Nous menons une existence factice ! Mon père veut à tout prix me protéger du malheur et de la douleur. C'est ce çramana qui est dans le vrai.

Au moment où nous franchissons le mur pour revenir dans ce cocon où on ne respire que l'odeur des fleurs et le parfum des femmes, où tout n'est que luxe et raffinement, somptuosité des formes et des couleurs, une certitude m'habite :

Un jour, à mon tour, je ferai la même chose que l'homme vêtu d'azur.

Je quitterai à mon tour ma maison en m'arrachant à moi-même.

Car je vous le dis : c'est ainsi que j'arriverai, comme le çramana de Kapilavastu, à me dompter moi-même.

9

Quinze ans

C'est mon anniversaire.

Les rires fusent, joyeux et insouciants.

Les tissus bruissent, les clochettes des bracelets de cheville tintent, et les plats passent et repassent, d'une main à l'autre, remplis de mets raffinés.

Les sitars jouent, au rythme des *tablas* et des tambours *mridangam* à deux faces.

L'encens, ce subtil nuage des dieux, comme le prétendent les brahmanes, répand dans l'atmosphère des volutes évanescentes qui s'en vont mourir vers le plafond à caissons où des sculptures d'oiseaux dansent entre elles.

Aujourd'hui, on fête mes quinze ans et je ne suis pas à plaindre !

Nonchalamment allongé sur un somptueux divan recouvert de brocart brodé au fil d'argent, j'observe avec intérêt les trois jeunes filles qui dansent lascivement devant moi.

Je suis content.

Chacun, d'ailleurs, me trouve une mine guillerette et me le fait savoir.

Je n'ai pas oublié les Quatre Rencontres avec la Vieillesse, les Maladies, la Mort et l'Homme d'azur, mais le temps a passé et même si leurs images restent à jamais gravées dans ma mémoire, elles sont moins douloureuses aujourd'hui qu'hier.

Ce qui m'attriste, en revanche, depuis des mois, et explique les compliments des uns et des autres lorsqu'ils me voient enfin sourire, c'est qu'Ananda, mon cher Ananda, mon frère de lait que j'aime tant, m'a quitté.

Oui ! Mon bien-aimé cousin Ananda a été envoyé, il y a six mois, à l'issue de sa formation militaire, dans une garnison du Nord, située à trois semaines de marche de Kapilavastu !

J'ai eu beau supplier mon père de m'envoyer aussi là-bas, fût-ce pendant deux ou trois mois, pour ne pas être séparé de celui que j'aime comme mon propre frère, Suddhoddana se montra inflexible.

— Tu as mieux à faire ici, mon fils. Le moment ne va pas tarder où je te transmettrai certains insignes de commandement. Ils te permettront de me remplacer dans l'exercice d'opérations de maintien de l'ordre de première catégorie qui me prennent désormais le plus clair de mon temps.

Les opérations de maintien de l'ordre de première catégorie sont celles qui ne nécessitent pas l'envoi d'une escouade de plus de dix soldats. Elles sont de plus en plus nombreuses, vu le nombre croissant des terribles émeutes qui mettent aux prises les gueux et les riches.

À plusieurs reprises, le même et sempiternel dialogue de sourds s'est installé entre nous. Mais la dernière fois, mon père me fit l'annonce qui me vaut d'être vautré sur ce divan, à admirer ces jeunes filles qui dansent devant moi.

— Pourquoi es-tu toujours si sombre, mon fils ?

— Père, je voudrais rejoindre Ananda dans le Nord, à la frontière du Pays des Neiges !

— Siddhãrta, tu auras bientôt quinze ans. Ton instruction est désormais complète. Tu es un futur guerrier, et tu sais aussi lire et compter. C'est l'âge, pour un homme, de trouver une femme et de se marier !

— Mais je ne connais aucune jeune fille...

— Je m'en occupe ! Nous verrons ça le jour de tes quinze ans. Alors, je te donnerai le choix entre plusieurs princesses de noble extraction.

Je m'abstins d'argumenter et laissai faire mon père, qui vint me trouver hier matin :

— Tu verras, Siddhãrta... Je te réserve une surprise et tu ne seras pas déçu.

Le soir même, au moment de me coucher, quelque peu étonné par les propos de mon père, j'ai dégrafé ma tunique et constaté avec satisfaction que le léger duvet qui pousse depuis quelques semaines à la base de mon sexe est en train de s'épaissir.

Je deviens un homme.

Ce matin, mon père m'a annoncé :

— Siddhãrta, je t'ai sélectionné par concours les trois plus belles princesses de la province. Les lauréates danseront devant toi. Tu choisiras celle qui te plaira.

— Mais ces jeunes filles ne me connaissent même pas !

— Tu es beau, et le clan des Gautama est suffisamment riche pour que toutes les nobles familles de Kapilavastu et de sa région ne caressent qu'un seul rêve : qu'une de leurs filles épouse mon héritier unique, le futur grand soldat qui est déjà capable de faire fuir les tigres !

Il y a de la fierté dans ces propos tenus sur le ton de l'évidence par mon incorrigible père, et qui ne souffrent pas la moindre contradiction.

La journée que mon père a organisée à cet effet s'annonce plutôt bien.

Ce matin, en entrant dans la salle des audiences de la forteresse, où il arrive à Suddhoddana de rendre la justice, lorsque j'ai découvert ces trois jeunes beautés qui dansent à présent en mon honneur, je n'ai pu m'empêcher de tressaillir d'allégresse, même si j'étais un peu gêné.

Tout ça pour moi, pour celui qui a déjà décidé qu'un jour il s'en ira loin des siens, à la recherche de lui-même !

Devant mon divan, sur une longue table décorée de guirlandes de fleurs d'hibiscus, s'étalent des montagnes de friandises, de bonbons au miel et à la citronnelle ainsi que de pains d'épice que des serviteurs apportent sur d'immenses plateaux de cuivre.

Dans un coin de la salle se tient le petit orchestre qui continue à jouer sa musique ensorcelante.

J'ai tout le temps de détailler les trois promises.

Elles ont passé leurs cheveux à l'huile d'arganier et leur peau cuivrée fait ressortir les colliers de perles qu'elles portent autour du cou. Leurs yeux cernés de noir me regardent intensément, comme si chacune d'entre elles voulait se signaler à moi pour avoir droit à ma préférence.

Sous leurs culottes bouffantes de gaze apparaissent leurs jambes brunes et fuselées, tandis que leurs chevilles sont ceintes de lourds bracelets de bronze sur lesquels des clochettes d'argent ont été fixées. D'étroits gilets qui leur dénudent le nombril enserrent avec difficulté des seins désirables qui me font penser à des mangues mûres.

Quel dommage qu'Ananda ne soit pas là !

Mon sexe commence à durcir.

La danse, d'abord lente et lascive, devient de plus en plus saccadée et provocante, scandée par les clochettes d'argent que fait tinter le battement des chevilles des jeunes filles.

Les fumées d'encens s'échappent en volutes des gros brûle-parfums de bronze que les serviteurs se chargent d'éventer.

— Des trois, tu commenceras par sélectionner les deux qui te paraîtront les plus belles. Puis tu choisiras, entre ces deux-là, celle qui deviendra ta femme, vient m'expliquer mon père dans le creux de l'oreille.

— Le choix est difficile, Père. Elles me semblent toutes trois aussi belles...

— Dans ces conditions, il ne te reste plus qu'à les tirer au sort ! me rétorque Suddhoddana en éclatant de rire.

À bien y regarder, deux d'entre elles me plaisent davantage que la troisième, dont les rondeurs me paraissent un peu trop fortes et le regard moins droit.

À la fin de la première danse, je n'ai aucun mal à sélectionner les deux jeunes filles qui ont ma préférence.

La première s'appelle Yashodãra et l'autre Gopã.

Elles sont aussi belles l'une que l'autre ; on dirait presque des sœurs jumelles.

Seule la couleur de leurs yeux est différente.

Ceux de Yashodãra sont d'un bleu extraordinaire, tirant sur le mauve, comme les ailes d'un papillon, tandis que ceux de Gopã sont d'un noir de khôl.

Lorsqu'elles se remettent à danser, mes yeux vont de l'une à l'autre, pour essayer de faire un choix, mais j'en suis strictement incapable.

Peu à peu, à force de les regarder, il m'apparaît toutefois qu'elles ne se comportent pas de la même façon.

Alors que Gopã se déhanche et frémit de la croupe, tout en ne cessant de me lancer des œillades, Yashodãra danse avec grâce, sans même me regarder.

L'une veut de moi et entend me le faire savoir, tandis que l'autre attend que ce soit moi qui veuille bien d'elle et finisse, le cas échéant, par le lui montrer !

Gopã veut et Yashodãra attend.

Mon choix n'est pas difficile. Je prendrai celle qui attend sagement ; je ne prendrai pas celle qui veut effrontément.

Une fois la danse achevée, je m'exécute, me lève et m'en vais saisir la main de Yashodãra.

La peau douce et tiède de la jeune fille, parfumée à la fleur d'oranger, m'enivre déjà les narines.

— Il te reste à présent à convaincre le père de Yashodãra de te donner sa fille pour épouse, vient m'expliquer mon père à l'issue du concours de beauté.

— Que dois-je faire ?

— Il te suffit de remporter l'épreuve de tir à l'arc qu'il organise dans le but de départager les prétendants de sa fille.

L'accablement me gagne. Moi qui croyais toucher au but, me voilà engagé dans une compétition entre les prétendants où tous les coups seront, assurément, permis !

Je me suis fait piéger, mais il est trop tard pour reculer. Car cette jeune Yashodãra me plaît beaucoup, et si sa main doit être à ce prix, qu'à cela ne tienne ! Je ferai de mon mieux.

Quelle n'est pas ma surprise lorsque j'aperçois quelques jours plus tard, sur la place du village dont le père de Yashodãra est le suzerain, au milieu des fils de princes venus participer aux joutes, mon lointain cousin Devadatta venu lui aussi participer au concours !

Cela fait bien cinq ans que nous ne nous sommes pas vus.

Égal à lui-même, Devadatta me considère avec superbe et me lance une première pique :

— Tu n'as jamais su tirer à l'arc. Ce n'est pas aujourd'hui que ça va changer !

Je serre les dents et ne lui réponds pas, regrettant

toutefois quelque peu de ne pas m'être entraîné davantage, ces jours derniers !

Alors, je me dis :

« Si tu aimes vraiment cette jeune fille, tu arriveras premier. Aie confiance en toi, Siddhãrta ! Même si tu n'excelles pas dans cet art martial, ta volonté suppléera à ta gaucherie. D'ailleurs, quand il s'est agi de mettre trois fois de suite la flèche dans la cible, condition exigée par ton père pour te laisser sortir de la forteresse, tu y es arrivé ! »

— Ne perds surtout pas tes moyens et tout ira bien ! me glisse mon père, en guise d'encouragement.

Tous, nous sommes à présent alignés devant le jury ; au fond de la pelouse rase, la rangée de cibles, faites de peaux de buffle tendues sur un cadre, me paraît singulièrement minuscule.

Je concentre mon esprit.

Puis, m'efforçant de maîtriser ma respiration, je bande mon arc ; je ferme un œil et m'applique à viser la cible le mieux possible, comme mon maître d'armes, dont je me souviens à présent de la moindre directive, me l'a appris depuis ma plus tendre enfance.

Alors, en même temps que je pousse le cri de gorge destiné à libérer mes énergies internes, je relâche brusquement la corde.

Le trait fend l'air brûlant en vrombissant.

La flèche suit une trajectoire impeccable avant de se ficher au beau milieu du tambour qu'il fallait percer.

Autour de moi, les autres archers ont tous raté leur cible, sauf Devadatta, dont je sais qu'il passe ses journées à s'exercer au tir à l'arc.

Pour nous départager, le jury décide d'organiser une deuxième manche, en reculant les cibles de plusieurs pas.

Je demande qu'on m'apporte un verre d'eau ; mon

père se précipite ; c'est la première fois que je le vois servir son fils comme un écuyer d'armes le ferait avec son champion.

Je n'invoquerai pas le dieu de la précision, même si, l'espace d'un instant, l'hypothèse m'en traverse l'esprit.

Je suis et resterai le même.

Ce n'est sûrement pas le cas de Devadatta qui marmonne des formules magiques, censées transformer la flèche en oiseau, que son propre père lui a soufflées il y a quelques instants. En revanche, je me mets à méditer. Je fais le vide dans ma tête. Je suis la cible ; je deviens la flèche ; je superpose le trait à la peau de buffle ; je les enveloppe l'une dans l'autre ; bref, je travaille à me donner tous les moyens de ne pas rater mon coup !

Et surtout, autant l'avouer, je ne veux à aucun prix que la belle et douce Yashodãra échoue dans les bras de Devadatta.

Je respire et j'inspire profondément.

Je mets en œuvre l'union de la force de mon esprit et celle de mes bras ; il s'agit pour moi de canaliser leurs énergies respectives et de les faire converger dans cette mince baguette de bois dont la pointe de fer acérée est capable de transpercer de part en part le cou d'un cerf.

Je vise en bloquant ma respiration.

Je suis la flèche et Yashodãra est la cible ; elles sont faites l'une pour l'autre.

Avec calme, je relâche la corde en fermant les yeux ; la flèche ne m'appartient plus ; je lui ai donné mon énergie et j'ai confiance en elle ; elle va voler comme l'aigle, dans l'azur, assuré d'atteindre sa proie grâce à l'acuité de son œil capable, du plus haut du ciel, de voir le mulot ; et quand ma flèche va se ficher en plein centre du cercle dessiné sur la peau tendue, je comprends que j'ai gagné le cœur de la jeune fille.

À côté de moi, Devadatta vient de rater son tir ; de rage, il brise son arc en trois morceaux.

Il y a une justice. Certains appellent cela la chance. Mais quand on croit à la volonté, on ne croit pas à la chance...

La balance, simplement, a penché du bon côté et c'est tant mieux pour moi.

— Ma fille est à toi, ô Siddhãrta ! me lance le père de Yashodãra, qui tient la main de celle-ci et l'approche de la mienne.

Le peuple présent applaudit à tout rompre et les princes feudataires dont les garçons reviendront bredouilles font contre mauvaise fortune bon cœur. Honneur au vainqueur et malheur aux vaincus... Au premier rang de l'assistance, mon père me regarde, rayonnant de joie et d'orgueil.

Il est fier de son fils.

Pour l'amour d'une femme, le rebelle est rentré dans le rang.

J'ai quinze ans et trois jours, et déjà, j'aime une femme.

Ma vie paraît tracée.

Mais un rebelle, ça ne meurt jamais...

10

Yashodãra

Le vol de l'hirondelle a un je-ne-sais-quoi de cassé et de mécanique.

Je jette une dernière fleur de lotus dans la coupelle trilobée posée à côté de la dépouille de ma bien-aimée Yashodãra qui repose sur un linceul immaculé.

Sa mort me fait prendre conscience, s'il en était besoin, que le rebelle qui n'a jamais cessé de sommeiller en moi est dans le droit chemin !

Dans ma bouche et au creux de ma langue, ces années au cours desquelles je me suis efforcé de rentrer dans le rang ont à présent un goût amer.

Ce furent pourtant des années calmes, des années heureuses, des années insouciantes, mais aussi des années d'oubli et de repli sur soi. Presque des années non vécues !

Le visage aux yeux clos de ma femme morte me fait penser à notre nuit de noces.

C'était il y a quatre ans et je m'en souviens comme si c'était hier.

Après le concours de tir à l'arc, nous nous étions mariés dès la fin du mois lunaire.

Mon père avait souhaité, comme il se doit, un mariage somptueux. C'était aussi une façon pour lui de fêter le retour au bercail des convenances de ce fils qui avait failli lui échapper. C'était une fête propitiatoire du soulagement ; une cérémonie qu'il voulut dédier au dieu Indra, persuadé qu'il m'avait remis dans le droit chemin.

Pendant trois jours et trois nuits, à la forteresse de Kapilavastu, nous mangeâmes et bûmes en l'honneur de ce dieu ; nous dansâmes et chantâmes ; nous rîmes – eux à gorge déployée et moi sans conviction car j'étais conscient de l'inanité de ce futile hommage à un dieu auquel je ne croyais pas – et nous pleurâmes – eux de joie et moi de tristesse – jusqu'à la fin de la fête.

Lorsque je partageai pour la première fois la couche de Yashodãra, je ne savais pas à quoi ressemblaient les parties intimes du corps de la femme, pas plus qu'elle, d'ailleurs, celles du corps de l'homme.

Nous nous apprîmes mutuellement à faire les gammes de la musique que nous découvrions ensemble, et lorsque mon sexe tendu comme la corde d'un arc pénétra à l'intérieur de celui de Yashodãra, en même temps que j'embrassais avidement sa bouche, j'eus soudain l'impression d'être la flèche qui avait mis dans la cible, le jour de ce fameux concours de tir à l'arc que j'avais gagné...

Alors, totalement abandonnée à moi, ma femme se mordit les lèvres, avant d'émettre un long soupir.

Mon lingam et son yoni avaient fait connaissance, ce qui permettait d'affirmer que nous étions bien destinés l'un à l'autre ; que nous étions capables de reproduire à merveille l'union de la terre et du ciel, à l'instar du dieu Çiva et de la déesse Parvãti, lorsqu'ils avaient découvert, émus aux larmes, comme nous l'étions à cet instant, Yashodãra et moi, en quoi le corps de la femme était différent de celui de l'homme.

Le petit lézard fixé au plafond de notre chambre n'avait pas bougé et nous contemplait.

Je compris ce qu'était l'amour physique entre un homme et une femme, cet inextricable mélange de rudesse et de douceur qui se forge dans un mystérieux creuset échappant à toute description et à tout contrôle ; cet ineffable tabernacle dont la clé s'adapte parfaitement à la serrure, au moment où, après avoir tout abandonné de ses préjugés, chacun donne tout à l'autre et sans la moindre retenue.

Dix mois plus tard, Yashodãra accoucha de notre enfant.

Rahula était fils de notre amour ; sa venue, loin de nous éloigner l'un de l'autre, comme cela arrive parfois lorsque l'amante devient mère pour la première fois, contribua, au contraire, à nous souder l'un à l'autre un peu plus.

J'étais désormais un autre homme, puisque j'étais un père.

Elle ne laissa aucune nourrice allaiter Rahula et, pendant des mois, nous dormîmes à trois dans le même lit.

Personne ne pouvait entrer à l'intérieur du triangle sacré que nous formions.

Nous vivions de façon trinitaire, indissolublement cimentés les uns aux autres.

Les yeux de notre enfant étaient les nôtres, quand il apprit à marcher ; tout autant que lui, nous découvrîmes alors la beauté des arbres et du chant des oiseaux ; quand il hurla de joie, après avoir, pour la première fois, trempé un doigt dans l'eau du bassin du jardin intérieur de la forteresse, c'était moi qui avais l'impression de crier.

Voir grandir un fils est une façon d'abolir pour soi la notion du temps qui passe...

Mon père, conscient que cette polarisation sur notre petit Rahula était le meilleur moyen de me garder dans ce qu'il considérait être le droit chemin, évitait soigneusement de me demander le moindre service. Normalement, vu mon âge, j'aurais dû commencer à le suppléer dans certaines tâches guerrières car c'eût été le bon moyen de faire la preuve, aux yeux des autres, que j'étais capable de lui succéder. Suddhoddana préférait temporiser, faisant le pari que le jour viendrait où ma situation deviendrait irréversible.

Les mois et les années passaient, tels les grains d'un chapelet de prières égrené par l'invisible main du temps.

Mais les temps heureux sont ainsi faits qu'on ne les voit jamais passer et qu'il faut un grand malheur pour que, rétrospectivement, on se rende compte qu'ils ont existé.

Un matin, Yashodãra fut prise d'étourdissements au sortir du lit.

Je n'y prêtai pas attention.

La nuit précédente, comme d'habitude, nous nous étions unis et je n'avais rien remarqué de particulier dans son comportement.

Le lendemain, pour la première fois depuis sa naissance, Rahula se mit à pleurer, ce qui ne présageait rien de bon.

— Je veux maman ! Je veux maman !

— Elle est alitée. Demain, tout ira bien, mon fils.

C'était un pieux mensonge car Yashodãra souffrait le martyre, mais elle m'avait fait jurer de ne rien dire à Rahula.

— Je veux maman... ne cessait de gémir Rahula.

— Attends un peu... Elle va bien, elle est simplement fatiguée.

Mensonges, mensonges... C'est ainsi, croyant bien faire, que, de fil en aiguille – et en tout bien tout honneur –, on finit par raconter n'importe quoi au point que tout devient mascarade.

Les médecins défilaient en cachette au chevet de ma femme, dont l'énergie s'était mise à décliner au fur et à mesure que le feu de la douleur envahissait son corps, des pieds à la tête, mais aucun d'eux n'était capable de la soulager. Seule ma présence l'apaisait. Lorsque je me glissais dans le lit auprès d'elle et la laissais se blottir contre moi, comme un oisillon dans le poitrail de sa mère nourricière, elle me disait, la pauvre femme au seuil de la mort :

— Je me sens mieux.

Mais moi, je savais bien qu'elle me mentait, elle aussi, pour me rassurer.

Je décidai d'éloigner Rahula du château, pour éviter qu'il ne pose trop de questions embarrassantes qui m'eussent obligé à lui mentir, et l'envoyait à la campagne, ce qui accentua la détresse de sa mère.

Nous avions vécu dans la vérité, et voilà que nous étions contraints de faire appel au mensonge, tout simplement pour survivre ; tout simplement pour éviter de se regarder en face et de s'avouer alors que tout allait de mal en pis !

Ma femme mourut dans mes bras, inconsciente et brûlante à la fois, les yeux vides et la bouche ouverte, comme un poisson sorti de l'eau. Elle avait la raideur musculaire des corps qui ont beaucoup souffert.

Depuis la veille, elle était si enfiévrée que j'avais l'impression de brûler quand je m'approchais d'elle pour la serrer dans mes bras.

On a beau accepter la mort, la perte de l'être aimé vous plonge inexorablement dans un abîme de révolte et d'incompréhension.

Alors, j'ai fait revenir Rahula et je lui ai annoncé la terrible nouvelle :

— Ta chère mère est partie pour un très long voyage.

— Dis, Père, quand est-ce qu'elle va revenir ?

Le pauvre ange ne sait pas que sa mère est morte et qu'elle repose dans la chambre, contre la cloison, juste derrière l'endroit où nous sommes. Comment le saurait-il, puisque son père lui-même a tout fait pour le lui cacher ?

Pour l'instant, je n'ai pas la force de lui avouer qu'il ne reverra jamais sa mère.

À présent, c'est mon père Suddhoddana qui a sa mine des mauvais jours, car il redoute que la mort de ma femme ne rompe ce lien qui me rattachait, comme la laisse retient le chien à sa niche, aux valeurs du clan familial.

La tristesse m'empêche de parler.

J'aimerais réconforter les autres, qui pleurent et s'arrachent les cheveux, mais j'en suis strictement incapable.

La douleur affaiblit trop les êtres. Elle les empêche de lutter contre elle. Elle les plonge dans un torrent d'où ils ne peuvent sortir qu'au prix d'un immense effort. Elle les ronge de l'intérieur comme le termite ronge l'arbre, qui tombe en poussière à peine pose-t-on un doigt dessus, alors que rien n'indique, dans son aspect extérieur, qu'il est miné de l'intérieur.

Il faut se méfier des apparences.

Les conduites joyeuses peuvent cacher d'immenses désespoirs.

Demain, conformément au rituel de notre clan, nous ferons brûler le cadavre de Yashodãra. Le Gange est trop loin d'ici pour que nous puissions y emmener son bûcher. Cela prendrait au bas mot une dizaine de jours, à condition de disposer d'une bonne paire de bœufs et d'un char aux roues solides. Mais en raison de la chaleur écrasante, le cadavre de ma femme n'y résisterait pas.

C'est dommage.

Il ne m'aurait pas déplu de voir le corps de ma chère et douce Yashodãra digéré par l'immense fleuve-roi.

J'aurais assisté au départ du radeau où nous aurions posé son corps, sur un lit de branchages morts qui se seraient enflammés comme de l'étoupe. Le feu aurait été entraîné par le courant, avant de disparaître dans un tourbillon ; avec un peu de chance, des dauphins seraient venus lui rendre un dernier hommage et ce qui serait resté du corps de ma femme aurait été mangé par les gavials.

Alors, les particules infinitésimales de notre amour auraient servi aux repas de la faune aquatique pour se retrouver, un peu plus tard, dans l'estomac d'un être humain auquel elles auraient fait du bien.

Et j'aurais été plus apaisé que maintenant, quand je vois ce petit tas de cendres – tout ce qui reste de Yashodãra – répandu sur le sol et qui continue à brûler.

Car, au feu qui prétendument purifie tout, moi j'ai toujours préféré l'eau !

11

Le retour d'Ananda

Ma main droite est posée sur la rambarde de pierre.

Comme tous les soirs à la même heure, je suis sur le chemin de ronde, d'où j'aime observer la caresse des rayons du soleil couchant sur les crêtes des montagnes qui barrent l'horizon.

À la vue de la silhouette, reconnaissable entre toutes, je pousse un immense cri de joie.

Là-bas, au loin, sur le chemin, c'est mon cousin Ananda qui revient !

Le bonheur est enfin de retour.

Pour la première fois depuis des mois, l'envie de rire me saisit et j'éprouve un indicible sentiment de joie, dont j'ai perdu le goût à la mort de ma femme. Je hèle Rahula qui joue avec de petites maquettes de bateau en bois de teck, en compagnie d'autres enfants, au bord du bassin d'agrément.

— Rahula, devine un peu qui vient ?

— Qui est-ce, Père ?

— Ton oncle Ananda ! Il arrive du Pays des Neiges. Je l'ai aperçu sur le chemin. Il sera là avant la nuit.

Quand Ananda apparaît, il n'a pas changé ; c'est tout juste si son visage s'est légèrement émacié. Nous tombons dans les bras l'un de l'autre en pleurant d'allégresse. Son accolade est si douce que je l'embrasse !

Je suis sûr que ces retrouvailles inattendues vont me faire un bien fou.

— Ananda ! Mon cher Ananda ! Et dire que je ne pensais plus te revoir... Raconte-moi le Pays des Neiges ! Si tu savais ce que j'ai hâte de savoir à quoi il ressemble.

— L'hiver, il y fait très froid, ce n'est pas comme ici... Je marche depuis des mois à redescendre les montagnes du Nord dont les plus hauts sommets atteignent, dit-on, le Toit du Monde.

— Qu'y faisais-tu ? Le temps passait-il vite, là-haut ? Ici, tu ne peux pas savoir ce que je me morfonds. Sans toi, les journées me paraissent des siècles...

— Cela n'aura pas été différent pour moi. Enrôlé de force dans une armée de jeunes gens à qui on a laissé croire qu'ils feraient bientôt la guerre, ce sont des mois entiers que j'ai passés dans un camp de surveillance, à attendre des ennemis dont nous ne vîmes jamais le visage !

— Comme je te plains ! Raconte-moi comment c'est, là-haut.

— Figure-toi que j'ai traversé des contrées où derrière chaque rocher poussait une gentiane. Dans les forêts épaisses rôdait une espèce d'animal unicorne qu'on appelle rhinocéros.

Je le serre dans mes bras. Ses cheveux sentent la cannelle.

— Tu as dû en voir, de beaux paysages... Si tu savais ce que j'ai pu t'envier, ô Ananda !

— Pour moi, ces sept années furent une parenthèse au cours de laquelle le temps s'était arrêté. Tu es marié... As-tu des enfants ? me demande mon cousin en remarquant l'anneau d'argent qui orne mon pouce droit.

— J'ai un garçon.

— Comment s'appelle-t-il ?

— Rahula !

Lorsqu'il entend son nom, l'enfant accourt, un morceau de bambou à la main.

— Mais il est beau comme un dieu ! C'est fou ce qu'il te ressemble. C'est le portrait de son père au même âge, constate Ananda au moment où mon fils nous rejoint, et le salue. J'ai hâte de faire la connaissance de ta femme !

À ces mots, pris de court, je ne puis faire autrement que me murer dans un pesant silence.

— Me présenteras-tu ton épouse, dis-moi, Siddhãrta ? ajoute mon cousin en me regardant avec insistance.

— Ma bien-aimée Yashodãra est morte des fièvres, quand Rahula avait deux ans à peine. Tu parles à un homme veuf, Ananda. Quant à cet enfant, il n'a presque pas connu sa mère ! dis-je en désignant mon fils.

— Je suis désolé, ô Siddhãrta ! Comme j'ai été grossier et maladroit... Tu as dû avoir beaucoup de peine, bredouille Ananda en se jetant à mes pieds et en me baisant les mains.

Je le relève. J'ai du mal à retenir mes larmes. J'avoue à Ananda ce que je n'ai encore osé confier à personne :

— Ma peine a été immense. J'ai l'impression d'avoir perdu la moitié de moi-même. Je ne suis plus que l'ombre de ce que je fus.

— De tels propos ne te ressemblent pas !

— C'est que, tu sais, j'ai changé...

— On ne change pas. De la naissance à la mort, le caractère d'un homme ne change pas.

— Le chagrin, la douleur font changer le caractère.

— Uniquement de façon superficielle. Tu es né rebelle, Siddhãrta. Rebelle tu resteras !

— Figure-toi que Rahula est devenu mon unique centre d'intérêt, à tel point que j'en viens à surveiller son éducation bien plus encore que ne le fit mon propre père.

— Je ne reconnais plus mon cousin qui voulait parcourir le vaste monde...

Je regarde Ananda. Ses propos me font du bien. Lui seul peut me mettre ainsi en garde contre le danger de repli sur moi-même qui me guette et pourrait faire de moi l'inverse de tout ce que j'aurai rêvé d'être : un être sans projet et qui regarde sa vie passer.

— Rassure-toi. J'essaie surtout de faire de mon petit Rahula un homme libre et heureux. Ce n'est pas si facile. Et toi, Ananda, n'as-tu pas l'intention de te marier ?

— Je ne sais pas. Je ne connais aucune jeune fille susceptible de m'épouser ! Là-haut dans les montagnes, on peut passer des mois sans croiser le regard d'une femme... soupire mon cousin

À présent, nous marchons l'un et l'autre le long du mur du jardin intérieur de la forteresse ; tous les soirs, devant une petite fontaine de marbre, mon père y fait dresser un buffet de fruits, de biscuits et de ladoo [1]. Dans un angle du jardin, sous un immense rosier grimpant, un orchestre de musiciens accompagne des danseuses légèrement vêtues qui lancent force œillades à Ananda dès que nous passons à leur portée.

— C'est la fête tous les jours, ici, murmure Ananda, ébloui.

— Suddhoddana ne sait plus quoi faire pour me changer les idées. Il aimerait que je me remarie, mais je n'en ai aucune envie !

1. Bonbons ronds, à base de farine de pois chiche et de semoule.

— Elles sont jolies, ajoute mon cousin en désignant les filles.

Puis il prend un ladoo, qu'il mâchouille.

— Il te suffit d'un geste... Elles sont à ta disposition.

— Pourquoi pas... Nous verrons demain. Ce soir, je veux être avec toi. Discuter du passé, du présent, et surtout de l'avenir.

Je tends à Ananda un verre de jus de mangue et de goyave avant de lui poser brusquement la question qui me brûle les lèvres.

— Et si je décidais de quitter ce château, d'aller dans le monde, vers les autres, m'accompagnerais-tu ?

— Je suis soulagé de constater que tu n'as pas changé d'avis, depuis notre rencontre avec cet ascète « vêtu d'azur » ! D'ailleurs, je m'en doutais un peu... Mais tu avoueras que tu caches bien ton jeu !

S'il savait !

— Ici, je me consume à petit feu. Bientôt, je ne serai plus qu'un tas de cendres, comme le fut Yashodãra après sa crémation. Il me faut bouger, Ananda ! Heureusement que tu m'y pousses. Il nous faut bouger très vite. La vie est courte.

— Et ton petit Rahula ? Que feras-tu de lui ?

— Dans la situation où je me trouve, bientôt viendra le moment où je ne pourrai rien lui apporter de valable. Si je demeure en l'état, dès qu'il sera en âge de comprendre et deviendra un peu lucide, il n'aura de moi que l'image d'un père oisif, ayant perdu le goût de la vie, parce que celle-ci, pour lui, n'a plus aucun sens.

— Ne peindrais-tu pas un peu ta vie en noir ?

— Je te dis les choses comme je les ressens. Vis-à-vis de toi, mon cœur est transparent comme l'eau d'une vasque. Il se dessèche, à force de vivre confiné entre quatre murs, loin du monde et protégé de lui. L'espoir, peu à peu, me quitte ; je finis par m'installer dans la routine ; d'ailleurs, tout, désormais, me paraît fade. Un mort vivant : voilà ce que je suis en train de devenir, Ananda... Un mort vivant ! Quant aux propos du çramana sur la bonne façon de se trouver en se domptant soi-même, j'ai l'impression de les écouter tous les soirs, lorsque je me retourne sur ma couche, incapable de trouver le sommeil libérateur, sans jamais avoir la force de les entendre.

— Et si tu devais partir, où irais-tu, ô Siddhãrta ?

— À la recherche de la Vérité ; à la recherche de moi-même, et aussi, par conséquent, à la recherche de l'essentiel. Après quoi, lorsque je me serai trouvé moi-même, je pourrai aider les autres à en faire autant. Ce que j'ai vu du monde témoigne, s'il en était besoin, que les hommes souffrent, et qu'il convient d'apaiser cette ineffable douleur dans laquelle baigne leur existence. La perte de ma femme n'en est qu'une preuve supplémentaire.

— C'est là une bien noble ambition, et qui mérite d'être partagée. Mais pourquoi n'as-tu pas encore mis ce projet à exécution ?

— Je n'en ai pas eu la force. La mort de ma femme m'avait laissé anéanti et sans forces. Et puis, tout seul, l'arrachement me paraissait hors de portée. Mais à présent que tu es là, tout change... Les grands ponts qui enjambent les rivières ont besoin d'au moins deux piles. Grâce à toi, Ananda, je suis à nouveau prêt.

Mon cousin bien-aimé regarde les montagnes enflammées par le soleil, puis il se tourne vers moi et sourit.

— J'arrive à peine à Kapilavastu et voilà que tu me demandes de repartir, lâche-t-il.

Je l'entraîne dehors, vers la source où, hier, nous

avions nos habitudes. Rahula, qui incarne l'avenir, nous accompagne. Arrivés au bord de l'eau vive, jaillissante et divinement fraîche, comme à l'accoutumée, nous nous asseyons sur un rocher auquel des lambeaux de lichen confèrent de curieux reflets mordorés allant du jaune au gris.

L'enfant va remplir une écuelle de bronze et s'amuse à s'en asperger.

Ses mains tiennent à présent un de ces galets parfaitement lisses, n'offrant aucune prise, qui tapissent le fond de la vasque naturelle dans laquelle le filet d'eau claire, venu des profondeurs de la terre, se déverse en silence.

Je lui fais signe de me le porter.

— Tu vois ce galet, Ananda, comme il est poli et dur à la fois ! Eh bien, voilà ce que devient le cœur humain, lorsqu'il vit loin du monde, loin des autres, dans l'oisiveté et l'indifférence vis-à-vis de tous ceux qui souffrent : une pauvre petite chose, inaccessible aux autres, et confite dans sa propre douleur !

— Pourtant, ce galet toujours lavé par l'eau fraîche de cette source me semble plutôt en bonne posture, comparé aux pierres qui sont autour, que nous piétinons et sur lesquelles s'abattent les rayons torrides du soleil !

— Il lui manque l'essentiel, Ananda !

— Qu'est-ce que l'essentiel, selon toi, Siddhãrta ?

— Trouver la Noble Vérité, fût-elle cruelle, afin de donner aux hommes les clés de l'issue à la difficulté de leur condition.

— Tu prétends toujours sauver les hommes, Siddhãrta ?

— Au risque de te paraître présomptueux, je pense qu'il existe une Noble Voie pour sortir de l'impasse dans laquelle se trouvent les êtres.

— Je veux bien te croire ! Es-tu sûr de la trouver ?
— Si je n'essaie pas, qui le fera à ma place ?
— Quand comptes-tu partir ?
— À présent que tu es là, dès demain si c'est possible. Qu'en penses-tu ?
— Père, que disais-tu à oncle Ananda ? me demande alors Rahula qui vient reprendre son galet luisant et poli.
— Lui et moi, nous parlions de l'avenir.
— C'est quoi l'avenir, Père ? ajoute le petit garçon en éclatant de rire.
Je lui réponds :
— C'est ce que tu incarnes, mon chéri !
L'enfant se met à rire puis à chanter à tue-tête.
C'est normal.
Depuis qu'il a conscience d'exister, c'est la première fois que le petit Rahula voit son père heureux.

12

Je pars

C'est décidé, je pars ; ou plutôt, Ananda et moi, nous partons !

Je boucle un petit sac de voyage en toile de jute dans lequel j'ai placé un simple bol de cuivre.

Il fait encore nuit noire, mais l'aube ne va pas tarder à poindre, par-delà les collines orientales, dans un ciel qui passera au jaune, avant de virer doucement à l'azur.

Bientôt, les coqs commenceront à chanter et les chiens errants à aboyer, tandis que le pépiement des oiseaux, perchés sur les branches des manguiers et des sals, deviendra peu à peu assourdissant.

Alors, les paysans sortiront de leurs cabanes et envahiront les chemins, pour aller qui aux champs et qui au marché afin d'assurer leurs difficiles conditions de survie.

C'est le moment que nous avons choisi, Ananda et moi, pour quitter la forteresse de Kapilavastu.

— Avant le grand départ, je veux juste serrer mon petit Rahula contre mon cœur, mais sans le réveiller ! dis-je à Ananda.

Mes yeux sont inondés de larmes quand nous entrons sur la pointe des pieds dans la chambre de mon fils.

— Père, pourquoi es-tu déjà debout ?

L'enfant, à mon grand dam, s'est dressé comme un ressort, à peine m'a-t-il entendu approcher de son lit.

Mon cœur balance : vais-je lui mentir en prétextant que je pars à la chasse, ou bien vais-je lui dire la vérité, c'est-à-dire que je quitte tout, au risque de le désespérer ?

Je ne suis pas long à me décider. Mon fils a le droit de savoir.

— Je pars, mon petit Rahula ! Je pars à la recherche de la Vérité. Lorsque je l'aurai trouvée, alors, je reviendrai te voir. Promis !

— Je veux venir avec toi, Père ! trépigne l'enfant, déjà en larmes.

— Tu es beaucoup trop jeune, mon amour. Le petit garçon que tu es doit attendre encore un peu, avant de devenir à son tour un çramana vêtu d'azur...

— Mais Père, je veux y aller ! Je suis un grand garçon ! Je veux aller avec mon papa ! hurle mon fils, désespéré.

— Je te promets que je viendrai te chercher et que tu n'auras pas à regretter le geste que j'accomplis aujourd'hui. Quand tu seras grand, il te sera même possible de me rejoindre sur les routes !

Je suis si accablé et je me sens tellement coupable que je me mets à serrer mon fils au point de l'étouffer.

— Père, dis-moi au moins où tu vas !

— Dans le monde, à la rencontre de tous les êtres qui souffrent. À la recherche d'une Vérité que je pressens et que, le moment venu, je formulerai aux hommes. Après quoi, la vie deviendra plus facile pour chacun d'entre eux, car elle aura enfin un sens !

J'ai du mal à prononcer ces mots devant mon fils dont les yeux tristes témoignent qu'il n'en saisit guère le sens.

Il me tend la main, sa petite main adorable que j'ai tenue pendant des journées entières au cours de nos promenades. Si je la prends, c'en est fini de moi car je resterai là, j'en suis sûr, et alors je ne partirai jamais plus.

C'est maintenant ou jamais et je le sais fort bien.

Mon petit Rahula, comprends-moi !

C'est pour toi aussi que je pars : je n'oserai jamais te le dire car, à juste titre, tu ne le comprendrais pas. Tu es bien trop jeune. Comment t'expliquer que j'ai acquis la conviction que la vie humaine n'est que douleur pour ceux qui se refusent à renoncer à tout, et que seul le détachement dont je suis en train de faire preuve – et qui te cause tant de peine – peut conduire à l'absence de souffrance ?... Comment trouver les mots pour te dire que, si je restais là, mon cœur se rabougrirait comme un arbuste qui va mourir et que tu ne serais jamais sauvé ?

Sauveur du monde !

Comment oserais-je prétendre que je veux être celui-là, mais sans en tirer aucune gloriole, ni avoir l'impression d'accomplir un exploit extraordinaire, et encore moins rêver qu'un jour mon image soit reproduite à des millions d'exemplaires devant lesquels des centaines de millions de fidèles viendront se recueillir ?

Rahula, je t'aime !

Rahula, partir, crois-le bien, c'est s'arracher à ce qu'on aime !

Rahula, mon petit, quitter son unique enfant, c'est doublement s'arracher !

En faisant signe à Ananda de calmer Rahula, je sors de sa chambre sans me retourner et me mets à courir dans le corridor pour éviter d'entendre les sanglots de désespoir du fruit de mes amours avec Yashodãra.

N'ai-je pas tort de prétendre écouter l'appel des

autres alors que je fais tout, à présent, pour ne pas entendre celui de mon propre fils ?

Mais les dés sont jetés et nous nous glissons, dans la nuit noire, hors de la forteresse où j'ai passé toute ma vie.

En cette fin de mousson, les ténèbres épaisses comme une peau de buffle nous enveloppent de leur manteau humide : il pleut des cordes et l'orage gronde ; le ciel est zébré d'éclairs.

La route vide et luisante plonge dans le néant de l'obscurité. Le gros figuier banian devant lequel nous passons en vitesse sans nous arrêter a l'air de pleurer à chaudes larmes. Dans les masures dont les toits de chaume dégoulinent, les gens sont calfeutrés et aucun lumignon ne luit.

Le ciel est en nage et les rafales de vent heurtent nos visages de plein fouet, au point de nous faire trébucher comme des lutteurs qui combattent. Nous avançons face à des forces contraires.

— C'est bien que tu sois venu ! dis-je à Ananda pour l'encourager et surtout le remercier. Sans toi, sans ton secours, je n'aurais pas eu la force de m'arracher aux miens.

— Je te suivrai partout où tu iras, Siddhãrta ! me répond-il, comme si de rien n'était.

Au bout d'une heure de marche, dans la pluie et le vent, nos manteaux brodés et nos turbans à rayures sont à essorer.

— Tu dois penser que je suis un peu fou ! dis-je à Ananda.

— Je n'ai pas, moi, d'enfant que je laisse derrière moi. Pour toi, Siddhãrta, assurément, ce doit être beaucoup plus difficile que pour moi.

— Ce que nous entreprenons, Ananda, mon cher Rahula en profitera aussi. Un jour, il sera sauvé ! Comme tous les autres êtres humains.

— Sauvé ? Tu parles bien de salut ? me demande mon cousin interloqué.

— Oui ! Et il me semble même que ce n'est pas la première fois que j'en parle devant toi ! La recherche de la Vérité est à ce prix.

— Et pourquoi donc sommes-nous partis de nuit ?

— C'est mieux ainsi. Les adieux déchirants ne font qu'accroître le chagrin et la nostalgie. Lorsqu'on quitte les siens, autant le faire sur la pointe des pieds, comme ces ombres errantes évoquées dans les légendes brahmaniques, qui vont de tombe en tombe, dans les cimetières, pour réconforter les corps des défunts.

À présent, la route n'est plus qu'une rivière boueuse dans laquelle nous marchons jusqu'à l'aube, de l'eau à hauteur des genoux.

Au premier village, nous croisons un groupe de mendiants.

— Bonjour, les richards ! s'écrie l'un de ces hommes dont les haillons trempés et collés à la peau trahissent leur maigreur extrême.

Interloqué, je lui demande pourquoi il vient de nous traiter de riches.

— Vous portez des habits et des bijoux de riches ! Je ne fais que dire ce que je vois, me rétorque-t-il.

— Prends ça ! lui dis-je, après m'être dépouillé de toutes mes parures de cheveux, de mes ornements de poitrine, de mes bagues et de mes boucles d'oreilles.

Les pauvres hères n'en reviennent pas.

— Longue vie à toi, Monseigneur ! Que Brahma et Indra te protègent longtemps ! s'écrient en chœur ces hommes qui n'ont jamais vu d'aussi près autant d'or, d'argent et de pierreries, et s'empressent de s'éloigner avant que je change d'avis.

— Attendez ! Prenez aussi les miens ! leur crie Ananda en s'élançant à leur poursuite pour leur tendre, à son tour, ses ornements personnels.

— Tu as eu raison, dis-je à mon cousin bien-aimé. Ces bijoux ne faisaient que nous encombrer. Au moins ces hommes auront-ils de quoi manger pendant près d'une année.

Quand un jour blafard se lève, éclairant un paysage tellement gorgé d'humidité qu'il est impossible de distinguer les nuées des collines, nous nous couchons enfin à même le sol, sous un grand arbre, dans l'espoir de dormir quelques heures pour reposer nos organismes épuisés par cette première marche nocturne.

Mais il est rigoureusement impossible de dormir à cet endroit.

Les roues cerclées de fer des carrioles, de plus en plus nombreuses au fur et à mesure que les gens sortent de chez eux pour aller travailler, raclent la route empierrée en passant devant nous.

Je ne m'étais jamais aperçu à quel point les chemins et les fossés pouvaient être bruyants, surtout pour les vagabonds de notre espèce qui en découvrent pour la première fois le tintamarre et la violence. Au moment où nous finissons par nous assoupir, nous sommes délogés par un charroi double qui croule sous un monticule de cannes coupées et n'avons d'autre choix que de déguerpir sous les coups de fouet et la bordée d'insultes du cocher.

— Regarde-moi ce superbe sumãna ! s'écrie Ananda, tandis que nous passons, un peu plus loin, devant cette variété de jasmin à grandes fleurs qui embaume l'air.

Juste derrière, j'avise la grande paire de ciseaux factices qui sert d'enseigne à ce qui doit être un salon de coiffure.

Je préviens Ananda :

— Attends-moi là, je n'en ai pas pour très longtemps !

À l'intérieur, l'artisan coiffeur achève de passer au cirage rouge les longues moustaches de son client.

— Que puis-je pour toi ? me demande cet homme dont je sens qu'il n'arrive pas à me classer dans une caste précise, et que cela le gêne.

— Pourrais-tu me raser entièrement le crâne ?

— Quelle est ta caste ?

— Je suis un Kçatrya mais peu importe !

— Je voyais bien, à la noblesse du port de ta tête, que tu étais un guerrier ! lâche le coiffeur d'un ton servile.

Puis il ajoute, l'air étonné :

— Un Kçatrya ne va jamais rasé ! Il porte les cheveux relevés en chignon sur le sommet du crâne.

— Fais ce que je te dis, s'il te plaît.

— Les gens de ton clan ne vont pas être contents quand ils vont te voir revenir avec une tête d'esclave ! me lance l'homme à la moustache.

La vue d'une piécette de bronze décide le barbier qui, après avoir coupé mon chignon, racle son rasoir sur la peau de mon occiput qui devient lisse comme un galet poli par la rivière.

— Sans chignon, tu as l'air encore plus jeune ! s'écrie Ananda en souriant quand je réapparais.

— Je ne l'ai pas fait pour ça !

— Tu parais dix ans de moins, au bas mot, ajoute en riant Ananda, qui s'engouffre à son tour dans l'échoppe d'où il ressort, lui aussi, le crâne glabre.

— Avec la chaleur, il est plus facile d'aller le crâne nu quand on n'a pas les moyens de faire proprement sa toilette, constate mon cousin alors que la pluie se remet à tomber.

À la fin d'une journée de marche exténuante, nous avisons un édifice abandonné dont la façade est aux trois quarts mangée par un immense flamboyant.

Ce doit être un genre de marché couvert ou de caravansérail, uniquement utilisé lors des fêtes de solstice et qui, dans l'intervalle, sert de refuge aux miséreux n'ayant pas de toit. À l'intérieur, des clochards dorment entassés les uns sur les autres. Sous une tente de fortune, dressée au milieu de la cour, une famille entière a pris ses quartiers. Il y a là le père, la mère et sa propre mère, ainsi qu'une bonne dizaine d'enfants au visage creusé d'ascète. Ce ne sont ni les jeûnes ni les privations volontaires qui sont la cause de leur maigreur, mais bien la faim qui les assiège quotidiennement, depuis qu'ils sont nés...

Épuisés par notre marche sous les trombes d'eau, nous nous affalons contre un mur. J'ai la force de murmurer à Ananda :

— Demain, il nous faudra changer de vêtements ; à présent que nos crânes sont rasés et que nous nous sommes délestés de nos parures, nos tuniques brodées, nos culottes bouffantes et nos ceintures précieuses sont vraiment de trop.

— Tu as raison ! Elles sont même un peu ridicules !

Ananda me sourit et la chaleur m'envahit.

Après une nuit de repos, nous passons là une bonne partie de la journée, assoupis. Dans l'après-midi, une des fillettes au visage émacié de la famille qui campe sous la tente vient nous offrir une écuelle d'eau. Elle lorgne ma ceinture brodée aux armes de mon clan, en fil d'argent et d'or. Je la lui tends. Elle n'ose pas la prendre. J'insiste. Elle s'en empare et repart en courant sur ses petites jambes maigres comme des baguettes remettre à ses parents cet incroyable butin dont elle vient d'hériter.

— Il fait un peu moins chaud, dis-je à Ananda, je propose que nous repartions.

En passant sous le flamboyant, au moment où nous franchissons le seuil du vieux marché couvert, une sorte de gazouillis me fait lever la tête. Sur une des branches de l'arbre, une guenon est en train d'épouiller son petit.

C'est dur de se remettre à marcher quand on a les jambes ankylosées.

— Quand comptes-tu revenir à Kapilavastu pour voir Rahula ? À tout enfant, son père manque, surtout en l'absence de la mère ! hasarde Ananda alors que nous faisons halte pour nous désaltérer à côté d'un puits où un chameau fait tourner, sous la houlette de son gardien, le mécanisme de la remontée de l'eau.

— Je ne le sais pas. Pas plus que la floraison du figuier Udumbara ne peut se prévoir...

— Je n'ai jamais vu de fleur d'Udumbara !

— C'est une fleur d'une grande rareté, car ce figuier n'en porte qu'une seule à la fois, toujours de couleur d'or, et aux formes étranges. Tiens, comme celle-ci !

C'est incroyable !

Juste là, à quelques pas de nous, je viens de remarquer les branches d'un majestueux Udumbara, arbre pourtant peu courant, qui s'étirent vers le ciel ; une immense fleur dorée pend de l'une d'elles, à l'instar d'une lanterne ouvragée.

— Comme c'est beau ! soupire mon cousin.

— On dirait que cet arbre a été planté là exprès pour toi, Ananda !

— Parles-tu sérieusement, Siddhãrta Gautama ?

— Cette idée ne te plaît-elle pas ?

Ananda ne répond pas. Je vois dans son regard de l'incrédulité. À quoi songe, à cet instant, mon cousin ? C'est difficile à dire. Peut-être qu'il me prend pour un illuminé, voire pour un hâbleur.

Il va falloir que je lui en dise un peu plus sur ma façon de voir et de penser...

À présent, nous progressons avec difficulté sur une route encombrée par les troupeaux de moutons et de chèvres que les éleveurs font sortir des étables où ils les avaient abrités de l'orage. Ce bétail complique singulièrement la tâche des carrioles débordantes de légumes et de fruits tirées par de petits ânes aux yeux doux dont la tête paraît encenser le ciel.

Un groupe de clochards accroupis à même le sol, en train de jouer aux osselets dans la boue, se fait chasser par un molosse au poil jaune qui s'attaque – crocs acérés dehors – à leurs mollets crasseux.

J'enlève mon manteau et le leur tends.

— Prenez-le et faites-en bon usage !

Sans un mot, Ananda se hâte de m'imiter.

Du coup, le chien s'écarte en miaulant comme un chat, tandis que ces gueux à l'odeur nauséabonde se mettent à danser de joie en nous souhaitant longue vie, maintenant, demain et à jamais, au cours de nos réincarnations à venir.

S'ils savaient, les pauvres hères, ce que je pense du Samsãra !

Nous ne portons plus à présent qu'une tunique de coton sans manches.

Le dépouillement du corps va de pair avec celui de l'esprit qui, du coup, raisonne mieux et juste.

— Comme j'aurais aimé être à la place d'un de ces mendiants pour recevoir de toi un don ! murmure Ananda.

— Le jour où je m'en sentirai prêt, Ananda, je te promets que tu seras le premier à qui je dirai la Noble Vérité !

— Ce jour-là, ô Siddhãrta Gautama, sera un présent aussi précieux que la fleur de l'Udumbara !

Je suis ému aux larmes. Une telle confiance me touche infiniment. Heureux les purs et les hommes de bonne volonté qui acceptent, comme Ananda, de faire confiance à autrui.

Heureuse soit sa mère !

Je n'en doute pas, Ananda, mon frère dans la souffrance et mon indéfectible compagnon dans cette quête de la Vérité qui va désormais mobiliser toute mon énergie : un jour, toi aussi tu iras au nirvāṇa et tu connaîtras le bonheur de ne pas être obligé de renaître !

À présent, le soleil est revenu et le feu succède à l'eau.

Devant nous, la route dévide inexorablement son ruban ocre pour devenir, au loin, ce mince filet jaune qui finit par se dissoudre dans l'azur du ciel.

Le jour où nos désirs se seront, comme la route, entièrement dispersés dans l'azur du ciel, ce jour-là, Ananda, je te l'assure, nous nous sentirons heureux et apaisés.

13

Comme les oiseaux du ciel

Je tiens un calendrier de fortune, qui consiste à entailler un morceau de bois et à rayer les entailles lorsqu'elles forment une semaine, puis un mois.

Aussi puis-je affirmer sans me tromper que nous marchons depuis trois mois jour pour jour.

Et chaque fois que nous nous remettons en mouvement, le matin, après une nuit passée à même le sol, Ananda me pose la sempiternelle question :

— Où veux-tu aller, aujourd'hui, ô Siddhãrta ?

Et comme je ne sais jamais à l'avance la direction dans laquelle nos pas nous guideront, invariablement, je lui réponds :

— Comme une abeille qui va de jolie fleur en jolie fleur puiser son suc juste ce qu'il lui faut et sans jamais l'endommager, ainsi de village en village va le sage !

Entre nous, c'est devenu un jeu.

À présent, l'habitude venant, nous commençons à marcher dès l'aube, pour ne nous arrêter qu'au coucher du soleil : nous butinons d'un endroit à l'autre, à la rencontre des gens de peu.

Aujourd'hui, il fait encore plus chaud que d'habitude, ce qui nous oblige à nous arrêter environ toutes les deux heures, pour boire et reposer nos pieds nus endoloris. La plante de mes pieds n'est qu'une plaie, depuis que j'ai abandonné mes sandales.

J'aperçois une petite pierre levée, au sommet de laquelle quelques cierges achèvent de se consumer ; ils ont dû être placés là par des dévots, en l'honneur d'un dieu local.

— Que se passe-t-il, ô Siddhãrta ? Pourquoi t'arrêtes-tu ainsi ? me demande Ananda.

— Regarde un peu et tu comprendras...

Devant cet autel de fortune, un homme est prosterné, face contre le sol.

Il porte la tunique et les jambières du grossier tissu ocre des chasseurs de gazelles.

En essayant de faire le moins de bruit possible, je m'approche de lui.

— J'aimerais échanger mon vêtement contre le tien, dis-je à l'homme.

— Ne vois-tu pas l'état de ma tunique ? Tu y perdrais au change ! me répond le chasseur en exhibant un pan de tissu si usé qu'on peut voir à travers.

Je me dépouille de ma longue chemise brodée et la lui tends. Je suis nu comme un ver mais n'éprouve nulle gêne. Autour de nous, les gens vont et viennent, sans faire attention. Les hommes de peu passent inaperçus. Et puis les çramanas pullulent, si bien que ma nudité ne choque personne, d'autant que mon appartenance à la caste des guerriers n'est pas inscrite sur mon front.

Après un moment d'hésitation, le chasseur finit par se déshabiller à son tour. Il échange sa toge orangée contre mon vêtement précieux et s'éclipse sans demander son reste.

— Comme j'aimerais porter le même vêtement que toi ! soupire Ananda.

— Le vêtement de cet homme suffira largement à

faire deux pans de tissu, un pour toi et un pour moi. Ces tuniques, nous les porterons toute notre vie. Elles seront lavées par la pluie, séchées par le soleil et le vent et repassées par nos fesses, quand nous dormirons dessus.

J'emprunte son long couteau à un tailleur de cannes et je découpe en deux parties la toge du chasseur de gazelles. Puis je fais passer l'une des pointes de ce drap sur l'épaule d'Ananda avant d'enrouler le reste autour de son buste.

— Je me sens bien dans cette toge, j'aime cette couleur ocre ! J'aime la légèreté qui en émane. Touche un peu ce tissu ! s'exclame-t-il en lissant cette toile usée jusqu'à la trame, au point qu'elle brille comme du satin de soie.

— L'usure, tout comme la patine, anoblit les matières. De même que les fruits mûrs sont toujours meilleurs que les verts ! Rien n'est plus laid que le neuf et le clinquant ! Ce qui est poli est policé.

Le lendemain, à la mi-journée, nous avisons l'échoppe d'un potier, reconnaissable à son four pyramidal, qui fabrique des bols et des assiettes.

Je m'approche de l'homme assis devant son tour, dont les mains pétrissent la glaise ; je le salue avec civilité. Il a l'air sympathique et répond cordialement à mes salutations.

Puis j'entre en matière :

— Je n'ai pas d'argent et j'ai besoin d'un bol. Que peux-tu faire pour moi ? dis-je à l'artisan.

Ma demande est quelque peu cavalière et je suis prêt par conséquent à recevoir une rebuffade de sa part. Depuis que j'ai quitté ma maison, je n'ai plus peur de me faire rabrouer, voire insulter ; je prends les choses comme elles viennent.

— Tu as l'air d'un ascète errant. Si tu acceptes de

prier pour moi, c'est l'ensemble de mon stock qui est à toi ! me répond le potier en s'inclinant avec respect devant moi.

— Je prierai pour le salut de ton âme.

— Ma prochaine réincarnation sera-t-elle un progrès par rapport à mes conditions de vie actuelles ? J'ai si peur de devenir un lézard et de finir écrasé sous le sabot d'un buffle ! gémit le potier en me remettant deux bols ornés d'une fleur de lotus, qu'il a pris sur une étagère.

— Je travaille à arrêter le cycle des réincarnations. Quand je serai prêt, je te ferai signe, dis-je à cet homme qui tombe à mes pieds.

— Promets-le-moi ! Cela fait des années que j'attends de rencontrer un homme de ton espèce ! s'exclame-t-il, éperdu de reconnaissance.

— Si je te le dis, tu peux me croire.

— Comment ferai-je pour te retrouver ?

— Avec nos toges orangées, mon ami et moi ne passons pas inaperçus... Et comme nous n'habitons nulle part et que nous marchons sur les chemins toute la journée, nous croisons beaucoup de gens. Tu n'auras pas de mal à avoir de nos nouvelles.

— Pourquoi lui as-tu pris ce bol ? me demande Ananda quand nous sortons de chez le potier, avant de nous remettre à avancer sous un soleil de plomb.

— Tu n'en avais pas pour recueillir la nourriture dont on voudra bien nous faire l'aumône.

— Nous allons continuer à mendier ? s'enquiert, l'air consterné, Ananda, qu'une telle perspective paraît affoler.

— Nous serons comme les oiseaux du ciel : ils ne savent jamais de quoi demain sera fait, ni s'ils trouveront à manger ; mais ils sont riches de leur liberté. Ils vont et viennent où bon leur semble. La précarité permet de se consacrer à l'essentiel. Les biens matériels aliènent ceux qui les possèdent. Les propriétaires passent un temps infini à essayer de les protéger ou d'en acquérir d'autres, moyennant quoi la Vérité leur échappe...

— Tu as l'air de penser qu'il vaut mieux être pauvre que riche ! constate-t-il au moment où nous entrons dans une impressionnante forêt d'arbres de teck.

— Rien n'empêche un riche, s'il veut s'acheter une conduite, de se libérer en distribuant ses biens aux pauvres !

— Tu disais déjà qu'il valait mieux « être » qu'« avoir »... ajoute Ananda dont je constate qu'il retient fort bien mes leçons.

Les fûts des arbres, percutés en cadence par des mains anonymes, résonnent d'une musique aux étranges accords.

— Drôle de bruit ! On dirait qu'il y a un orchestre caché dans cette forêt... s'écrie-t-il.

— Ce sont les singes qui hantent cette forêt de tecks. Regarde un peu comme ils frappent avec leurs poings sur les troncs.

— Je suis sûr qu'ils le font en ton honneur, ô Siddhãrta.

Quelques instants plus tard, alors que nous nous asseyons, exténués par la chaleur humide, contre le tronc rouge d'un arbre, un singe capucin vient dérober mon bol à mendier. J'ai à peine le temps de crier qu'il me le rapporte, rempli à ras bord de miel sauvage !

— Tu vois, Ananda, je suis devenu le roi des singes !

— Ces animaux ont du flair, Siddhãrta. Ils reconnaissent en toi un être particulier. Une sorte d'allié.

— Si tu savais, pourtant, ce que je me sens banal.

— Et moi, si je devais me comparer à toi, que devrais-je dire ? Que je suis un papillon des prés ?

— Les ailes des papillons des prés sont plus belles encore que les habits des plus grands rois !

— Quand la route nous semblera dure et que nos pieds endoloris pourront à peine toucher le sol, je propose que nous rêvions que nous sommes des papillons voletant avec allégresse au-dessus du monde ! s'écrie mon cousin.

Ananda, quel être merveilleux tu es !

Quelle chance est la mienne de pouvoir compter sur toi, Ananda.

14

Ananda tombe malade

Marcher est devenu une souffrance mais reste pour moi nécessaire.

C'est quand je marche que je réfléchis posément ; c'est quand je marche que je décode bien le monde ; c'est quand je marche que je commence à bien comprendre les grands contours de ce que sera la Vérité.

Je dois donc marcher.

Je dois avancer, sur les routes mais aussi dans ma tête.

Les cailloux des chemins paraissent énormes et innombrables à ceux qui y marchent.

Certains d'entre eux sont coupants comme des couteaux, au point que nous avons été obligés de remettre des sandales car nos pieds étaient en sang.

Cela fait désormais plus d'un an que nous allons là où nos jambes nous portent ; nos tuniques ocre ont déjà subi les alternances innombrables du lavage par la pluie et du séchage par le soleil et le vent.

Un beau matin, Ananda se réveille en criant de douleur, la jambe tout enflée, rouge comme un radis et brûlante comme un brandon.

— Je ne sais pas ce qui se passe, mais j'ai très mal !

C'est la première fois que ça m'arrive. Au Pays des Neiges, je pouvais parcourir de longs trajets sans aucune fatigue... m'explique-t-il en me montrant l'endroit à partir duquel irradie la douleur, à proprement parler insupportable, sur sa jambe bleuie et craquelée, semblable à la patte d'un éléphanteau.

— Tu as peut-être été piqué par une mauvaise araignée ou un serpent venimeux ! À moins que ce ne soit un de ces cailloux coupants comme des glaives sur lesquels il nous arrive de marcher !

Ananda ne répond pas, tellement marcher dans cet état l'épuise.

Je vais chercher de l'eau à la rivière qui coule en contrebas du chemin, et lui lave doucement la jambe. Puis je le fais asseoir contre un manguier, pour masser son mollet avec le jus d'un de ses fruits.

Et Ananda repart clopin-clopant.

Le soir venu, la jambe est encore plus vilaine que le matin, et c'est tout le bas de son corps qui est à présent endolori et brûlant.

— Laisse-moi là. Je te fais perdre ton temps ! La quête de la Vérité ne saurait être retardée. Je demanderai à un médecin ambulant un peu d'onguent et tout ira bien ! me propose-t-il d'une voix lasse.

— J'ai tout mon temps !

— Tu es surtout gentil...

Mais la douleur est devenue si fulgurante qu'elle fait gémir Ananda. Il transpire à grosses gouttes. Je tâte son front et constate qu'il est chaud comme un *chapati* sorti du four.

— Nous ne sommes plus très loin de la Ville sainte de Vanãrasi[1] ! Nous y trouverons bien un médecin ! murmure-t-il.

1. Bénarès.

— Compte tenu de ton état, il n'est pas question de faire un pas de plus !

J'avise une ferme, nichée au pied d'une falaise, devant laquelle s'étend un luxuriant jardin potager. J'appuie Ananda contre mon épaule et je le traîne jusqu'à la maison sur le seuil de laquelle nous sommes accueillis par le chef de famille, un petit homme au dos courbé à force de s'être penché sur le sol. Son sourire étincelant illumine un visage tanné par la pluie, le vent et le soleil.

Le petit homme nous explique qu'il fait pousser des citrouilles, des lentilles et des fèves, que sa femme va vendre sur les marchés.

— Mon cousin est malade, lui dis-je. Sa jambe est très enflée. Accepteriez-vous de l'héberger, le temps qu'il guérisse ?

— Votre protégé pourra demeurer chez moi autant qu'il le voudra. Je connais un peu les simples. Il y a dans les collines alentour de quoi le guérir. Mais il lui faudra surtout allonger sa jambe et cesser de marcher pendant quelque temps, répond le maraîcher avant d'aller cueillir une brassée de plantes qu'il applique en compresse sur la peau tuméfiée du membre malade d'Ananda.

— Combien de jours lui faut-il pour guérir ?

— Siddhãrta, je t'en supplie, laisse-moi ici ! Je suis entre de bonnes mains. Continue ta route. Dès que je le pourrai, je te rejoindrai.

— Mais comment me retrouveras-tu ? Les chemins sont innombrables et les villes immenses ! Nous risquons de nous quitter pour longtemps.

— La trace que tu laisseras derrière toi facilitera ma tâche. Depuis que je te suis, je remarque que partout où tu passes, chacun se souvient de toi. Ce ne sera pour moi qu'un jeu de piste... plaisante Ananda, désormais incapable de bouger sa jambe.

— Je peux fort bien demeurer quelques jours de plus ici avec toi !

— Mes forces m'ont complètement abandonné. Si je devais te retarder, je le vivrais mal... Au point que cela entraverait ma guérison !

Ananda est au bord de l'épuisement.

— Dans ce cas, promets-moi de venir me retrouver dès que tu iras mieux.

— Je te le jure, pour rien au monde je ne cesserais de te suivre !

— Même si le chemin que j'emprunte ne mène nulle part ?

— Douterais-tu du bien-fondé de ta démarche ? Serais-tu inquiet ?

— Pour l'instant, je ne suis qu'un homme aveuglé par les nuées et désireux de trouver la Bonne Voie. Un jour viendra où le soleil transpercera le brouillard qui continue à me cerner ; mais ce jour béni n'est pas encore arrivé...

— Pourquoi n'aurais-tu pas bon espoir ? Tu as déjà fait des efforts considérables. Regarde ce à quoi tu as renoncé. Hier encore tu étais couvert de bijoux. Aujourd'hui, vêtu de la tunique ocre, ton propre père ne te reconnaîtrait pas.

Je l'embrasse affectueusement.

— Il me reste à renoncer à moi-même... Et ce n'est pas le plus facile. Mais ne t'inquiète pas, j'y arriverai !

Ananda me baise la main avec respect.

La nuit venue, constatant que mon cousin dort à poings fermés, je me glisse, telle une ombre, à l'extérieur de la maison du maraîcher, tandis que ce dernier m'implore de le bénir.

Je m'exécute de bonne grâce, avant de repartir seul.

À présent je m'en sens la force, comme un rameur dont le navire est déjà porté par le courant du fleuve.

Ce soir-là, la lune est rousse et les montagnes violettes. Le paysage ne paraît plus réel. Les formes et les couleurs dépendent de la lumière, laquelle ne se voit pourtant pas.

Et si la Vérité après laquelle je cours était ainsi, invisible en tant que telle mais évidente lorsqu'elle est appliquée ?

J'ai le cœur gros de devoir abandonner Ananda, mais j'ai confiance : je ne doute pas que nous nous retrouverons, dussions-nous marcher des jours entiers à la rencontre l'un de l'autre !

15

L'ermite Kãlãma

Pour l'instant, la Vérité est un long chemin sinueux. Quand tu crois la saisir, elle t'échappe, comme l'oiseau que tu as peur de trop serrer et qui, du coup, s'envole dans un battement d'ailes. Un jour, tu crois voir surgir la solution ; et la nuit, tout s'efface, ce qui t'oblige à tout recommencer sur de nouvelles bases ; tantôt ce sont tes hypothèses qui ne sont pas les bonnes et tantôt ce sont tes conclusions qui clochent.

Sans Ananda, ce chemin me paraît même tellement long et tellement sinueux que je me décide à aller demander des conseils à un Grand Yogi du nom de Kãlãma.

Je me dis en effet qu'il doit sûrement y avoir du profit à tirer des expériences de ceux qui cherchent, comme moi, des voies spirituelles, fussent-elles différentes des miennes.

Le « Grand Yogi Kãlãma » habite à Vaishãli, une petite ville située au nord-ouest de Pãtaliputra, la capitale du royaume de Maghada dont le marché hebdomadaire aux bestiaux et aux légumes attire des milliers de vendeurs et d'acheteurs, venus de toute la contrée.

Ils sont nombreux à faire le crochet par Vaishãli afin

d'obtenir une consultation de la part de ce Grand Yogi, à la réputation de sage parmi les sages.

Ce sera donc également mon cas.

Lorsqu'une belle jeune femme à l'opulente poitrine à moitié découverte me fait entrer dans la chambre de l'ascète, je manque vomir, tellement il y règne une odeur pestilentielle.

Avant de me laisser seul en compagnie du vieil homme au corps décharné, qui ne s'est coupé ni les cheveux ni la barbe, pas plus que la moustache ni les ongles, depuis une trentaine d'années, ce qui lui confère un aspect des plus bizarres, la servante me glisse dans le creux de l'oreille que le Grand Yogi ne s'est pas alimenté depuis vingt jours, pas plus qu'il n'a quitté depuis ce moment-là sa posture assise.

Elle en parle comme les montreurs d'ours, qui vont de village en village, parlent de leurs bêtes.

Pourquoi serait-il nécessaire, pour convaincre, d'impressionner ? N'est-ce pas là une manière d'aveu de faiblesse ?

Troublé, j'essaie de tester le célèbre guru auquel je demande :

— Maître Kãlãma, s'il te plaît, pourrais-tu m'expliquer le concept de « non-existence » ?

Le Grand Yogi ne remue pas d'un pouce, malgré l'inconfort manifeste de sa position.

Il est entièrement nu, assis dans la posture du lotus sur une planche cloutée qui a l'air aussi rugueuse qu'une râpe ; son bras gauche atrophié est tendu vers le ciel, tel un tronc de très vieux bambou ; une corde accrochée au plafond le retient de tomber.

Non seulement Kãlãma est prisonnier, mais il est également aveugle.

— Le concept de « non-existence », appelé aussi Dharma Suprême, ne doit mener ni au dégoût du monde, ni à l'arrêt des renaissances, ni à la sérénité, mais tout simplement au Néant ! me répond Kãlãma, sans même me regarder.

— Comment le Néant peut-il satisfaire l'esprit humain, maître Kãlãma ? Les hommes sont des êtres faits de chair et de sang. Ils aiment le goût du sucre, du poivre et de la cannelle ! Ils apprécient les femmes dont les jambes fuselées s'écartent facilement afin de recevoir l'hommage de leur lance d'amour... Les êtres humains ne peuvent s'extraire de leur condition qu'au prix de la méditation et de l'effort.

— Le Néant permet à l'esprit humain de trouver sa vérité. Quand un homme se met à raisonner, quand il cherche à tout prix à expliquer le pourquoi du comment des choses, il a tout faux ! Mais qui es-tu donc, pour me poser autant de questions ?

Ainsi, pour le Grand Yogi Kãlãma, le Néant est l'ultime stade auquel mène le Dharma Suprême. En somme, ce guru prône une sorte de grand détachement universel. Ce qui ne l'empêche pas de se montrer agacé par cet inconnu qui ose remettre en cause ce qu'il prône à longueur de journée à ses visiteurs...

Malgré la gêne que provoque en moi son attitude, je réponds avec respect à sa question :

— Mon nom est Siddhãrta Gautama, de Kapilavastu !

— Ce nom me dit quelque chose... N'est-ce pas celui d'un ascète qui parcourt les chemins du pays revêtu de la bure ocre des chasseurs de gazelles ?

— C'est exact, maître Kãlãma. Je marche sur les chemins, je dors sous la lune et je me nourris d'aumônes. Certains jours, je me contente d'un grain de millet et d'un seul jujube.

— Que cherches-tu, au juste, Siddhãrta Gautama de Kapilavastu ?

— La Vérité du Monde, maître Kãlãma, rien de plus mais rien de moins !

— La Vérité du Monde est comme l'eau, ou comme l'oiseau : quand on croit la tenir, elle s'écoule ou elle s'envole, quand on ne l'étouffe pas, c'est selon... ajoute mystérieusement l'ascète avant de prendre une autre ãsana [1].

— Je crois qu'un homme ne peut pas être heureux sur terre s'il n'a pas trouvé la Vérité. Pour trouver la Vérité, il faut faire le vide en soi. Alors seulement, la Vérité peut pénétrer ton esprit.

— Ainsi tu as déjà commencé à faire le vide en toi... me lance, goguenard, l'ascète au bras perpétuellement levé.

— Je m'y essaie chaque jour ! Ce n'est pas évident, mais c'est nécessaire. Depuis que je ne possède plus rien, c'est bien plus facile. Je n'ai plus l'esprit encombré.

— C'est drôle, un de mes récents visiteurs m'a tenu les mêmes propos ineptes que toi.

— Comment s'appelait-il ? T'a-t-il donné son nom ?

— Ananda de Kapilavastu. Il racontait les mêmes bêtises que toi. Les jeunes croient tout savoir. Vous feriez mieux de mortifier votre corps, comme je le fais moi-même.

Je sens une immense joie monter en moi et n'éprouve plus l'envie de contrer les arguments du guru aveugle.

Cela fait plus d'un an que j'ai perdu la trace de mon bien-aimé cousin.

Ananda s'est fait invisible, au point qu'il m'est arrivé de penser qu'il avait décidé de me fuir !

1. Ãsana est le nom indien de la posture de yoga.

Lorsque je suis retourné chez les maraîchers qui avaient accepté de l'héberger pour le soigner, ces braves gens m'ont appris qu'il était reparti au bout de trois mois, guéri et en forme. Mais depuis, hélas, nos chemins ne se sont pas croisés. Pourtant, chaque fois que je me rends dans un nouveau village, je demande au premier passant rencontré s'il a croisé un ascète du nom d'Ananda de Kapilavastu.

Je demande à Kãlãma :

— Quand est-il venu te voir ?

— Il était là il y a trois jours. Cet homme était à la recherche de son ami. Sans doute est-ce toi ?

Je ne relève pas.

— T'a-t-il dit où il allait ?

— Non ! Pourquoi l'aurait-il fait ? me répond Kãlãma en secouant l'épaisse tignasse blanchâtre qui tombe sur ses épaules comme un long manteau de laine.

Cette visite au Grand Yogi Kãlãma me prouve que ma réflexion spirituelle naissante est plus adaptée à l'esprit humain que celle des ascètes qui, par leur comportement, découragent leurs semblables.

Comment peut-on prétendre prêcher l'exemple avec un bras perpétuellement levé ? Pour donner, il faut pouvoir se servir de ses bras ; et pour convaincre ses semblables du bien-fondé de ce qu'on leur propose, il convient avant tout de se mettre à leur portée. Or, que je sache, peu de gens sont capables de rester assis des semaines sur une planche à clous !

Je n'ai désormais qu'une hâte, c'est de fuir l'antre de cet ascète inhumain à l'odeur nauséabonde et de retrouver Ananda qui ne doit pas être loin d'ici.

Je profite de ce que la jeune servante vient d'entrer dans la chambre du Grand Yogi pour m'éclipser.

Le décolleté de cette femme est si échancré que je

peux voir pointer ses seins dont les bouts ronds et grumeleux me font penser à ces énormes mûres qu'il est possible de cueillir, à la saison chaude, sur les buissons de ronces.

Elle me jette une œillade intéressée.

Une fois dans le couloir, sa main me happe au passage et, d'un léger coup d'épaule, elle me pousse dans une chambre, dont je n'avais pas remarqué la porte entrebâillée. Nous nous retrouvons tous les deux dans une petite pièce obscure et surchauffée.

— Tu sais, tu me plais bien... J'ai remarqué ton visage, tout à l'heure, devant le maître. Tu avais l'air décontenancé. Ce vieux yogi est d'un abord difficile ; de nombreux visiteurs sont repartis d'ici bredouilles. Il ne faut pas t'inquiéter. Viens avec moi et tu te sentiras mieux ! me susurre la femme, qui écarte brutalement le haut de son sari pour faire jaillir, cette fois, la totalité de son opulente poitrine.

Elle me regarde avec des yeux enflammés tandis que sa langue pointue et rose passe et repasse sur mes lèvres, comme un enfant affamé devant une galette au miel.

Puis elle se colle à moi et essaie de forcer ma bouche, en y fourrant sa langue ; je sens son parfum, légèrement musqué ; mon corps est prêt à s'embraser ; je risque, à tout moment, de basculer.

— Je ne me donne pas le droit de toucher aux femmes. Je suis un ascète ! lui dis-je en me débattant.

Malgré mes protestations, elle m'entraîne vers un lit étroit, avant de m'ôter ma ceinture et de s'agenouiller devant moi.

— Laisse-toi faire ! Crois-moi, mon garçon, tu ne le regretteras pas... me souffle-t-elle d'un air entendu.

Avant que j'aie eu le temps de protester, elle a déjà entrepris d'embrasser mon lingam à pleine bouche, comme Yashodãra savait si bien le faire !

Elle me déshabille et se frotte à moi. Ses mains s'enhardissent. Je n'ai pas la force de protester ni de me défendre, tout va tellement vite !

La femme éclate de rire et je vais chavirer. Elle fait tinter les bracelets de ses chevilles et je vais tournoyer. Elle m'enlace comme un serpent et je vais me lover contre elle...

— Tu es un ascète diablement habile avec les femmes ! soupire-t-elle en se trémoussant.

Tel le serpent nãga, prêt à mordre la mangouste, mon lingam est à présent dressé contre les cuisses écartées de la servante du Grand Yogi Kãlãma.

Je ferme les yeux, tandis que l'image fugace de Yashodãra traverse mon esprit. Depuis que ma femme est morte, je n'ai eu aucun rapport sexuel.

Je sais que si je laisse faire l'entreprenante servante du guru aveugle, elle va prendre mon lingam dans sa main et l'introduire dans sa fente humide et chaude ; puis elle ira et viendra jusqu'à ce que j'y vide entièrement ma sève...

Il faut que je m'enfuie, avant qu'il ne soit trop tard.

Ce n'est pas le moment de tirer ce fil qui me rattache encore au monde des plaisirs et des souffrances dont je me suis éloigné pour devenir un homme libre, capable de trouver la Voie de la Vérité.

De moi, de mon corps mais surtout de mon esprit, j'écarte doucement la servante, qui se met à gémir, et me glisse hors du lit, avant de franchir en toute hâte le seuil de la demeure du guru kãlãma.

Si je me retournais, je suis sûr que je trouverais belle cette femme...

Elle ne demande [illegible] Ses [illegible]
[illegible]
ne [illegible] contrainte.
[illegible] je veux [illegible] elle fait
[illegible]
[illegible]
attendre.
[illegible]
[illegible]
Tel [illegible] la tranquillité,
[illegible]
[illegible] des Nations.
Je [illegible] que l'Eglise [illegible]
[illegible] que [illegible]
[illegible]
[illegible]
[illegible]
[illegible]
[illegible]
[illegible]
[illegible]
[illegible]
[illegible]
[illegible]
[illegible]
[illegible]
[illegible]
[illegible]
[illegible]
[illegible]
Si [illegible]
[illegible]

16

Uddaka le brahmane

Le rouge-gorge n'a jamais aussi bien chanté et c'est un bon présage.

À l'ombre de l'arbre où l'oiseau, que je ne vois pas, doit être perché, Uddaka le brahmane est assis face à moi.

C'est dans l'espoir de rencontrer un guru différent des autres que j'ai décidé d'aller à Rajghir, la ville où Uddaka le Sage possède sa maison.

Uddaka a le front haut des hommes de bien qui ont leur franc-parler et regardent leurs interlocuteurs dans les yeux.

Depuis que je consulte les gurus, je suis déçu. Même lorsqu'ils présentent le visage de la modestie et de l'abnégation extrêmes, ils veulent toujours en imposer à autrui et placent leurs disciples en situation de dépendance. C'est moins le respect qui les guide que la volonté de briller et de dominer.

Au cours d'une halte à Pãtaliputra, j'ai entendu parler de la grande sagesse d'un brahmane du nom d'Uddaka.

— Cet homme respecte-t-il son prochain ? avais-je demandé à celui qui m'avait indiqué le nom de ce grand sage, un forgeron qui prenait soin de fabriquer des épées à bout rond et du coup, moins meurtrières, ce qui n'arrangeait pas ses affaires mais soulageait sa conscience.

— Uddaka n'impose jamais rien. Il se contente de dire sans forcer autrui à partager son point de vue. Il a du respect pour les autres, m'avait répondu le forgeron.

C'était encourageant et suffisamment rare pour mériter une visite, ce que je fais aujourd'hui.

La maison où habite le brahmane est construite en rondins de teck, au milieu d'un potager soigneusement entretenu où poussent des choux, des pois chiches et des salades.

Lorsque j'y suis entré, le vieux brahmane paraissait m'attendre, assis sur un banc. D'emblée, il me sourit et je suis enchanté par le chant de l'oiseau, niché dans l'arbre sous lequel il est assis.

Je lui demande :

— Maître Uddaka, on dit que vous connaissez bien les techniques qui permettent à l'esprit de s'évader du corps.

— Cela s'appelle tout simplement méditer, mon cher !

— Méditer, mais qu'est-ce à dire exactement ?

Je ne tends aucunement un piège à Uddaka. Simplement, je souhaite confronter les techniques de méditation de ce sage expérimenté avec celles du novice que je suis encore dans un domaine qui suppose des années de pratique.

D'ailleurs, je me garderais bien de dire à Uddaka que, plus d'une fois déjà, des ascètes méditants se sont prosternés à mes pieds en me traitant de « maître », après que je leur ai montré comment je réussissais à entrer dans cet état d'abandon de moi-même où ma conscience finit par émerger de mon esprit, tel le soleil à la fin de la nuit.

— C'est palper le Vide... me répond Uddaka, tandis que le rouge-gorge se lance dans des trilles merveilleux.

La notion de Vide telle que l'exprime Uddaka me semble par trop réductrice. Si tout se résume au Vide, les hommes n'ont aucune place dans l'univers. Dans ce cas, qu'y faisons-nous ? Et quelle main cruelle s'est amusée à nous poser sur la terre ?

Jamais je ne pourrai partager le pessimisme d'Uddaka le brahmane.

— Comment peut-on palper ce qui, par définition, n'a pas de consistance ?

— Tout n'est que Vide. Tel est mon Dharma[1]. La réalité du monde n'est qu'un rêve évanescent. Voilà ce qu'a appris Uddaka le brahmane !

À ces propos, je réponds de ma voix la plus douce et sur un ton infiniment respectueux, soucieux de ne pas heurter ce vieil homme :

— Sans parler de ce qui nous entoure, et qui est palpable, les idées qui sont dans nos têtes, maître Uddaka, existent bel et bien... Sinon, comment pourrions-nous discuter de tout cela l'un et l'autre ?

— Pour moi, jeune homme, la pensée elle-même n'est qu'artifice. Tout n'est que Vide et Infinie Pureté.

— Comment peut-on comprendre le monde sans faire appel à la pensée ?

— Il n'y a rien à comprendre du monde, si ce n'est l'insondable notion de Vide ! insiste Uddaka, dans la voix duquel pointe une légère trace d'agacement.

Puis le silence s'installe entre nous, bercé par les inimitables chants de l'oiseau qui s'en donne à cœur joie.

Je suis sur le point de reprendre notre échange, mais

1. Ici, vérité.

Uddaka m'arrête d'un geste, avant de me lancer, d'une voix tremblante :

— Éloigne-toi de moi. Tu vas finir par me faire douter de moi-même !

Je n'imaginais pas avoir ébranlé les certitudes du vieux sage.

Alors, je me dis qu'il est temps que je cesse de consulter, ici et là, au hasard de mes trajets, les sages et les ascètes en proie à leurs inutiles macérations. Ils ne me sont d'aucun secours. Pis même, par leur excès de rigorisme ou leur esprit de système trop développé, la plupart de ces gens ne font que compliquer ma tâche.

Pour aider les hommes, il faut commencer par les aimer plus qu'on s'aime soi-même.

Je me souviens de ce yogi bedonnant, rencontré sur les bords du Gange, qui m'avait demandé si j'avais des sévices préférés... et auquel j'avais répondu :

— Aucun. Je suis contre les mutilations inutiles. Selon moi, l'âme n'a pas besoin de cela pour s'extirper du corps.

Alors, il m'avait regardé avec commisération, comme si j'étais le dernier des imbéciles, et était retourné s'asseoir sur un tas de pierres brûlantes, sous les yeux d'une foule admirative, sans omettre de ramasser les dons entassés dans le panier posé devant lui...

À présent, je suis sûr que la Vérité ne viendra que de ma propre réflexion et que personne n'y pourvoira à ma place. Mieux vaut faire mes adieux au brahmane Uddaka et m'éloigner de lui.

C'est alors qu'Uddaka me hèle, en me suppliant de revenir à ses côtés.

Par politesse, je m'exécute.

— Veux-tu prendre ma place ? me demande-t-il à voix basse.

Interloqué et pris de court, je lui réponds :

— J'en suis incapable, maître Uddaka ! Si je suis venu auprès de toi, c'est pour demander des conseils, pas pour te succéder !

— Je suis sûr que tu es plus capable que moi de méditer correctement. Après ce que tu as dit, je dois convenir que c'est moi qui suis dans l'erreur ! Ma théorie du Vide Universel ne tient pas debout. Elle ne m'a servi qu'à affirmer mon autorité sur les autres. Je ne suis pas digne d'être un brahmane ! ajoute Uddaka en se prosternant devant moi.

Je proteste avec humilité, après l'avoir forcé à se relever :

— Vous êtes trop indulgent à mon égard, maître Uddaka. En fait, depuis deux ans je marche sur les chemins en faisant le vide dans mon esprit. Le soir venu, j'ai les idées plus claires. On ne peut pas appeler cela « méditer » !

Puis je l'aide à se rasseoir.

— Reviens quand tu voudras : alors je te céderai volontiers ma place. Cela fait des années que je cherche en vain un disciple ! me glisse-t-il.

— Rien ne prouve que j'en sois digne...

— Je sens en toi la grande paix de ceux qui parviennent à dompter ce feu interne qui va jusqu'à ravager nos âmes et nous brûler atrocement, quand il génère des désirs que nous n'arrivons pas à assouvir ! m'assure-t-il en me tendant les mains pour me dire adieu.

Je lui rétorque :

— Il faudrait déjà que je fasse la paix avec moi-même.

— Il y a belle lurette que tu l'as faite, la paix avec toi-même, je peux le lire dans tes yeux, ô Siddhãrta ! Tu es de ceux qui préfèrent l'eau au feu ! Je m'étonne que tu ne t'en sois pas encore rendu compte.

— Il est vrai que depuis tout petit, je préfère l'eau au feu, lui dis-je, en même temps que me reviennent à la mémoire les images des brahmanes qui tisonnaient les feux rituels, au parc de Lumbini.

— Le moment n'est pas loin pour toi où surgira cette Vérité que tu recherches avec autant d'âpreté et de constance, conclut Uddaka, ému aux larmes.

Je reprends ma route.

À présent, je traverse les eaux pures de la rivière Naïranjãna où des lavandières hiératiques descendent, leur linge sur la tête, par de majestueux escaliers taillés dans le roc.

En repensant à Uddaka le brahmane, je m'immerge des pieds à la tête dans cette eau courante dont la fraîcheur délicieuse fait du bien à mes jambes gonflées.

Ananda me manque.

J'ai beau savoir méditer, je souffre d'être éloigné de mon cousin bien-aimé.

Quelques heures plus tard, à un carrefour, j'aperçois, sous un arbre qui lui sert d'ombrelle, un ascète parfaitement indifférent aux murmures de stupeur et de crainte des badauds qui se sont attroupés autour de lui.

L'homme s'adonne à diverses mortifications de son corps, plus cruelles et étranges les unes que les autres. Sur des plaies ouvertes qu'il vient de s'infliger, à l'aide d'un méchant poignard effilé, au bas de son ventre plat comme une planche et sur ses cuisses osseuses qui lui donnent un air d'oiseau décharné, il pose avec délicatesse un mélange d'épines et de fourmis rouges.

Le public en redemande et je passe sans m'arrêter.

À présent, j'approche de la cité d'Uruvilva.

Arrivé là, je me dirige sans hésiter vers un tertre où pousse un arbre saint de l'espèce des figuiers pippal[1].

1. Ce type de figuier porte également le nom de Ficus religiosa ou figuier des pagodes.

Les branches tortueuses de cet arbre plusieurs fois centenaire s'étendent vers l'azur du ciel et font penser à une statue aux mille bras secourables.

Mais si l'on y regarde de plus près, ce vénérable figuier pippal ressemble davantage à un très vieil homme qu'à un dieu.

Au moment où j'embrasse une des côtes de son tronc, cet arbre se met à me parler.

Et il me dit que le jour ne va pas tarder où je toucherai enfin au but.

Pour moi, ce vieux frère est devenu l'arbre de la Vérité.

17

L'arbre de la Vérité

Je ne vois plus rien alors que mes yeux, à l'instant, regardaient encore des enfants jouer aux billes. La voie de la concentration me paraît moins sinueuse qu'hier !

Plus les jours passent et plus je constate ma progression dans la Voie de la Méditation Dhyãna[1].

Maintenant, il s'agit de me concentrer du mieux que je peux.

Je dois prendre conscience que mon corps est là ; je dois prendre conscience que je « suis » mon corps ; je dois prendre conscience que je « suis » ce corps qui va faire le vide en lui ; je dois prendre conscience que je « suis » aussi, du coup, un autre que moi !

Et ce corps, assis au pied de ce très vieux figuier, a une tête qui doit s'abstenir de penser à quoi que ce soit. Si je devais avoir la moindre pensée, fût-elle la plus anodine, par exemple le souvenir du rouge-gorge d'Uddaka le brahmane, tous les efforts que je viens d'accomplir pour entrer en méditation seraient anéantis comme un oiseau qui s'arrêterait de voler retomberait lourdement sur le sol.

Ce n'est pas la première fois que je viens sous

1. « Méditation » en sanskrit.

l'arbre de la Vérité pour m'exercer à la « pensée droite ».

J'ai compris que méditer, c'est penser droit.

Méditer, exercer ma pensée, encore et toujours : telle est l'activité mentale à laquelle je ne cesse, depuis des mois, de m'adonner.

Tous les ascètes et les sages que j'ai rencontrés en parlent mais sans arriver à définir avec des mots simples cet état de veille où la lucidité de la « pensée droite » permet à l'homme d'accéder à la vraie connaissance.

Je me suis fixé pour but d'entrer en méditation et de m'élever vers la pensée pure.

J'ai appris à méditer par moi-même, en m'exerçant pendant des heures, de préférence devant un mur vide, pour ne pas avoir le regard troublé par le spectacle de la réalité. J'ai compris comment on arrivait, à force de contrôle de soi, à y laisser entrer le vide.

À force de concentration et d'analyse de ma vie, j'ai fini par comprendre que méditer revient à gravir un escalier fait de quatre marches.

Ton Premier Stade de Méditation est fait de réflexion, de joie et de bonheur.

Ton Deuxième Stade de Méditation est fait de sérénité intérieure et de joie, mais il est dépourvu de raisonnement : ton esprit en sommeil permet de ce fait à ton corps de se laisser imprégner par les phénomènes qui l'entourent et dont il n'a pas toujours conscience.

Ton Troisième Stade de Méditation est fait d'indifférence, d'inattention et de détachement. L'abandon est déjà là, qui permet à ton esprit de se concentrer sur l'essentiel et de se laisser inonder par la Vérité.

Quant au Quatrième et ultime Stade de la Méditation, il est fait de pureté absolue, d'abandon et d'indifférenciation : ce stade n'est ni pénible ni agréable car toutes les sensations, bonnes ou mauvaises, sont effacées.

Aujourd'hui, je suis content.

Pour la première fois, j'atteins sans effort ce stade ultime et je me sens incroyablement bien, alors qu'hier cet exercice de concentration mentale me laissait complètement épuisé !

Malgré la chaleur écrasante qu'il fait sous l'arbre de la Vérité, je n'ai ni chaud ni froid.

Je n'éprouve ni peine ni joie d'avoir atteint sans peine le Quatrième Stade de la Méditation.

Je ne ressens ni admiration ni dégoût, et ce envers quiconque.

Je suis indifférent à tout ce qui m'entoure.

Concentré sur l'essentiel, je dois désormais arriver à déterminer ce qui ne va pas pour les êtres humains ; je dois comprendre pourquoi ils souffrent ; je dois trouver l'issue pour faire cesser leurs souffrances.

Je sais aussi que, désormais, plus rien ne pourra me surprendre, si ce n'est la Vérité...

Par exemple, je ne devrai pas être surpris lorsque le fruit doré de l'arbre Jambu tombera dans la rivière et que ses pépins produiront d'inestimables pépites d'or charriées jusqu'à la mer... Je ne devrai pas manifester d'étonnement lorsque la gazelle échappera au lion, ou encore quand l'énorme pied de l'éléphant évitera de justesse d'écraser le mulot des champs qui traverse le chemin...

La Vérité va bientôt resplendir, c'est sûr.

Si je n'étais pas entré dans la phase ultime de la concentration, celle où les sentiments humains n'ont plus cours, nul doute que je serais le plus heureux des hommes !

Saisir enfin la Vérité ! Découvrir la règle du monde ! Disséquer la Noble Loi de l'existence !

N'est-ce pas ce que j'attends depuis mon Grand Départ ?

Mais au moment où je sens que la Lumière va enfin entrer dans mon cœur, je vois Mãra, le Seigneur de la Mort, qui me tend la main.

Je sursaute et le dégoût me prend.

Les yeux de Mãra lancent des éclairs ; la bouche de Mãra crache des flammes ; les mains de Mãra sont achevées par des doigts cornus ; le corps de Mãra est velu comme celui d'une araignée géante.

— Soumets-toi et je t'offre le monde ! s'écrie le dieu des cadavres.

Je serre les poings.

— Jamais.

— Dans huit jours, si tu m'écoutes, tu deviendras l'Incomparable Roi du Monde !

Je fais non de la tête.

Rien ne m'incitera à suivre ce dieu du Mal, dussé-je être découpé en morceaux par les extrémités de ses doigts effilés comme des pointes de flèches !

Devant mon refus d'obtempérer, il m'envoie ses filles, Luxure, Délice et Attachement. Elles sont belles à en mourir et se lancent devant moi dans une danse lascive au cours de laquelle elles se dépouillent de leurs robes pour finir entièrement nues, leurs corps superbes à ma portée.

Il me suffirait d'un geste... et j'aurais l'impression de toucher Yashodãra de nouveau... mais je résiste.

Alors le Seigneur des Maléfices fait entrer en action ses fils, Fierté, Confusion et Gaieté, qu'il a transformés en flèches avec lesquelles il me vise au ventre, à la tête et au cœur, avec application.

C'est peine perdue : les flèches partent mais glissent sur ma peau.

Je vérifie que ni mon visage ni mon torse ne portent de trace de blessures.

C'est alors que je m'aperçois que par terre, au lieu de flèches, gisent des pétales de rose...

Puis vient une armée de soldats dont les faces aux oreilles de bouc, de porc, de vache, de tigre et d'éléphant sont rouges, jaunes, bleues, noires, vertes et ocre. Certains ont dix queues de singe et huit pattes de tigre, d'autres des crocs acérés comme des piques.

Au moment où ces créatures chimériques se ruent sur moi, il me suffit de leur souffler dessus et voici qu'elles s'évaporent dans le vide.

Mãra m'envoie cette fois une pluie battante qui s'abat sur mon crâne comme une brassée de hallebardes, puis un soleil de plomb dont la chape brûlante me fait sécher en moins d'un instant.

Mais je demeure immobile, concentré, imperturbable, armé de ma pensée droite et ferme qui me rend indestructible.

Je sais désormais ce que « fort de son bon droit » veut dire !

En fait, je sens que l'Éveil est proche, et ce n'est pas Mãra qui me dissuadera d'aller jusqu'au bout de ma concentration.

Je décide qu'il est temps de couper court à ses manigances.

De ma main droite, je touche la terre et la prends à témoin.

La terre a senti que j'étais proche de l'Éveil. Elle a compris que je vais devenir Éveillé. L'éléphant sur lequel Mãra est à présent juché met un genou à terre et tous les soldats du dieu du Mal prennent la fuite en ordre dispersé, créant un chaos indescriptible.

Et la terre se met soudain à trembler, achevant de faire s'évaporer les puissances du Mal qui m'assaillaient quelques instants plus tôt.

La terre, grâce à laquelle les hommes se nourrissent

mais qui oblige les paysans à passer leur vie courbés au-dessus d'elle, la terre, mère de l'Univers et de la Création, a décidé de m'aider.

Mais j'ai sans doute parlé trop tôt.

Car une jeune femme lascive et à la lourde chevelure brune fait son apparition devant moi.

Son corps splendide est entièrement nu ; son cou, ses poignets et ses chevilles portent des bracelets de crânes de la taille d'un pois chiche. Elle vient s'asseoir à califourchon sur mes cuisses, et tente de fourrer sa langue dans ma bouche !

Résister à pareille offensive du dieu de la Mort est pour moi un vrai supplice.

J'ai beau me dire que cette créature n'existe pas ; qu'elle est un rêve envoyé par celui qui veut me détourner de la Vérité : elle est à proprement parler irrésistible et je vais avoir le plus grand mal à ne pas tomber dans le piège qu'elle me tend.

Alors, je me murmure à moi-même :

— Le plaisir engendre le désir, lequel n'engendre à son tour que la frustration et la douleur... Ne succombe pas, Siddhãrta Gautama, sinon tu es fichu ! Si tu veux repousser cette femme, tu ne peux compter que sur toi, car personne ne viendra à ton secours ; et si tu ne le fais pas, la Vérité t'échappera.

Peu à peu, l'image de la femme s'estompe, comme la brume lorsqu'elle finit par être dispersée par les rayons du soleil.

Je suis à nouveau seul, calme et tranquille.

Je suis devenu fort, pour arriver ainsi à vider mon esprit de toute pensée futile.

Encore un peu de temps, et je finirai par avoir conscience de la Vérité...

18

Mes premiers disciples

Mes chers disciples, pendant que vous m'attendez, je me prépare à recevoir la Noble Vérité du Monde.

Si je vous ai quittés, c'est uniquement pour méditer en silence sous l'arbre de l'Éveil, et aller jusqu'au seuil de l'espace où la pensée est droite. Ce n'est qu'une affaire de jours.

Si vous saviez, mes chers amis, ce que je peux vous aimer tous !

Vous m'éventez quand j'ai chaud... Vous me faites boire quand j'ai soif... Quand je me retire pour aller méditer, la nuit, sous une hutte, vous veillez toujours à ce que la théière soit chaude sur le brasero. Vous buvez la moindre de mes paroles. Vous êtes toujours là quand il faut !

Qu'est-ce qui vous pousse à me suivre ainsi pas à pas, alors que je n'ai encore rien prouvé ?

Je ne peux m'empêcher de me poser cette question lorsque je vous observe, si jeunes et si beaux, dépouillés des atours que vous portiez il y a encore quatre semaines, avant que vous ne décidiez de mettre vos pas dans les miens !

Il y a à peine un mois que vous m'avez rejoint et c'est comme si vous étiez avec moi depuis toujours.

Vous me connaissiez à peine !

Vous saviez que j'étais parti de Kapilavastu, et que j'avais tout quitté. Forcément. Le scandale avait été tel... et la famille des Çãkya si ébranlée que les chefs des clans s'étaient réunis pour examiner mon cas. Fallait-il aller me chercher manu militari et me ramener à Kapilavastu menottes au poing, ou au contraire me laisser faire mon expérience, en tablant sur le découragement qui ne tarderait pas à me faire revenir à de meilleures dispositions ?

Certains étaient partisans de la première solution, et d'autres de la seconde...

Mais c'était mon père qui avait lutté avec la dernière énergie contre le projet d'expédition, par peur d'amplifier un scandale qui risquait de nuire gravement à son statut de chef de clan.

Le scandale, loin de me desservir, semble au contraire avoir contribué à me faire connaître et à susciter des vocations, puisque vous êtes là, malgré l'opprobre que me témoigne le noble clan des Kaçyapa. J'imagine sans peine la rage de vos parents lorsqu'ils virent partir leurs trois fils, bien décidés à aller rejoindre ce pauvre fou de Siddhãrta Gautama !

Quand vous êtes venus me trouver sur la place du Grand Marché de Rajghir, pour me demander l'autorisation de vous joindre à moi, alors que je donnais à des pigeons les quelques grains de riz qui restaient de mon repas, l'émotion m'étreignit. Que des enfants mâles issus d'un clan aussi prestigieux que le vôtre eussent ainsi l'audace d'effectuer une telle démarche me paraissait inconcevable ! Je ne mis pas longtemps à constater que vos motivations étaient claires et limpides comme l'eau d'une source. Comme moi, vous étouffiez dans le carcan familial et n'éprouviez nulle envie d'embrasser le métier des armes, pas plus que d'enfoncer une épée dans le ventre d'une innocente victime de la guerre, et vous aviez décidé de partir de chez vous.

Même si vous n'oserez jamais me l'avouer, je subodore que les imprécations me concernant proférées à longueur de journée par votre père – un grand ami du mien ! – vous auront donné envie de faire la connaissance de cet illuminé de Siddhãrta...

L'esprit de contradiction et de révolte est parfois nécessaire, si l'on veut échapper à la bêtise et à l'erreur.

Un peu plus tard, Subhũti et Mãlunkyaputta nous rejoignirent à leur tour.

Il faut voir mendier Subhũti, le plus joyeux de tous : avec le sourire !

Vous tous avez éprouvé le même écœurement que moi, lorsque vous avez découvert que le monde ne correspondait pas à la description qu'on vous en faisait ; tout comme moi, vous avez constaté l'inanité qui consiste à répondre à la violence par la violence ; vous avez mesuré aussi à quel point le système des castes était à la fois stérile et porteur de désagrégation sociale ; vous vous êtes indignés devant les situations injustes, si banales qu'elles semblent normales.

L'ordre des choses ne vous satisfaisait pas et vous aviez raison !

En venant avec moi, vous me donnez du courage ; vous m'obligez à ne jamais reculer et à toujours avancer ; vous m'aidez !

Les liens d'amour et de respect mutuel que nous avons commencé à tisser les uns envers les autres seront indéfectibles.

Dès votre arrivée, je vous ai prévenus : je ne serai pas votre guru. D'ailleurs, vous n'en avez nul besoin. Votre intelligence et votre réflexion vous dispensent de maître à penser et à agir.

Ô mes disciples merveilleux, vous prenez soin de moi comme si j'étais votre aîné ou un trésor vivant, une sorte de relique dont il faudrait ménager l'intégrité.

Ô mes estimés compagnons de route, grâce à votre présence, l'absence de mon cher Ananda m'est moins insupportable.

J'ai peur que vous ne soyez inquiets de ne pas me voir revenir ce soir auprès de vous...

Avant de me rendre sous l'arbre de la Vérité, je vous ai dit :

— Attendez-moi ici, je n'en ai pas pour longtemps !

— Quand comptes-tu revenir ? me demanda Subhũti, qui n'apprécie pas que je m'éloigne de vous, fût-ce d'un pouce.

— D'ici un ou deux jours, je serai de retour parmi vous... lui ai-je répondu.

J'étais bien incapable de lui donner le laps de temps qu'il me faudrait pour atteindre l'Éveil, sous mon vieux figuier pippal d'Uruvilva, l'arbre de la Vérité.

Aujourd'hui, tout ce que je sais, c'est que je suis prêt à la connaître, la Vérité.

Je resterai sous l'arbre le temps qu'il faudra.

La semaine dernière, alors que j'étais assis sur un rocher et que je contemplais le soleil en train de plonger derrière la ligne dentelée de la cime des montagnes, j'ai bien failli atteindre de nouveau le Quatrième Stade de la Méditation. Mais comme je ne souhaite pas devenir Éveillé par surprise, j'ai de moi-même préféré renoncer à y entrer, du moins à ce moment-là.

Car c'est à moi de décider du jour et de l'heure où je connaîtrai enfin la Loi du Monde.

Et ce jour tant espéré, il est venu.

Je vous le promets, mes chers disciples, dès que je serai devenu Éveillé, je viendrai vous parler, et à votre tour vous accéderez à la Noble Vérité !

Attendez-moi et vous ne serez pas déçus...

19

J'acquiers les Trois Sciences

Cela fait moins d'une heure que je suis assis sous l'arbre de la Vérité.

Entre les troncs des arbres, le soleil ne va pas tarder à apparaître.

Une nuée d'étourneaux s'est abattue sur le figuier pippal avant de s'en envoler tout aussi brusquement.

Du coup, l'arbre de la Bodhi[1] semble battre comme un gigantesque cœur.

Malgré ma stricte immobilité, grâce à l'épais matelas de foin sur lequel je suis assis, je n'éprouve ni douleur dans le dos ni crampe dans les jambes.

Tout à l'heure, quand je me suis dirigé vers l'arbre, l'odeur de l'herbe fraîchement coupée embaumait l'air : un homme était en train de faucher le champ voisin.

Je lui demandai :

— Que vas-tu faire de toute cette herbe ?

— Elle est pour toi ! Prends-en autant que tu le souhaites ! me répondit le faucheur.

— Je compte rester assis sous ce figuier pendant un

1. Bodhi signifie « éveil » en sanskrit.

temps indéterminé et, grâce à toi, ce sera plus confortable.

— Je savais bien que tu allais venir ici, ajouta-t-il mystérieusement, avant de m'aider à étaler le foin sur le sol, entre deux grosses racines du saint pippal.

À présent, juste devant mes genoux, un couple d'écureuils décortique des cacahuètes laissées là par des promeneurs. Dès que le souffle du vent fait bouger une feuille du vénérable figuier, les deux petits rongeurs à la queue en volute s'enfuient à toute allure pour grimper sur la plus haute branche d'un manguier voisin, avant d'en redescendre aussi vite qu'ils y sont montés, pour continuer à s'empiffrer.

Ils cherchent à attirer mon attention, mais je demeure imperturbable, et je continue à regarder un point fixe pour amorcer la première phase de ma concentration spirituelle.

Je dois oublier la belle rivière Naïranjãna, qui coule en contrebas ; je dois oublier les cris des lavandières en train de battre leur linge ainsi que le chant des loriots qui peuplent l'arbre de la Bodhi et celui des hirondelles qui tournoient dans le ciel d'azur ; je dois oublier aussi que, dans la plaine fertile qui s'étend sous mes yeux à perte de vue, les hommes et les femmes écrasés par leur statut de serfs survivent dans des conditions épouvantables et que, dans le village voisin, un vieillard est en train de rendre son dernier souffle.

Je dois m'échapper du monde, pour mieux l'appréhender.

Je serre les dents et j'appuie soigneusement ma langue contre mon palais.

La Vérité m'apparaît peu à peu, aussi brillante que les flammes d'un bois sec.

Elle est éblouissante.

Elle est évidente.

Que n'ai-je pu l'acquérir plus tôt ?

Je suis le visiteur d'un extraordinaire palais dont l'entrée m'était restée cachée jusque-là. Ce n'est pas un labyrinthe, c'est un merveilleux édifice dont je constate qu'il est divisé en trois parties.

Je pénètre dans la première.

Et là, je découvre toutes mes existences antérieures.

Alors, je suis plongé dans mon passé. Je suis né une fois, deux fois, trois fois, quatre fois, dix fois, cent fois, mille fois, dix mille fois, cent mille fois ; ici et là, je suis né sous des centaines de milliers de formes ; plus d'un million de fois, avant la création de l'Univers et après sa destruction et sa re-création, je suis né !

Je suis né sous la forme d'un lion, d'un tigre, d'un léopard des neiges, d'une vache, d'une tique, d'un serpent, d'un scorpion, d'un lapin, d'une belette, d'une tourterelle, d'un aigle, d'une mésange, d'un dauphin, d'un gavial, d'une coccinelle, d'un singe capucin, d'un bébé de sexe femelle, d'une puce, d'un ours, d'un cheval, d'une loutre, d'une mangouste, d'un lézard, d'une araignée, d'un papillon, d'un rhinocéros, d'une libellule ainsi que d'êtres dont j'ignore le nom car ils ont disparu de la surface de la terre, à cause de cataclysmes.

Je m'inscris dans une lignée immémoriale !

Je pénètre dans la deuxième partie de l'édifice.

Alors, je prends conscience de toutes les naissances et de tous les décès de tous les êtres qui peuplent l'Univers. Nous sommes tous reliés les uns aux autres sans le savoir, de même que nous nous côtoyons sans nous voir. Notre destin à tous est le même, de la naissance à la mort, et nous sommes des milliards dans le même cas.

Grâce à l'œil divin qui s'ouvre désormais à la place de mon cœur, je vois ce qu'ils ont fait de leur vie, tous les hommes et toutes les femmes qui m'ont précédé et qui me succéderont.

Je vois les beaux et je vois les laids ; je vois les grands et je vois les petits ; je vois les riches et je vois les pauvres ; je vois les malades et je vois les bien-portants ; je vois ceux que leur sainteté conduira à renaître sous une forme humaine plutôt enviable, et les autres, que leur existence dépravée fera renaître sous une forme animale peu enviable avant d'être amenés, faute de redresser leurs erreurs, à tomber dans les enfers ; je vois les justes, près d'accéder au stade de bodhisattva[1], et je vois les criminels, qui risquent de devenir des revenants affamés dont la bouche est si peu ouverte qu'ils ne peuvent même plus y glisser une miette de nourriture.

De tous, qu'ils soient saints ou pécheurs, je me sens profondément solidaire. Ce n'est pas à moi de porter un jugement. Chacun paie le prix de sa conduite, sous la forme d'une nouvelle vie plus ou moins enviable.

J'éprouve de la Compassion envers tous les êtres vivants humains mais aussi animaux. Nous voguons tous sur la même barque emportée par le grand fleuve qui se jette dans la mer de la mort dont l'eau s'évapore pour devenir la pluie qui, en tombant sur les montagnes, génère à nouveau le fleuve.

Tel est le cycle que je veux interrompre.

Il n'y a pas de péché sans aveuglement.

Il faut de tout pour faire un monde.

Dans les étangs, au milieu des lotus bleus et blancs qui fleurissent, il en est qui restent tapis au fond de l'eau tandis que d'autres émergent si haut que leurs sublimes et aériennes corolles ne sont jamais mouillées...

1. Bodhisattva signifie « être en voie d'éveil », appelé à devenir Bouddha à son tour.

Je pénètre dans la troisième partie de l'édifice et là, j'éprouve soudain un bonheur indicible.

Car je peux à présent assister, émerveillé, à l'épuisement de mes impuretés : celles de mon désir, celles de mon existence et celles de mon ignorance.

Je suis devenu un homme pur ; pur comme le diamant qui sort de sa gangue !

Et je me sens aussi un homme neuf !

Et je me dis que c'est miracle que ce soit à un être aussi banal et impur que moi que tout cela arrive !

À présent je le sais : désirer est une pollution de l'esprit ; vivre une existence impure est une pollution de l'âme ; ignorer la Vérité est une impureté.

Telles sont les Trois Sciences dont je viens d'achever l'acquisition : la connaissance de mes vies antérieures, celle de tous les êtres qui m'ont précédé et celle de l'état de pureté indicible.

L'homme impur est semblable à un aveugle devant un carrefour, incapable de trouver la Voie.

Toutes ces impuretés dont l'homme n'a même pas conscience forment autant de barrières à la prise de conscience de la Vérité.

Le sol se fendille en mille brisures sous l'effet des spasmes auxquels les racines du figuier pippal sont en proie.

Il ne me reste plus qu'à atteindre le Quatrième Stade de la Méditation Dhyāna ; alors, la Vérité viendra à moi, sous le très vieux figuier d'Uruvilva.

Et c'est alors que l'évidence se fait jour, dans mon esprit.

Tout s'éclaire !

Je comprends pourquoi les paysans-esclaves qui travaillent si dur pour nourrir leurs enfants, mais aussi les membres des castes supérieures, qui disposent, eux, de tous les biens matériels, ne sont pas heureux. Car le malheur succède toujours au bonheur, les deux sensations n'étant que la partie d'un tout, de même que le froid ne peut s'entendre que par rapport au chaud, et le jour par rapport à la nuit !

Car le monde est Douleur ! Le monde est Duhkha [1] !

Affirmer que tout est Duhkha ne va pas de soi car cela heurte le sens commun.

Parce que l'homme est si peu fait pour la douleur !

On conviendra que la mort, bien sûr, est douleur, puisqu'elle entraîne la séparation, mais quant à la naissance, à la vie elle-même et à l'amour entre les êtres... on aura du mal à y dénoter la présence de la douleur.

Et pourtant, quand sa mère meurt, l'enfant souffre ; quand l'amante part, il ne reste plus qu'un amant seul et désespéré.

J'en sais quelque chose, depuis la mort de ma chère Yasho-dãra...

Et plus prosaïquement, quand le gourmet a trop mangé de bonnes choses et que, soudain, il doit se contenter de riz non décortiqué, il souffre. Il en va de même pour l'enfant habitué à un jouet, lorsqu'on le lui retire, et pour le charpentier tout heureux d'avoir construit une belle maison, lorsque l'ouragan emporte le toit et les murs de celle-ci comme un vulgaire fétu de paille.

Chaque chose, chaque état, chaque sensation engendrant son contraire, tous les êtres souffrent, même si beaucoup n'en ont pas conscience, et le cycle du Samsãra ne fait que prolonger indéfiniment cette souffrance.

Mais j'ai désormais cette chance d'avoir trouvé le moyen de permettre aux hommes d'échapper à la Duhkha.

1. Duhkha signifie « douleur » en sanskrit.

Jamais plus je ne ferai le mal, que ce soit à moi-même ou aux autres, aux plantes, aux animaux et aux choses. Jamais plus je ne ferai de mal, fût-ce à une pierre en m'en servant comme projectile pour tuer l'oiseau à la fronde ou à une calebasse en la perçant pour l'empêcher de désaltérer quiconque !

Quand on se donne pour but d'abolir la douleur, on ne peut plus se permettre de l'infliger, que ce soit aux autres, aux êtres vivants et même aux choses ou encore à soi-même !

Les désirs humains ne sont jamais assouvis, de même que l'eau ne remplit jamais un puits sans fond.

Plus on a et plus on veut.

Ce sont les désirs qui provoquent et entraînent irrémédiablement la continuation du cycle du Samsãra, cet enchaînement des vies, des morts et des renaissances qui ne s'interrompt jamais. Les désirs sont des chaînes qui nous retiennent prisonniers comme des esclaves.

Si l'on ne veut pas souffrir, il convient d'abolir en soi tout désir.

Car le désir est la cause de la douleur humaine.

L'extinction du désir repose sur la notion d'abandon.

Et l'ultime abandon est celui de soi, qui est donc la plus grande des victoires sur soi-même.

Il faut cesser d'avoir soif.

Comment vais-je expliquer à mes chers disciples qu'il ne sert à rien d'avoir la soif de faire le Bien parce que l'important, précisément, c'est de « faire » le Bien et pas de vouloir le faire ?

Sur l'arbre de l'Éveil aux mille branches tortueuses viennent soudain se poser de somptueux oiseaux aux plumes multicolores.

Je vais enfin pouvoir donner à mes semblables la Clé du Monde.

L'océan perdra son goût salé et les hommes pourront

s'y abreuver ; les affamés cesseront d'avoir faim ; les aveugles verront ; les prisonniers seront libérés de leurs chaînes.

J'émerge de ma méditation et j'ouvre les yeux.

Autour de moi, des enfants médusés forment un cercle.

Qu'ont-ils entendu ? Qu'ont-ils vu ?

Je n'en sais rien.

Peut-être me suis-je exprimé à voix haute ?

Peut-être une lumière nimbait-elle mon corps ?

Peut-être se sentent-ils mieux à présent qu'il y a quelques secondes ?

Peut-être ont-ils deviné que je suis devenu Éveillé ?

Je souris à ces petites têtes admiratives.

Je suis désormais profondément heureux et libre, parfaitement en prise avec tous mes semblables.

La Loi du Monde, que je viens de découvrir, est un immense parasol qui les protégera des intempéries.

20

Mes milliers de vies antérieures

[1]Comme vous tous, j'ai vécu des milliers de vies.

Et même, si on change d'ère cosmique, des millions d'existences, qui s'enchaînèrent tout au long de myriades d'ères cosmiques en milliards de naissances, de morts et de renaissances !

En revanche, ce qui me différencie de vous, c'est qu'il m'a été donné d'en prendre connaissance, puisque la première des Trois Sciences dont j'ai eu le privilège de faire l'acquisition me permet d'accéder à la vision de toutes mes vies antérieures.

Vous n'imaginerez jamais comme il est fascinant

1. Les textes sacrés du bouddhisme disent à ce sujet : « Grâce à Son œil divin, le Bienheureux vit toutes les naissances, toutes les vies, toutes les morts et toutes les renaissances de tous les cycles cosmiques depuis les origines. Il vit comment tous ceux qui agissaient mal et pensaient mal renaissaient dans le pire des cas en enfer et dans le meilleur des cas sous la forme d'animaux nuisibles pourchassés par les hommes ou par les autres animaux. Il vit comment ceux qui agissaient bien et pensaient bien renaissaient au ciel, pour les plus sages d'entre eux, ou alors dans le corps d'autres hommes, pour la plupart d'entre eux. Tout cela, le Bienheureux le vit de Ses propres yeux ! » Les Jataka sont les contes narrant les aventures souvent extraordinaires vécues par le Bouddha au cours de ses vies antérieures.

d'assister à son propre spectacle, avec, dans le rôle principal, soi-même dans les plumes d'un aigle, ou dans les poils d'une marmotte !

L'existence dont nous avons conscience n'est que l'infime partie d'une chaîne dont les autres maillons nous échappent.

Figurez-vous qu'une fois je suis né dans la peau d'un lièvre blanc qui amena le chasseur assoiffé jusqu'à une source et accepta sans sourciller de se faire tuer par cet homme qui n'avait rien compris... Ledit lièvre fut vénéré comme la préfiguration d'un homme noble et généreux.

Une autre fois, alors que j'étais déjà un Bouddha[1], mais dans une ère cosmique différente de celle dans laquelle nous sommes, il me fut donné la chance insigne de faire l'aumône de mes yeux à un pauvre aveugle. Cet homme passa le reste de sa vie à me rendre grâces, alors qu'entre-temps mes yeux avaient repoussé, signe que l'effort accompli par mes soins n'avait pas été si extraordinaire...

La chance m'aura rarement manqué.

Un jour que j'étais né sous la forme d'un petit singe, j'offris à un Bouddha un bol de miel sauvage ; j'étais si joyeux que ce dernier l'eût accepté que je fis une gambade et me tuai, après avoir heurté le sol avec ma tête. Heureusement pour moi, le Bouddha fit en sorte que le généreux primate se réincarnât à son tour en bodhisattva !

Des myriades d'années auparavant, j'étais réincarné en ascète dont le chignon avait la forme d'une conque marine. Un jour que j'étais assis au pied d'un arbre en train de prier et de méditer, un oiseau confondit mon chignon avec un nid et y déposa ses œufs. Lorsque

1. « Bouddha » en sanskrit signifie « éveillé ».

j'ouvris les yeux, j'eus la chance de m'apercevoir que cette femelle était en train de couver ses œufs dans ma coiffe ; alors, je décidai de prolonger mon extase et demeurai immobile jusqu'à ce que les oisillons fussent en âge de s'envoler...

Au cours de mes vies antérieures, il m'a été permis de constater que le don de soi est encore la plus grande de toutes les richesses.

Sous le nom de Viçvantara, j'ai été un prince qui s'était fait le serment de ne jamais refuser à quiconque la moindre faveur. C'est ainsi que, contre le souhait de mon père, le roi de Sibi, je donnai à un quidam l'éléphant blanc royal qui lui servait de monture porte-bonheur, ce qui me valut d'être condamné à l'exil, avec toute ma famille. Nous errâmes alors longuement dans la forêt sur une charrette tirée par des buffles, que je finis également par offrir, avec son attelage, à une famille de paysans ; ayant gagné un ermitage, j'acceptai – il est vrai en l'absence temporaire de ma femme Madri, partie cueillir des fruits dans un verger – de confier mon fils Jali et ma fille Krisnajîna à un mendiant nommé Jujaka ; quand mon épouse revint, les bras chargés de mangues, j'acceptai, ultime offrande de ce qui m'était le plus précieux, de la donner – quoique la mort dans l'âme – à un brahmane... lequel se révéla être le dieu Indra en personne. Celui-ci, satisfait par ma fidélité à mon serment, me raccompagna chez mon père et nous récupérâmes tout ce que j'avais distribué aux uns et aux autres.

Quand l'éléphant blanc nous fut rendu, chacun fut en mesure de s'apercevoir qu'en sus du bonheur l'animal sacré était désormais capable d'apporter la pluie...

Dans une autre vie antérieure, j'étais un roi qui consentit à offrir un peu de sa propre chair au faucon dont le dieu Indra avait pris la forme, lequel menaçait de tuer le pigeon aux plumes bleues comme le ciel et aux yeux roses comme des perles, sous le déguisement duquel se trouvait une autre divinité. Le faucon exigeait le même poids en chair que celui du pigeon. Une fois dans la balance, le pigeon pesait si lourd que je calculai qu'il me faudrait faire don de ma personne entière pour sauver la vie de cet oiseau ! J'allais m'y résoudre sans protester lorsque, au dernier moment, Indra quitta ses plumes de faucon comme s'il ôtait son manteau et me félicita pour tant de générosité...

Il y a très longtemps, j'ai eu la forme d'un éléphant blanc doté de six défenses merveilleuses, pareilles à des racines de nénuphar.

Un jour que je me promenai avec mes deux épouses, je heurtai par mégarde un arbre somptueux dont les branches étaient entièrement fleuries. Le hasard voulut que la première de mes femmes fût recouverte de pétales, tandis que l'autre, hélas, dut se contenter de brindilles et de feuilles mortes. Jalouse, elle obtint de renaître dans le corps d'une reine de Vanãrasi, qui m'envoya un chasseur déguisé en moine auquel elle avait donné l'ordre de m'abattre. Tandis que je me tenais modestement à l'écart de mon troupeau que j'avais emmené se baigner dans un étang recouvert de fleurs de lotus, le chasseur déguisé en moine me décocha une flèche empoisonnée en plein cœur ! La douleur fut telle que je faillis me ruer sur lui et briser ses os en mille morceaux.

Mais la « montagne en marche » que j'étais parvint à se dominer et à apaiser son cœur. Non seulement elle ne chercha pas à se venger, mais au contraire, afin de satisfaire son bourreau, elle s'arracha elle-même ses six défenses et les offrit toutes ensanglantées au chasseur qui se sauva alors à toutes jambes en rendant grâces au généreux pachyderme...

Lorsque la mort me prit, je savais qu'après avoir quitté l'enveloppe charnelle de cet éléphant blanc, mon esprit serait appelé à naître dans le corps du futur Bouddha...

Dans une autre vie antérieure, je fus aussi le roi des cerfs qui régnait sur un troupeau de cinq cents bêtes ; un jour qu'il était à la chasse, le souverain de Bénarès souhaita obtenir la dépouille d'une biche enceinte ; notre troupeau était cerné par les chiens et déjà les piqueurs s'approchaient de la biche allongée à terre, épuisée par sa fuite ; c'est alors que je lui proposai mon propre sacrifice en lieu et place de cette bête qui n'allait pas tarder à mettre bas ; et quelle ne fut pas ma surprise de constater que suite à ce simple geste, ce monarque se prosterna à mes pieds en signe de reconnaissance, avant d'ordonner à son chef d'équipage de vénerie qu'on me laissât la vie sauve.

Je ne tire nulle fierté de ces gestes de compassion et de sacrifice qu'il me fut donné d'accomplir dans d'autres vies. Ces mérites, je ne les ai pas cherchés. J'ai toujours agi selon ma conscience ; jamais selon mon intérêt ; sans calcul particulier ; soucieux de ne jamais faire le mal ; pas même guidé par le souci de renaître sous une forme enviable.

Mes gestes et mes attitudes antérieurs expliquent la condition qui est la mienne aujourd'hui et que je n'ai pas cherchée : celle d'un bodhisattva Éveillé, bientôt sur le seuil du nirvãna.

Bientôt, si, d'ici là, je ne faillis pas, je deviendrai Bouddha...

Et puissiez-vous, toutes et tous, un jour, à votre tour, le devenir ! Car la Noble Voie est ouverte à tous : il suffit d'être conscient de ce qu'elle apporte aux êtres ; et il suffit alors de décider de la suivre.

Prenez donc exemple sur moi ! Je ne suis ni un

surhomme ni un magicien. Je ne suis qu'un homme parmi d'autres à qui il aura été donné de connaître l'Éveil.

Éveillez-vous !

Je peux vous l'assurer : vous ne serez pas déçus.

21

Le retour d'Ananda

Je rouvre les yeux.

J'ai l'impression de revenir sur terre après un long voyage.

Et ô surprise inouïe autant qu'inespérée ! Qui vois-je, penché sur moi, le visage si près du mien que je sens son souffle ?

Ananda lui-même !

Oui ! Mon cousin bien-aimé et moi nous sommes enfin retrouvés ! Après tout ce temps pendant lequel nous nous sommes cherchés, c'est un vrai miracle. Ma joie est immense.

Il n'a pas changé. C'est tout juste s'il a le visage un peu plus émacié et la peau un peu plus tannée par le vent et le soleil.

— Ananda ! Quel bonheur de se retrouver ici, sous l'arbre de la Vérité ! Cela fait si longtemps que j'attends ce moment !

— Je t'ai cherché partout en vain. Depuis tout ce temps... je finissais par désespérer de croiser ton chemin ! De tous les sages, de tous les ascètes que j'ai pu consulter dans l'espoir d'obtenir de tes nouvelles, pas un seul n'a été en mesure de m'éclairer sur l'endroit où tu te trouvais ! De guerre lasse, j'étais sur le point de tout abandonner ! s'écrie mon cousin qui me baise à présent les genoux avec effusion.

— Et qu'aurais-tu fait, alors ?

— Je serais revenu à Kapilavastu et là, j'aurais pris femme, en essayant tant bien que mal de me faire une raison.

— Je comprends...

— Tu dois me penser inconséquent. Mais si je suis parti, c'était pour t'accompagner... Où étais-tu ?

— J'allais ici et là, à la recherche de la Vérité !

— L'as-tu trouvée ?

— Elle est venue !

— Comment as-tu fait ?

— En méditant...

— Cela fait une journée entière que je t'observe, caché derrière ce grand rocher cylindrique !

— Pourquoi ne t'es-tu pas présenté à moi plus tôt ?

— Je ne voulais pas te déranger... Tu étais assis, calme et concentré, dans la position du lotus, les yeux fermés, sur ton tapis d'herbe fraîchement coupée... Ton corps paraissait tout auréolé de lumière... Je te regardais, médusé, incapable de faire le moindre geste !

— Cela fait plusieurs jours que je médite sous ce figuier pippal...

— Sans manger et sans boire ?

— Hier soir, un de ces gentils enfants est venu m'apporter un bol de soupe de lentilles. Il ne sert à rien de trop maigrir et de maltraiter son corps au-delà du raisonnable.

— Tu parles comme si tu en avais fait l'expérience.

— J'ai aussi cherché la Voie dans les mortifications corporelles ; il m'est arrivé de prendre la pose du lotus pendant deux semaines d'affilée, sans rien ingurgiter, ni même uriner ; je n'avais plus que la peau et les os ; mes membres étaient si maigres qu'ils ressemblaient à des roseaux ; mon postérieur, semblable au pied d'un chameau, me faisait mal dès que je m'asseyais sur le sol ; mes vertèbres formaient un horrible chapelet sur mon dos et mes côtes sortaient de mon flanc, comme la charpente d'une maison en ruine. Quand je tâtais mon ventre, je pouvais sentir ma colonne vertébrale. À force de m'exercer à retenir ma respiration, je pouvais passer de longs moments sans ouvrir la bouche. Plus d'une fois, on me crut mort...

— Quelle malédiction que ce goût de l'ascétisme, lorsqu'il est porté à l'extrême ! Comme si l'esprit avait besoin que le corps souffre ! murmure, horrifié, Ananda, semblant se parler à lui-même.

Alors, je repense avec dégoût au Grand Yogi Kãlãma, à son bras atrophié et à l'atroce odeur qui régnait dans sa chambre.

Je dis à Ananda :

— Mortifier mon corps ne m'a servi à rien. Malgré tous ces sacrifices, il ne me fut jamais donné d'atteindre le Deuxième Stade de la Méditation Dhyãna ! Avec le temps, à force de réfléchir et surtout de marcher sur les routes en me vidant la tête, j'ai compris que, pour atteindre la Sainteté et la Vérité, l'important était de dompter son esprit, bien plus que de martyriser son corps... Mais dis-moi plutôt comment tu es arrivé jusqu'à moi ?

— Une main divine m'aura guidé, Siddhãrta ! Ce matin, alors que je m'apprêtais à revenir la tête basse à Kapilavastu, j'avisai, planté sur le haut de ce tertre, cet arbre aux branches immenses et tortueuses qui se détachaient sur un ciel coloré par la lumière rasante du soleil levant. Elles ressemblaient aux mille bras d'une divinité secourable. Je me suis senti irrésistiblement attiré par cet extraordinaire figuier pippal qui domine ce bosquet où diverses espèces végétales sont honorées par des brahmanes, à en juger par les guirlandes dont leurs branches sont ornées...

— Quel bon conteur tu ferais, mon cher Ananda !

— Arrivé là, je demandai à des enfants le nom de la petite ville dont on aperçoit les toits en contrebas, à travers les frondaisons des arbres...

— La ville s'appelle Uruvilva !

— Telle fut en effet la réponse d'un garçonnet morveux au corps noirci par la crasse, mais dont les dents blanches illuminaient la face rieuse. Était-ce dû à l'arbre aux mille bras ou au calme enchanteur de ces lieux, mais avant même que je ne t'y découvre, j'avais ressenti une indicible impression de joie et d'apaisement !

— Celle même que j'ai éprouvée lorsque j'ai vu cet arbre pour la première fois...

— Quand je suis arrivé devant le figuier, je ne savais pas que tu étais assis juste de l'autre côté du tronc. Le manège des enfants m'incita à en faire le tour, et c'est alors que je te vis !

— Je recevais la Vérité !

— Je compris immédiatement, en observant l'expression de ton visage, que tu étais en train de vivre une expérience hors du commun.

— Je suis devenu Éveillé, Ananda, et tu seras le premier auquel je dirai la Noble Vérité... Une fois que tu l'auras entendue, si tu le souhaites, tu pourras revenir à la forteresse et refaire ta vie...

— Puissions-nous ne jamais plus être séparés, Sidhãrta ! Je veux te suivre partout où tu iras, comme au premier jour. Vivre loin de toi était insupportable. Je veux continuer à marcher sur les routes. Je veux trouver par moi-même la Voie qui mène à la cessation de la douleur !

En prononçant ces mots, Ananda se saisit de mon

bras comme un homme en cours de noyade se raccrocherait à une branche pendue au-dessus de la rivière.

Je me lève.

Non loin du figuier pluricentenaire, au milieu des autres arbres aux branchages desquels brillent des amulettes, les enfants jouent aux billes en poussant des cris de joie.

— Allons voir mes disciples ! Ils m'attendent dans la forêt de Rsipatana. C'est là qu'ils ont établi leur campement.

— Tu as des disciples ? s'étonne Ananda.

Je le regarde. Il a l'air piqué au vif, comme s'il jugeait injuste que d'autres aient pu me rejoindre, alors que nous étions séparés.

— Cinq hommes m'ont rejoint. Je leur ai demandé de m'attendre pendant que j'allais chercher l'Éveil sous l'arbre de la Bodhi. Ce n'est pas le moment de les abandonner...

— Comment s'appellent-ils ?

— Il y a trois frères, issus de la famille Kaçyapa, et deux autres : Subhũti et Mãlunkyaputta. Tous, ils marchent et mendient avec moi.

— Que leur enseignes-tu ?

— Ma façon de voir les choses.

— Pourquoi n'étaient-ils pas à tes côtés, sous le figuier pippal ?

— Pour recevoir l'Éveil, il fallait que je sois seul. Pour méditer, il convient d'être face à soi-même. Mes disciples l'ont d'ailleurs parfaitement admis.

— Ma présence t'a peut-être gêné ! J'aurais dû me faire plus discret.

— Avec toi ce n'est pas pareil ! lui dis-je, ce qui le fait changer de visage.

À présent, un franc sourire l'illumine.

En fin d'après-midi, nous arrivons à la forêt de Rsipatana où patientent mes compagnons. La chasse y étant interdite, cet endroit est devenu le refuge des gazelles. Habitués à la présence humaine, c'est en toute tranquillité que ces animaux vont et viennent pour brouter l'herbe, sous les frondaisons des manguiers et des acacias géants.

C'est là, dans une vaste clairière où ils ont construit deux huttes de roseaux, que mes premiers disciples campent en attendant mon retour.

Dès que je les aperçois, je leur dis :

— Mes amis, j'espère que vous ne vous êtes pas inquiétés ! Tout s'est bien passé. Je vous présente mon cousin Ananda, dont je vous ai souvent parlé.

Ils me dévisagent d'un air passablement hostile. Leurs faces émaciées, aux yeux brillants, et les plaies sanglantes dont leurs torses amaigris et nus sont recouverts témoignent des souffrances qu'ils ont dû s'infliger pendant mon absence...

— Huit jours sans nouvelles de toi, pour une simple méditation sous un figuier, tu nous avoueras que c'est beaucoup ! me rétorque aigrement l'aîné des frères Kaçyapa.

— Tu te fiches de nous, Siddhãrta ! Tu n'as même pas perdu un poil de graisse et tu veux nous faire croire que tu es allé pratiquer la méditation transcendantale ! ajoute Subhũti, et ces propos violents ne ressemblent pas à son caractère d'ordinaire égal.

— Et en plus, voilà que tu te délectes d'un bol de riz au lait sucré, alors que nous ne savons plus quoi inventer en termes de mortifications et de jeûnes, pour tenter de trouver l'Ineffable Vérité, constate un troisième en avisant le bol de kummãsa[1] que je tiens à la main.

Je lui réponds :

1. Sorte de riz au lait.

— Je n'ai pas voulu refuser ce bol de kummãsa offert par une paysanne, parce que si le corps souffre trop, il n'est plus capable de méditer.

— À croire que tu n'as pas cessé de t'empiffrer pendant que nous nous morfondions dans la forêt à t'attendre ! Peux-tu nous prouver que tu es resté assis sous ton figuier au lieu d'aller ingurgiter de la viande de cabri à la première auberge, et de retrouver des courtisanes pour passer du bon temps dans leurs bras ? J'ai même l'impression de sentir leur parfum ! s'écrient en chœur Mãlunkyaputta et le cadet des frères Kaçyapa, qui ont l'air encore plus furieux que les autres.

— Prouve-nous que tu as connu l'Éveil et le calme reviendra ici, conclut le plus jeune des Kaçyapa, tout en faisant signe à ses compagnons de se taire.

Consterné par leurs propos, je vois le visage d'Ananda se décomposer de tristesse.

— Il y avait un témoin pendant l'Éveil de Siddhãrta Gautama ! leur lance mon cousin d'une voix forte.

— Qui était-ce ? demandent-ils comme un seul homme.

— Moi ! J'étais là pratiquement une journée complète et une nuit ! J'ai vu la terre trembler autour du saint figuier quand il s'est Éveillé ! Son corps brillait comme une lampe. Le lendemain matin, je l'ai retrouvé les yeux ouverts, parfaitement conscient, arborant un sourire éclatant. J'ai assisté à son Éveil et au raffinement de sa propre nature. Siddhãrta Gautama est désormais en mesure de vous expliquer la Voie de la Délivrance, leur déclare Ananda.

— Jure-nous qu'il n'est pas revenu dans le monde des plaisirs ! crie le cadet des Kaçyapa.

Les yeux fixés sur une femelle rouge-gorge qui sautille de branche en branche, je prie de toutes mes forces pour que mes compagnons retournent à la raison.

— Non, il n'est pas revenu dans le monde des plaisirs, assure Ananda à ces êtres en haillons.

Mais leurs sarcasmes sont loin de faiblir.

Quel paradoxe : ces disciples de la première heure, qui, jusqu'à maintenant, buvaient la moindre de mes paroles, sont devenus des sceptiques hostiles !

Je les entends murmurer :

— Gautama ne dit pas la vérité ! Gautama est allé à l'auberge ! Gautama est peut-être même allé avec une putain !

Sous leurs sarcasmes, je devine leur peur d'avoir été abandonnés par celui auquel ils faisaient confiance, et je m'en veux d'être resté absent plus longtemps que prévu.

Mais au moment où je m'apprête à leur parler, en m'excusant pour les angoisses que j'ai fait naître dans leurs cœurs, les mots jaillissent de la bouche d'Ananda, tels des traits de flèche :

— Tremblez et vénérez-le, pauvres moines ! Celui qui se présente à vous est désormais Éveillé. Il n'est déjà plus tout à fait de ce monde. Ne l'appelez plus Gautama mais Tathãgata[1] le Très Saint, ou encore le Bouddha en voie d'accomplissement.

— Qu'il nous parle ! Qu'il nous dise un peu ce qu'il a dans le ventre et tout rentrera dans l'ordre ! répond le gentil Subhũti, le premier à juger que ses compagnons sont allés trop loin dans l'invective.

— Eh bien, ouvrez vos oreilles et écoutez le sermon qu'il va prononcer, c'est le sermon de la Vérité ! annonce Ananda d'une voix forte.

— Bande d'idiots, vous faites tous fausse route. Je suis sûr qu'Ananda dit vrai. Gautama et Éveillé ne font

1. Littéralement « qui est venu à... » en sanskrit, l'un des plus importants qualificatifs du Bouddha.

qu'un désormais. Je souhaite entendre la Vérité de sa bouche ! Que veut-il en retour ? À lui de le dire. Un seul mot de sa part et j'essaierai par tous les moyens de m'y conformer ! s'écrie alors, d'un ton solennel, le plus jeune des Kaçyapa, le seul de mes cinq compagnons à ne pas avoir élevé la voix contre moi.

Je leur dis :

— J'ai cessé de dire : je veux. Je ne souhaite qu'une seule chose : le bien d'autrui, la délivrance pour tous ; que chacun cesse de souffrir !

Alors, Subhũti vient se prosterner à mes pieds ; après quoi, il m'ôte mon kasãya [1] pour mieux l'éventer, avant de me débarrasser de mon bol à mendier, encore à moitié rempli de kummãsa, puis de m'apporter un gobelet d'eau pure pour me désaltérer.

— La gazelle est capable de dompter les lions ! s'exclame Ananda.

— Cette réflexion est juste. Ananda, tes propos sont ceux d'un sage, convient l'aîné des frères Kaçyapa.

— Je suis sûr que tu ne croyais pas si bien dire, Ananda. Regardez un peu là-bas, mes frères, ce qui vient ! ajoute le disciple Subhũti en désignant une famille de daims qui vient de sortir d'un fourré de bambous.

Les animaux se dirigent vers nous en trottinant sur l'épais tapis d'herbe grasse.

Je reprends la parole :

— Regardez ces daims ! Observez comme ils s'ébattent en toute liberté dans la forêt. C'est en confiance qu'ils vont et viennent, broutent et se couchent car ils se sentent hors de portée du chasseur. De même en va-t-il de moi : ayant traversé les Quatre Méditations Dhyãna, j'ai enfin atteint le stade de

1. Partie supérieure de la toge des moines bouddhistes.

l'Éveil, faisant fi de toutes les impuretés qui m'empêchaient de trouver l'Unique Vérité. Mes impuretés se sont résorbées dans l'infini du Néant. Aussi, je vous le dis : faites comme moi ! Ayez confiance ! N'ayez pas peur !

— Baissez la tête et faites le vide dans celle-ci car c'est la Roue de la Loi que l'Éveillé s'apprête à mettre pour vous en mouvement. Il va vous livrer la Clé du Monde, celle qui vous mènera à la Délivrance ! s'écrie Ananda.

Dans la clairière de la forêt de Rsipatana règne à présent le plus grand silence et chacun attend, tête baissée, mon premier Grand Sermon.

Et lorsqu'ils l'auront entendu, tous mes disciples auront le cœur en paix.

Car je suis là, au milieu d'eux, prêt à leur parler.

22

Je mets en mouvement la Roue de la Loi

L'allée de flamboyants qui mène à l'entrée du parc des Gazelles de Sarnath constelle l'azur d'éclats rouge vif, comme si les arbres et le ciel, où des nuées d'étourneaux tournoient et zigzaguent en piaillant, s'étaient donné le mot pour honorer l'Éveillé que je suis devenu !

Sur les talons, comme des écoliers, vous êtes assis devant moi, et moi j'ai adopté la posture du lotus.

Vous avez tous les yeux baissés.

Je vous dis :

— Vous pouvez lever les yeux sans crainte. Je suis prêt à m'exprimer !

— Regardez ses cheveux : ils brillent comme du jade poli ; regardez la peau de son corps harmonieux : elle a des reflets dorés ! Soyez attentifs à ce que Gautama l'Éveillé va à présent vous apprendre ! s'exclame Ananda auquel je fais signe, des yeux, de se taire.

Je n'aime pas les excès.

Un Éveillé n'est pas un dieu ; ce n'est qu'un homme qui a un peu mieux compris que les autres ce qu'il faut faire pour échapper à sa triste condition.

Cette fois, je prends la parole, tandis que les daims, les cerfs et les gazelles, comme à l'accoutumée, vont et viennent librement entre les troncs des végétaux, indifférents aux autres promeneurs venus prendre la fraîcheur de l'aurore. Dans la forêt, les acacias, manguiers, tecks et canneliers, serrés entre eux, forment les colonnes d'un temple dépourvu de murs, auquel leur canopée aurait servi de toit.

Alors, je dis :

— La situation de tous les êtres relève des Quatre Nobles Vérités : la Noble Vérité de la Douleur, la Noble Vérité de l'origine de la Douleur, la Noble Vérité de la cessation de la Douleur et enfin la Noble Vérité du chemin qui mène à la cessation de la Douleur.

Je dis :

— La vie n'est que Douleur, depuis la naissance jusqu'à la mort : telle est la Première Vérité ; c'est la soif et le désir de posséder qui sont à l'origine de la Douleur : telle est la Deuxième Vérité ; seuls le détachement, l'abandon de cette soif et de ce désir peuvent faire cesser la Douleur : telle est la Troisième Vérité ! Quant à la Quatrième, qui donne accès aux moyens permettant d'atteindre les fins précédentes, je la nomme « Sainte Voie aux Huit Membres » ou encore « Voie du Milieu ». C'est le chemin qui mène à la cessation de la Douleur et à la Délivrance finale, c'est-à-dire à la sortie du Samsãra. Entre les deux voies extrêmes, celle des tentations, des délices et des plaisirs temporels, tant matériels que charnels, et celle des macérations, des souffrances et pénitences que l'homme peut décider de s'infliger en croyant qu'elles mènent à la Vérité, alors qu'elles ne mènent qu'au dégoût de soi, je vous conjure d'opter pour la Voie du Milieu. Tel est le bon remède qui conduit à la suppression de l'ignorance, à la suppression de la Douleur et des renaissances, c'est-à-dire au nirvãna...

Je dis :

— Car il existe, mes chers amis, un domaine où il n'y a ni terre, ni eau, ni feu, ni vent, ni espace, ni conscience, ni néant, ni perception ni absence de perception, ni ici ni là, ni soleil ni lune ; dans ce domaine, on ne va ni ne vient, on ne meurt ni ne naît ; ce domaine est dépourvu de fondement, de progression et de support : ce domaine, je le nomme « fin de la douleur » ; je le nomme « nirvãna ». C'est vers lui que je vous invite à aller avec moi.

Je dis :

— La cause de tout est l'Ignorance et la conséquence de tout est la Douleur.

Je dis :

— Imaginez dans une forêt, au bas des pentes d'une haute montagne, un lac profond près duquel vit un troupeau de bêtes sauvages. Arrive un individu, qui souhaite le malheur et la souffrance de ce troupeau : il obstrue le chemin par lequel il faut passer pour être en sécurité et en ouvre un autre qui donne sur des marécages : le troupeau subira un grand malheur et périra sous les eaux. Mais si, à présent, arrive un homme qui veut le bien de ce troupeau, il ouvrira le chemin par lequel il faut passer pour être en sécurité et il obstruera celui qui mène aux marécages : alors le troupeau croîtra et prospérera.

Je dis :

— Mes chers amis, ce lac profond, c'est le plaisir ; ce troupeau, ce sont les êtres ; l'homme qui leur veut du mal, c'est Mãra, le dieu du Mal, et le chemin qui conduit vers les marais, c'est celui de la jouissance, du désir et de l'ignorance. Et l'homme qui veut du bien aux êtres, c'est celui qui un jour deviendra le Bouddha ! Le chemin par lequel on passe en toute sécurité, c'est la Sainte Voie aux Huit Membres ; c'est l'Octuple Sentier ; c'est la Voie du Milieu, celle de la vue juste, de la volonté parfaite, du langage et de l'action purs, des moyens d'existence et de l'effort parfaits, de l'attention et de la méditation parfaites !

Je dis :

— Si tout n'est que Souffrance, tout n'est aussi qu'Impermanence et tout n'est aussi qu'Absence de Soi.

Je dis :

— Tous les êtres, toutes les choses, tous les phénomènes sont le résultat de compositions éphémères et passagères, qui se transforment au fur et à mesure qu'elles se font et se défont. Comme l'eau et le sable, aussitôt que la main croit les saisir, elles filent sous les doigts.

Je dis :

— S'attacher à ce qui est, par nature, impermanent, conduit inexorablement à la Souffrance, puisque tu crois tenir ce que tu ne posséderas jamais !

Je dis enfin :

— Face à la Douleur, face à l'Impermanence et face à l'Absence de Soi, ou Anatman, il n'y a pour l'homme que le nirvãna comme ultime refuge !

Puis je me tais et je rouvre les yeux.

Comme je me suis exprimé dans la langue du peuple, et non dans celle des brahmanes, des badauds, hommes, femmes et enfants, venus se promener dans la forêt de Rsipatana, auxquels se sont joints des daims et des gazelles, aussi familiers que des animaux de compagnie, se sont massés autour de moi.

À en juger par leurs regards, ils sont convaincus par mes propos.

D'ailleurs, ils sont nombreux à tomber à genoux et à implorer ma bénédiction.

— J'ai perdu un enfant ! Ce saint homme dit vrai : le monde n'est que douleur ! gémit, éplorée, une femme dont les yeux sont à court de larmes tellement elle a dû pleurer.

— Quant à moi, ce sont mes vieux parents que je n'arrive plus à nourrir ! ajoute un paysan-esclave au corps affamé, mince comme une liane.

— La terre s'est ouverte sous ma maison et je n'ai plus de toit !

— La rivière en crue a dévasté le champ que je venais de semer...

— Dans ma famille, ils sont tous malades... Les fièvres sont en train de ronger les corps de mes frères et de mes sœurs.

Les remarques fusent :

— Je n'ai jamais rien entendu de tel !

— Cet homme a l'air d'un saint !

— Son regard apaise ! Il paraît si calme, à côté des yogis dont le regard de braise te fustige...

Les uns viennent déposer à mes pieds des assiettes de gâteaux au miel et d'autres des fleurs de lotus.

Ananda prend la parole et crie d'une voix forte :

— L'Éveillé vous enseigne le chemin de la Délivrance. Soyez bénis par lui ! Honneur à sa parole ! Ceux qui suivront son enseignement seront sauvés !

— Loué soit-il ! Honneur à la Sainte Voie aux Huit Membres ! répondent en chœur mes cinq premiers disciples, tandis que la foule, sagement, se disperse.

Assis à même l'herbe, mes moines ont bu mes paroles.

Voilà comment j'ai fait tourner la Roue de la Loi, la Roue du Monde, celle que j'ai réussi à mettre en mouvement, pour la faire passer de la case « Douleur » à la case « Salut » !

Puissent tous les êtres en profiter !

23

Yasa et Ambãpali

Un écureuil plus hardi que les autres s'approche de la mangue qui vient de tomber sur le sol. Le gentil rongeur traîne le fruit avec peine, tandis que ses congénères, descendus des arbres alentour, essaient de le lui dérober.

Je les observe, depuis la margelle du grand lavoir de Patna sur laquelle je suis assis.

Ils sont dressés sur leurs petites pattes de derrière et frottent celles de devant comme s'ils se félicitaient d'une aubaine.

Devant moi, une foule attend sagement que je m'adresse à elle. Les dévots font la queue pour déposer leurs aumônes dans le panier d'osier que leur tend Ananda.

— Tu veux entrer dans le Courant, n'est-ce pas ?

Ma question s'adresse à un homme richement vêtu qui, après s'être déchaussé, est venu timidement s'asseoir à côté de moi.

— Comment le sais-tu ? C'est vrai, j'aimerais tant que mon esprit soit inondé par la Vérité du Dharma... bafouille-t-il.

— À peine ai-je aperçu ton visage que je l'avais compris.

— Il émane de ta personne une paix et une sérénité si profondes qu'elles paraissent palpables. Autour de toi, les gens sont silencieux. Tout le monde t'observe, comme si tu avais les mêmes pouvoirs purificateurs que l'eau de ce lavoir. Oui, je souhaiterais beaucoup entrer dans le Courant ! précise l'homme en question, dont le nom est Yasa.

Mais laissez-moi à présent vous raconter comment Yasa s'est converti et m'a suivi, car l'histoire de cet homme est exemplaire.

Le beau Yasa était le fils d'un riche notable de Vanãrasi qui menait une vie exclusivement consacrée au plaisir charnel. Sa belle allure et l'argent dont il disposait lui facilitaient, à cet égard, grandement la tâche : il n'était pas une femme vénale qui fût capable de résister à ses atouts virils et à sa fortune immense.

Dans la chambre de Yasa régnait toujours une délicate odeur de rose et de jasmin.

— Je t'en prie, embrasse-moi le ventre encore une fois ! J'aime tellement ça ! gémissait ce jour-là, contrairement à ses habitudes, le beau Yasa à la courtisane Ambãpali.

Celle-ci, étendue langoureusement auprès de lui sur des coussins précieux, était nue et elle avait le sexe soigneusement épilé.

Dois-je préciser que Yasa était l'un des meilleurs clients des nombreuses maisons de plaisirs que comptait Vanãrasi ?

Ce beau jeune homme n'aimait rien tant qu'entraîner jusqu'à l'orgasme un corps parfumé et lascif qui répondait à ses caresses. Il savait en jouer comme d'un instrument de musique ; sous ses doigts habiles, les pointes des seins de ses partenaires durcissaient et leurs ventres se tendaient inexorablement jusqu'à se mettre à vibrer ; alors, comme par miracle, les cuisses de ses amantes s'écartaient, en même temps que s'ouvraient les lèvres roses de leur « Sublime Porte ».

Et il ne manquait plus à Yasa, l'expert en amour, qu'à se faire désirer.

Une fois qu'il les avait longuement caressées, les femmes n'avaient plus qu'une hâte, c'était qu'il les pénétrât de son sexe turgescent, dressé comme un lingam. Mais Yasa était si habile à faire durer les plaisirs que ses amantes en arrivaient à le supplier de conclure, telles des orantes devant un dieu. Car Yasa savait que plus il attendrait avant de leur rendre l'ultime hommage de sa sève, et plus la jouissance de ses partenaires serait grande.

Aussi concevait-il l'amour comme un cérémonial codifié où il était le maître des désirs et la femme l'esclave de ses plaisirs.

La méthode était si infaillible que les amantes passagères de ce bourreau des cœurs tombaient généralement amoureuses de lui.

Mais cette fois-là, c'était différent.

Car c'était Yasa qui subissait, tandis qu'Ambãpali menait la danse.

C'était Yasa qui avait très envie des caresses de la belle et c'était elle qui les lui octroyait avec une parcimonie toute savante

Il faut dire qu'elle avait l'habitude, la belle et redoutable Ambãpali, de faire oublier aux hommes qu'ils payaient le prix élevé de ses ineffables charmes, alors qu'elle n'avait pas son pareil pour prendre leur argent !

À ses clients de passage, elle ne laissait pas le choix des armes. Quand elle faisait entrer un homme dans sa chambre, elle était toujours entièrement dévêtue, son corps parfait offert au regard concupiscent du client dont la gorge ne pouvait que se nouer à la vue de cette peau à l'éclat mordoré, relevée par la munificence des somptueux bijoux dont elle ne se départait jamais.

Devant tant de charmes, Yasa s'était raclé la gorge.

Alors, sans plus attendre, la courtisane s'était mise à lui ôter un à un ses vêtements, avant de prendre son sexe entre deux doigts.

— Que veux-tu ? Je sais tout faire. Il suffit de demander et tu seras servi, mon chéri, avait-elle soufflé à cet homme riche et d'ordinaire si entreprenant, soudain devenu malhabile comme un jeune puceau, après lui avoir donné un petit coup de langue sur le nombril.

— L'hommage de ta bouche, ô Ambãpali, est-ce une chose possible ?

— Dans les bras d'Ambãpali, tout est possible ! Ce n'est qu'une question de prix ! avait-elle répondu avec un clin d'œil appuyé, avant de tendre sa langue vers le lingam de Yasa.

Celui-ci avait promptement doublé la somme d'argent qu'il avait posée sur la table de nuit de la belle en entrant dans sa chambre.

— C'est bon à en mourir ! avait-il murmuré en se tortillant comme un ver, après qu'Ambãpali eut commencé à en venir aux faits.

Au bout de quelques succions habiles de la courtisane, Yasa avait fini par jouir, bien qu'il ait vainement essayé de se retenir.

— Tu as aimé ? C'était bon ? s'était alors enquise la courtisane.

— D'ordinaire, c'est moi qui mène la danse... Tu es vraiment douée ! avait répondu, légèrement penaud, ce séducteur invétéré.

— C'est affaire d'expérience. Les hommes, vous êtes tous les mêmes ! avait-elle lâché en riant aux éclats.

— Combien veux-tu de plus ? Tu mérites une belle récompense.

— Ce qu'Ambãpali vient de te donner n'a pas de prix, ô Yasa, et tu ne le trouveras nulle part ailleurs !

— Pour moi, l'argent n'est pas un problème ! Si tu acceptes que je revienne demain dans ton lit, tu gagneras plus que l'équivalent d'un mois de passes ! avait précisé, fort maladroitement, le beau Yasa, dont les propos et le ton faussement désinvolte avaient eu le don de faire se cabrer la belle courtisane.

— Demain, mon lit sera ouvert à un autre. Je n'aime pas m'installer dans l'habitude. J'ai le choix, tu sais ! lui avait-elle rétorqué, l'air pincé.

Puis, tout d'un coup, comme si jouer la comédie devenait trop douloureux, Ambãpali avait craqué : son visage s'était décomposé et elle avait éclaté en sanglots.

— Qu'as-tu, Ambãpali ? Que se passe-t-il ? Si je t'ai offusquée, accepte mes excuses ! Je ne croyais pas mal faire ! avait bredouillé Yasa qui ne comprenait pas ce changement d'attitude.

La courtisane ne répondait pas. Elle s'était mise à pleurer de plus belle, son magnifique corps secoué de spasmes, avec un air de fillette prise en faute.

— Ouvre-moi ton cœur, Ambãpali : pourquoi es-tu triste ? avait insisté Yasa, à genoux devant elle.

Il trouvait la jeune courtisane encore plus belle, avec les yeux brillants de larmes.

Sa main avait pris la sienne et l'avait serrée doucement, histoire de la réconforter.

— C'est la première fois que je pleure ainsi devant un client. Je ne me reconnais pas ! Depuis ce matin, je ne suis pas dans mon assiette, avait-elle murmuré en tremblant.

— Que s'est-il passé pour te mettre dans cet état ?

— À un carrefour, sur le chemin de cette maison close, j'ai croisé le regard d'un homme qui m'a profondément troublée. Pendant que toi et moi nous faisions l'amour, il continuait à me fixer... lui avait alors expliqué la courtisane.

— Qui était-ce ?

— Un ascète du nom de Siddhãrta Gautama. Il allait presque nu et prêchait à une foule en extase la bonne façon d'échapper au cycle du Samsãra. Dès qu'il m'aperçut, il me sourit avec douceur, mais ses yeux me transpercèrent comme des poignards.

— Il n'est pas le seul de son espèce. La ville pullule d'illuminés. À croire que c'est dans l'air du temps.

— Celui-là ne ressemblait pas aux autres. Il prêchait le renoncement à tout. J'en suis loin... Là, tout de suite, ô Yasa, si tu veux savoir, je me sens terriblement honteuse !

— Que t'a-t-il dit, exactement, ce Siddhãrta Gautama ?

— Rien. Son regard suffisait. Il ne pouvait pas ignorer ma qualité de fille de joie. J'étais nue sous ma robe et j'avais le visage outrageusement maquillé. Eh bien, il n'y avait pas la moindre trace de reproche dans ses yeux, pas la moindre réticence à mon égard...

— Dans ce cas, pourquoi es-tu si bouleversée ?

— J'ai vu dans le regard de Siddhãrta Gautama toute la tristesse du monde. Oui, Yasa, cet ascète était affreusement triste pour la pauvre Ambãpali. Je meurs de honte.

— Tu n'as pas à gémir sur ton sort. Tu donnes du plaisir et du réconfort. Tu ne fais de mal à personne. L'argent que tu prends, personne ne le gagnerait à ta place ! s'était écrié son amant de passage.

Puis Yasa, bien décidé, cette fois, à être celui qui menait la danse, s'était empressé de poser la pointe de son lingam tout prêt à se redresser sur les lèvres charnues de la jeune femme en même temps qu'il avait introduit un doigt dans sa Sublime Porte.

— Prêcher le renoncement : quelle aberration ! Par exemple, moi je serais incapable de renoncer à toi !... s'était-il exclamé d'une voix forte.

Il avait retrouvé toute son assurance et comptait bien montrer à la jeune femme de quoi il était capable.

Celle-ci était d'ailleurs si troublée qu'elle s'était laissé faire.

Une fois son exploit achevé, Yasa avait agité la clochette d'argent posée sur la coiffeuse.

— Monsieur Yasa désire-t-il quelque chose ? s'était alors enquis un serviteur, dont le visage gras était apparu dans l'entrebâillement de la porte de la chambre des amants.

— Du thé au jasmin, pour commencer. Puis tu iras informer madame Lãni que je souhaite qu'elle m'envoie deux jeunes filles le plus vite possible. Tu la paieras comptant... lui avait répondu Yasa d'un air entendu.

Madame Lãni était la tenancière de la grande maison de plaisirs concurrente de celle où travaillait Ambãpali.

Un peu plus tard, deux somptueuses créatures s'étaient jointes à Yasa et à Ambãpali. Elles avaient la même taille, les mêmes seins pointus et les mêmes attaches fines.

— Déshabillez-vous ! Je vous veux nues ! leur avait enjoint Yasa.

Aussitôt, leurs saris de mousseline transparente étaient tombés à leurs pieds, laissant apparaître au regard de Yasa leurs corps inondés de parfum.

— Venez dans le lit avec nous ! avait-il ajouté à l'adresse des deux filles qui ne s'étaient pas fait prier.

Alors Yasa, jamais lassé, leur avait prodigué sans compter les gestes que lui dictait le degré élevé de sa science amoureuse.

Quand il s'était réveillé, les trois femmes dormaient encore, enlacées les unes aux autres, leurs corps en sueur étroitement emmêlés.

Le beau Yasa éprouvait de la nausée.

Puis il s'était frotté les yeux.

En temps ordinaire, il aurait été saisi sur-le-champ d'une furieuse envie de recommencer. Il eût suffi, pour cela, d'arrondir quelque peu la somme versée à madame Lãni.

Mais là, c'était différent. Il se voyait tel qu'il était : en homme qui payait les femmes pour qu'elles couchent avec lui ; des femmes qui, au demeurant, n'acceptaient de coucher avec lui qu'à cause de son argent ; car l'amour ne s'achetait pas, ce qui condamnait Yasa à recommencer indéfiniment, en le faisant courir après ce qu'il serait toujours incapable d'atteindre...

Yasa avait pris conscience qu'il était devenu prisonnier de lui-même ; qu'il n'était que l'esclave de ses pauvres désirs toujours insatisfaits ; qu'il se consumait à petit feu sans jamais être en paix avec lui-même, comme un ogre perpétuellement affamé.

La recherche du plaisir n'était qu'une course incessante après soi-même. Une course dont la ligne d'arrivée reculait au fur et à mesure qu'on avançait...

D'ailleurs, Yasa n'avait-il pas déjà constaté que plus il faisait l'amour, et plus il sentait ses sens s'émousser au point que, désormais, seules les postures les plus compliquées, les artifices et les fantasmes les plus fous éveillaient son désir.

— Où as-tu croisé cet ascète ? avait-il alors demandé à Ambãpali qui venait d'ouvrir un œil.

— Il se tenait près du grand lavoir, dans la ville basse. S'il y est encore, tu ne pourras pas le manquer.

— Allons-y ! avait proposé Yasa.

Avec les trois courtisanes, Yasa s'était précipité au grand lavoir.

Et c'est ainsi qu'il m'avait trouvé. Dès le lendemain de notre rencontre, il se rasera la tête puis revêtira la tunique ocre.

Telle est l'histoire de Yasa.

À présent, j'installe ce nouveau disciple dans un enclos en pleine forêt, à l'écart du monde, pour lui permettre de méditer et de réfléchir au sens de la démarche qu'il a entreprise en venant me trouver.

Deux jours plus tard, un inconnu richement vêtu, d'un certain âge, barbu et aux cheveux blancs, se présente au campement de fortune où j'achève d'instruire mon nouvel adepte. Il décline son identité : c'est Ourdu, le père de Yasa.

— Mon fils doit être là. J'ai vu à la porte de cet enclos des sandales dorées qui ne peuvent être que les siennes, me déclare-t-il.

Derrière lui se tiennent sa femme dont la ressemblance avec Yasa est frappante et, quelques pas plus loin, une jeune femme très belle qu'Ourdu me présente comme Ambãpali.

Dès que la mère de Yasa aperçoit son fils, assis en train de méditer à l'ombre du bosquet de bambous de l'enclos, elle se précipite vers lui.

— Mon petit, ne fais plus jamais ça ! Depuis trois jours, tu n'as pas donné de tes nouvelles ! J'étais folle d'inquiétude. Ta place n'est pas ici.

— Il ne faut pas vous inquiéter, répond Yasa à ses parents. Grâce à cet homme, j'ai trouvé la Voie du Salut ! Ma vie désormais est auprès de lui.

— Je n'ai jamais vu mon fils aussi heureux et calme, constate Ourdu.

— Et dire que nous avions l'intention de le sommer de revenir ! ajoute son épouse.

— Comment dois-je faire pour me convertir ? me demande soudain le père de Yasa.

— Suivre la Noble Voie. Agir dans le Bien. Avoir de la Compassion pour les autres et leur redistribuer les profits de ton commerce.

— Dès mon retour à la maison, j'agirai ainsi ! s'écrie le riche marchand.

— Père, je suis heureux pour toi. Ta vie va changer. Comme la mienne a déjà changé. Je ne me sens plus le même. L'apaisement a enfin gagné mon cœur ! s'exclame Yasa qui vient se jeter dans les bras de son père.

— Avec l'argent accumulé grâce à toutes mes passes, je voudrais vous offrir un beau pavillon de repos, déclare de son côté Ambãpali en s'inclinant devant moi.

Je la regarde.

Ses cheveux ont la couleur de l'abeille noire et la forme de ses yeux me rappelle celle de la feuille nouvelle du lotus bleu ; son front est clair comme le diamant ; sa peau a l'éclat de l'or bruni ; son ventre dénudé par sa culotte bouffante à taille basse présente l'harmonieuse courbe d'un arc.

Je comprends pourquoi Yasa a pu en tomber fou amoureux, mais je n'éprouve aucun désir.

Je la relève et me laisse embrasser les mains par cette bouche dont les lèvres ont caressé tant de lingams...

Je dis à la belle courtisane :

— Quand tu le souhaiteras, Ambãpali, tu viendras écouter le Grand Sermon de la Roue de la Loi. Je le prononcerai exprès pour toi !

Je vois dans son regard qu'elle est prête à connaître, elle aussi, la Noble Vérité.

24

La bande des joyeux lurons

Je confie à Ananda :

— À Patna, de nouveaux adeptes nous rejoindront.

— Je connais bien cette ville. Combien de fois l'ai-je parcourue au moment où je te cherchais, me répondil.

Le grand lavoir de Patna, d'ordinaire rempli de femmes qui battent et rebattent leur linge en jacassant et en chantant, est à présent désert, les dernières lavandières l'ayant quitté. Au coucher du soleil, à Patna comme ailleurs, les femmes rentrent chez elles, afin de préparer le repas frugal qui permettra à leurs maris d'avoir tout juste assez de forces pour repartir travailler, le lendemain.

J'entends le bruit de la rivière dont le cours a été détourné pour passer au milieu de ces vasques taillées dans la pierre auxquelles on accède par des gradins polis comme du marbre sur lesquels les lavandières battent leurs tissus.

J'explique à Ananda :

— L'eau qui coule ici est sainte. Elle vient directement du Sangam, le point de confluence entre le fleuve Gange et la rivière Yamuna.

— Je sais ! On dit même qu'à l'endroit du Sangam,

sous les eaux réunies, jaillit la source Saraswati, la fontaine jaillissante de l'Éveil !

— Si tu veux y descendre, je m'y baignerai volontiers avec toi.

Nous avons de l'eau jusqu'à la ceinture ; je sens l'apaisante fraîcheur masser mes jambes endolories par nos longues et incessantes pérégrinations.

— Tout à l'heure, tu as dit qu'à Patna de nouveaux disciples nous rejoindraient. Comment fais-tu pour savoir à l'avance ce qui va arriver ? me demande Ananda.

— Je ne saurais te l'expliquer. C'est une conviction que j'ai en moi. Nombreux sont ceux qui ont entendu parler du Sermon de la Mise en Mouvement de la Roue de la Loi et qui cherchent désormais à se joindre à nous... Mais je peux tout aussi bien me tromper.

Après nos ablutions, nous allons nous asseoir sur une des marches usées du lavoir.

Le soleil est sur le point de disparaître, derrière la bordure dentelée des montagnes qui barrent l'horizon. L'air reste brûlant, tout comme les pierres sur lesquelles nous nous reposons.

— Tu vois cette colline ? dis-je à mon cousin en désignant la montagne couverte de manguiers, par-delà les faubourgs.

— Veux-tu y aller ?

— De là-haut, la vue doit être belle... Et puis ces pierres sont si chaudes que nous risquons bien d'y brûler nos fesses... Là-bas, assurément, il fera plus frais qu'ici.

Une heure plus tard, nous sommes installés sous l'un des manguiers qui poussent au sommet du tertre.

La nuit vient de tomber.

Au moment où je commence à m'assoupir survient un homme qui porte une lanterne.

— N'avez-vous pas croisé une femme ? Une voleuse ! Nous la cherchons en vain depuis le début de l'après-midi !

L'homme est tout essoufflé. Derrière lui, ses compagnons, vociférant, tiennent des molosses en laisse.

Ils n'ont pas l'air de plaisanter.

Je demande à l'homme à la lanterne :

— Qui es-tu pour nous poser une telle question ?

— Je suis Arma et j'appartiens au groupe de joyeux lurons qu'on surnomme les Bhadrãvadin ! Nous venons tous les mois ici nous ébattre et passons la journée à nous amuser...

Arma désigne, en contrebas, l'endroit où la rivière s'élargit pour former un vrai petit lac à la surface luisante, sous les rayons de la lune.

Ce doit être là que cette bande d'une cinquantaine de jeunes gens passe chaque mois une journée entière, en compagnie de leurs épouses, à boire, à jouer à la balle et à festoyer.

Ces Bhadrãvadin semblent rechercher l'élégance : les hommes sont tous coiffés du turban multicolore orné d'un scarabée en or serti de gemmes qui doit valoir à lui seul une petite fortune, de même que la grosse pierre précieuse piquée sur le nez des femmes.

— Aujourd'hui, il s'en est passé une belle ! ajoute l'homme à la lanterne.

— Raconte un peu ! lui dit Ananda.

— Notre journée a commencé comme à l'accoutumée par un bain dans la rivière, d'où les femmes sont ressorties telles des déesses fluviales, le corps moulé dans leur sari mouillé qui ne cachait plus rien de leurs formes... précise-t-il, l'air quelque peu égrillard.

— Et alors ? demande mon cousin.

— Et alors, les hommes, émoustillés par ce spectacle de seins et de ventres dévoilés, ont préparé les viandes qu'ils mettaient à rôtir sur le feu, après les avoir enduites d'herbes odorantes et de condiments.

— Et alors ?

— Et alors, ce qui devait arriver arriva ! Le vin des libations ayant produit l'effet escompté, l'après-midi devint plutôt « chaud »... Certains Bhadrãvadin caressaient leurs femmes et les embrassaient goulûment, tandis que d'autres, plus délurés, n'hésitaient pas à les prendre, à l'abri d'un bosquet, comme sur le lit de leur chambre...

— Pourquoi donner autant de détails ? Nous comprenons fort bien que vous aimiez passer du bon temps avec vos femmes. C'est votre droit le plus absolu ! s'exclame Ananda.

— Cet homme n'a pas tout dit. Laisse-le finir de parler ! conseillé-je à mon cousin.

— J'ai perdu la broche précieuse qui était attachée à ce turban ! Je suis sûr qu'une femme me l'a volée ! explique l'intéressé en gémissant.

— Pourquoi en es-tu sûr ? lui demande Ananda.

— Faute d'une épouse, j'ai eu la mauvaise idée d'emmener avec moi une jeune courtisane. Ce ne peut être qu'elle ! Ce bijou de prix légué par mon père, c'était mon unique fortune !

— Nous finirons bien par dénicher la coupable et la passerons par les armes ! se met à hurler un autre Bhadrãvadin qui tient un long poignard à la main.

— La tigresse qui a volé le bijou précieux de l'un d'entre nous se retrouvera dans l'enfer de l'Avîci ! ajoute un autre, tout aussi furieux que le précédent.

Les Bhadrãvadin, tels des soldats assoiffés de sang sur le chemin de la guerre, lèvent le poing et crient vengeance.

Je vais vers eux et leur dis :

— Écoutez-moi ! Ne vous laissez pas entraîner par vos passions. La haine est mauvaise conseillère...

Mais ils ne semblent guère avoir cure de mes exhortations.

Alors, je les supplie :

— Si vous ne voulez pas m'écouter, au moins regardez-moi !

Manifestement, un tel propos les surprend et les touche, puisqu'ils finissent, non sans hésitation, par se rapprocher de moi.

À présent, les voici tous assis à mes pieds, prêts à m'écouter.

— Dites-moi un peu : qu'y a-t-il de plus important, selon vous : essayer de mettre la main sur une petite voleuse ou bien se chercher soi-même pour trouver la Vérité ?

— Cet inconnu a raison ! C'est nous qui déraillons. Nos existences sont vides de sens ! s'exclame alors une superbe créature surgie de la forêt en même temps qu'elle rajuste son corsage.

Les Bhadrãvadin se retournent, médusés.

— Qui est-ce ? souffle Ananda à son voisin.

— Elle s'appelle Samãra et elle n'est pas la dernière à profiter du bon temps que les joyeux lurons prennent ensemble. D'ordinaire, elle est plus préoccupée par le dernier bijou offert par son mari que par la recherche de la Vérité... lui répond ce dernier.

— Samãra a raison. Une journée comme celle que nous avons passée ne mène nulle part. L'heure est venue d'arrêter nos futilités. Le temps nous est compté. Pour ce qui me concerne, la Vérité dont cet homme parle m'intéresse au plus haut point, ajoute un autre Bhadrãvadin.

— Quelle est ta Vérité ? s'enquiert un troisième, qui s'est rapproché de moi.

— Il n'y a qu'une Vérité !

— Un tel propos paraît bien présomptueux ! s'écrie

alors le plus âgé de tous les Bhadrãvadin, qui ne s'est pas encore exprimé.

Je lui rétorque :

— La Vérité m'est apparue, tout simplement, comme le soleil monte le matin au-dessus de la ligne d'horizon ! Je ne cherche pas à l'imposer à quiconque. J'essaie seulement de trouver de bonnes âmes, susceptibles de la comprendre. Chacun est libre d'y adhérer ou pas.

Les uns après les autres, ils viennent tous se prosterner devant moi pendant que je leur récite le début du Grand Sermon de la Mise en Mouvement de la Roue de la Loi.

— M'accepterais-tu à tes côtés, ô Éveillé ? me demande, à l'issue de mon prêche, celui qui a été victime du vol de sa broche précieuse.

— Je n'ai pas à accepter quoi que ce soit à partir du moment où on entre dans le Courant comme on se glisse dans l'eau d'un fleuve, en évitant les remous, et qu'on se laisse porter par ses flots...

Et c'est ainsi que ce jour-là, au grand lavoir de Patna, les joyeux lurons Bhadrãvadin devinrent mes disciples zélés.

25

La naissance de la Samgha

Plus les mois passent et plus les Quatre Nobles Vérités semblent faire leur chemin.

Depuis deux moussons, de même que les ruisseaux viennent grossir le débit des rivières, le flot des nouvelles recrues ne cesse pas.

La Samgha[1] compte désormais plusieurs centres où séjournent les moines récemment entrés dans le Courant ; je mets un point d'honneur à les visiter au moins une fois par an.

Ces domaines sont généralement situés dans des endroits ombragés qui nous ont été légués par de riches dévots soucieux de faire le Bien.

Depuis le début du printemps, Ananda et moi avons décidé de repartir prêcher la Noble Voie dans le royaume de Maghada, en laissant se reposer mes premiers disciples que notre rythme de vie finit par épuiser.

En cette fin d'après-midi, nous sommes les seuls à marcher sur le chemin.

Malgré l'obscurité naissante, j'entrevois les rangées

1. « Communauté » en sanskrit.

de canneliers et de pruniers qui s'étendent à perte de vue.

— Nous ne devons pas être loin de la frontière du royaume de Maghada, car je ne sens plus mes jambes ! dit Ananda qui vient de s'arrêter devant un auvent de fortune comme les paysans en fabriquent pour s'abriter de la pluie et du vent.

Je lui réponds :

— Tu as raison. Je propose que nous nous installions sous cet abri pour passer la nuit !

En l'occurrence, il s'agit de quelques piquets de bois sur lesquels on a grossièrement disposé un toit de feuilles de bambou.

Au loin, j'entends aboyer un dhole, cette espèce de chien sauvage qui hante les campagnes à la recherche de charognes. Il doit en avoir après le cadavre d'un porte-musc ou d'une antilope qu'il s'en ira déchiqueter à l'abri des regards des hommes, lesquels cherchent par tous les moyens à abattre ce demi-loup considéré comme nuisible.

Nous allumons un feu.

Dans cet endroit totalement désert où nous allons passer la nuit à même le sol, juste à côté d'un sal rabougri, les flammes éloigneront de nous les serpents et les scorpions.

Ananda souffle sur les braises. Je contemple leurs escarbilles qui s'évanouissent dans le néant de la pénombre. Les hurlements assourdis du dhole, qui a dû traîner sa proie un peu plus loin, continuent à habiter le silence de la nuit.

— Je voudrais méditer. Pourrais-tu m'apprendre, ô Siddhãrta, à méditer comme toi ? Tant que je n'y arriverai pas, je ne pourrai pas accéder à la connaissance de la Noble Vérité ! supplie soudain Ananda.

— Tu ne réussis pas à entrer en méditation ! Et tu me dis ça maintenant ! C'est la meilleure !

— Cela fait des mois que je veux te l'avouer, mais je ne l'ose pas... J'avais honte...

Joignant le geste à la parole, je dis :

— Méditer n'est pas une activité naturelle. C'est un combat contre la nonchalance. Tu dois inspirer par le nez dont tu bouches l'une des narines, puis expirer longuement par la bouche ; après quoi tu changeras de côté. Comme ça ! Ton niveau de conscience s'élèvera. Rien ne doit échapper au méditant... Vas-y ! Essaie !

Docilement, Ananda se met à inspirer puis à expirer de toutes ses forces, à s'en couper le souffle, du côté droit puis du côté gauche. Son torse maigre se creuse et se soulève, au même rythme que le mien.

Je poursuis :

— Après midi, quand tu as mangé les aliments que tu as mendiés, tu vas t'asseoir sous un arbre ou dans une grotte ; tu dois avoir le buste droit, l'esprit présent et concentré ; tu vas rejeter toute colère et toute convoitise ; tu vas développer des sentiments de compassion et d'amour envers tous les êtres vivants ; tu vas débarrasser ton cœur de la nonchalance ; tu vas rejeter le vagabondage de l'esprit et l'agitation intellectuelle ; tu vas trouver la paix et te débarrasser du doute ; alors, ta méditation transcendantale pourra commencer !

— Mon esprit s'est toujours refusé à pratiquer la création mentale de l'Horrible ! gémit Ananda.

La création mentale de l'Horrible est préconisée par certains yogis aux adeptes qui ont du mal à se concentrer parce que leur corps et leur esprit demeurent imprégnés de sensations et de désirs.

Or un esprit prisonnier de son corps est incapable de méditer.

Cette pratique consiste à visualiser le cadavre d'un parent proche et lui appliquer les dix étapes de sa décomposition : enflé, bleui, pourri, dévoré, déchiqueté, démembré, frappé, sanglant, mangé par les vers et enfin réduit à l'état squelettique ! L'impétrant, s'il prétend méditer, est invité à aller jusqu'au bout de l'horreur.

Normalement, s'il atteint le dernier stade, celui du squelette, tout désir finit par avoir disparu de sa pensée – y compris le plus coriace, celui qu'un corps humain peut inspirer à un autre ! – alors, la concentration survient, même chez celui dont les sens ont été à ce point exacerbés par le désir que son esprit est incapable de se fixer sur quoi que ce soit !

Je lui réponds :

— Cette prétendue création mentale de l'Horrible n'est qu'une invention de gurus désireux d'impressionner leurs ouailles. Contente-toi de respirer naturellement, Ananda. Ton esprit pur pourra enfin être libre !

Je viens à peine de terminer ma phrase qu'un, puis deux, puis trois petits cailloux s'abattent sur nos têtes.

Ananda se lève d'un bond et va voir, malgré la pénombre, de quoi il retourne.

— Je crois bien avoir aperçu des singes, là-bas, en train de s'enfuir. Pourtant, je ne vois aucun arbre à singe à l'horizon, à l'exception du maigre sal au pied duquel nous nous trouvons ! lâche-t-il.

— Il ne faut pas t'inquiéter. Ici, c'est une région où l'on trouve des entelles dorés[1] !

— Ce sont peut-être des primates qui cherchent à renaître sous une forme humaine dans une vie ultérieure ! plaisante mon cousin.

— Les entelles dorés ont droit, eux aussi, à notre compassion, Ananda.

1. Variété de singes.

Les singes ont dû partir ailleurs, car plus rien ne tombe des arbres.

J'entends Ananda qui pleure doucement.

— Que se passe-t-il, mon petit cousin ? Sache que si la vie de moine mendiant te pèse, tu es libre de la quitter, lui dis-je en le serrant dans mes bras.

— Jamais je ne cesserai de marcher avec toi. Simplement, je constate que je ne t'arrive pas à la cheville.

— Ce que tu dis là n'a pas de sens, Ananda. Tous les êtres se valent...

— Autant te l'avouer, ô Siddhãrta, je suis persuadé que je ne serai jamais capable de méditer ! lâche Ananda, désespéré.

— Je suis sûr que tu y parviendras. Cela te viendra un beau jour, comme m'est venue l'Illumination. Comme apparaissent les étoiles dans le ciel quand la brume se disperse.

Il ne me répond pas. Son regard demeure fixé vers le sol. Puis, il se fige et se recroqueville contre le tronc du vieux sal.

Un long serpent noir se trouve à portée de nos pieds nus.

Le reptile est parfaitement immobile.

Soudain, sa tête se gonfle en même temps que l'avant de son corps se redresse brusquement. Dans sa gueule ouverte apparaissent les deux crochets d'où jaillit le venin mortel lorsque la mâchoire se referme sur sa proie.

Tel un enfant apeuré, Ananda se pelotonne contre moi.

Je lui murmure dans le creux de l'oreille :

— Tu as raison de ne pas bouger. Il ne faut pas déranger le cobra nãga lorsqu'il se dresse. Si l'animal n'a pas peur, il n'attaquera pas et ira voir ailleurs.

Je sens que les battements du cœur de mon cousin

s'accélèrent, tandis que les miens n'augmentent pas d'une once.

Alors je dis :

— Celui qui expulse sa colère quand elle a surgi en lui, comme on expulse le venin du serpent lorsqu'il s'est répandu en soi, grâce à des herbes médicinales ; celui qui a coupé sa soif de vivre, torrent au cours tumultueux, après l'avoir desséchée ; celui qui a jeté à bas son orgueil, comme une grande crue abat une digue de roseaux très fragile ; celui qui n'a trouvé aucune substance dans les existences comme s'il cherchait la fleur de l'Udumbara ; celui qui n'a aucune irritation dans son cœur et qui a surmonté les vicissitudes de l'existence ; celui dont toutes les créations de l'esprit, si bien élaborées, ont été dispersées ; celui qui, sans avancer témérairement ni reculer, a compris que tout était irréel dans le monde ; celui qui n'a plus aucune passion latente et chez qui les racines du mal ont été arrachées ; celui qui a abandonné les sept obstacles du plaisir sensuel, de la malveillance, de la paresse, de la torpeur, de l'agitation, du remords et enfin du doute, celui qui a franchi le cap des incertitudes, libéré du dard de la peine planté dans son cœur, celui-là pourra enfin abandonner ce monde-ci et l'autre, comme le reptile abandonne sa vieille peau usée...

— Les stances que tu viens de réciter, ô Siddhãrta Gautama, ont un effet protecteur. Le cobra royal est bel et bien parti !

Effectivement, le sol est débarrassé du cobra royal, capable, par sa morsure, de foudroyer un buffle.

Je me tais.

— J'étais tellement serré contre ton cœur que j'en ai ressenti, à mon tour, un étrange battement, qui ne pouvait être que celui de ta psalmodie ! Alors, j'ai fermé les yeux et décidé de ne pas me comporter comme un petit enfant craintif. Je me suis concentré et j'ai réussi à me mettre dans la peau de ce reptile. J'étais devenu ce cobra. Je n'éprouvais plus aucune peur puisque j'étais lui ! J'ondulais sur le sol. Je ne voyais rien que les pierres et la poussière. À mon tour, comme lui, après m'être dressé, capuchon déployé, je nous aperçus soudain, serrés l'un contre l'autre. Nous n'avions pas peur. Et c'est à ce moment que j'entendis les stances de ce sũtra que tu psalmodiais ! Alors, je décidai de passer mon chemin ! Voilà ce que pense le cobra nãga ! me souffle Ananda.

— Tu étais entré en méditation, mon cher Ananda ! Malgré tes doutes, l'expérience que tu viens de vivre témoigne de ton aptitude au Dhyãna !

Le lendemain, je suis à peine réveillé qu'Ananda me questionne de nouveau.

— Siddhãrta, un jour, à l'époque où j'étais à ta recherche, un yogi m'a parlé d'un procédé mental surnommé « les séjours de Brahma ». Je n'y ai rien compris. Pourrais-tu m'expliquer de quoi il retourne ?

— À la différence de la création mentale de l'Horrible, je ne suis pas hostile à ce procédé de concentration de l'esprit. Il faut penser très fort aux Quatre Vertus : la bonté maitrî, la compassion karunã, l'allégresse muditã, et l'indifférence à l'égard de l'ennemi upeksã. Ces quatre fixations spirituelles permettent ensuite de lutter contre la malveillance, la nuisance, le mécontentement et la concupiscence, qui constituent les pulsions néfastes empêchant l'esprit d'entrer en méditation.

— Quand tu l'expliques, tout est simple. En réalité, je ne suis jamais arrivé à me concentrer sur les Quatre Vertus... De même je ne parviens toujours pas à faire la différence entre la concentration samãdhi[1] et la méditation Dhyãna !

— Les concentrations sont d'une durée plus limitée que les méditations. Elles sont plus accessibles à ceux qui n'ont pas la chance d'être moines. Les deux exercices spirituels ont toutefois le même but : ils sont là pour amener à l'« unification de la pensée ». Grâce à l'apaisement progressif du raisonnement et de la réflexion, l'esprit se rassemble.

— Raisonner serait donc une activité mentale néfaste ?

— Totalement néfaste ! Il est l'ultime coquetterie de l'esprit humain qui se croit supérieur. Dans le raisonnement, tout esprit, surtout le plus subtil, finit par se perdre !

— Est-ce à dire que la méditation serait plus accessible aux esprits médiocres qu'aux esprits subtils ?

— Mieux vaut surtout ne pas pécher par orgueil d'une pensée qui prétendrait tout expliquer et tout comprendre de façon rationnelle. L'homme doit accepter l'idée que certaines choses échappent à sa propre définition et donc à sa compréhension.

— Comment abandonne-t-on ces réflexions vaines, à la manière d'un vieil oripeau dont on se débarrasse en l'accrochant à un clou ?

— C'est tout simple : en pratiquant les Trois Concentrations Primordiales, qui ont pour objet la vacuité, le sans-but et le sans-signe, c'est-à-dire les aspects impermanents, vides et impersonnels qui caractérisent tout ce que nous voyons, tout ce que nous touchons et tout ce que nous sentons. Muni de tels viatiques, l'esprit parvient, enfin, et sans aucune difficulté, à se libérer de tous les carcans !

1. Samãdhi signifie « concentration » en sanskrit.

Le soir même, après une autre longue journée de marche, Ananda me soumet de nouveau à un feu roulant de questions.

— Enseigne-moi le monde, enseigne-moi les choses, ô Siddhãrta ! Je crois que j'y suis prêt... me souffle-t-il au moment où nous longeons un lac aux eaux parfaitement immobiles.

Un jeune écureuil, descendu du manguier, vient de s'emparer d'un fruit tombé de son arbre avant d'être pris à partie par un gros mâle qui réussit à le lui subtiliser.

La loi du plus fort l'aura ainsi, une fois de plus, emporté.

— Ce vieil écureuil est odieux ! soupire Ananda.

— Comment pourrait-il en être autrement ? Crois-tu qu'il puisse disposer des quatre pensées illimitées : l'amour, la compassion, la joie et l'égalité d'âme ?

— J'en doute.

Je dis :

— Seule une conduite morale peut venir à bout des trois passions essentielles qui sont à la racine du Mal : la convoitise, la haine et l'erreur. La première porte le sujet vers l'objet, la deuxième, au contraire, l'éloigne de celui-ci et la troisième les égare tous les deux ! À ces trois racines du Mal correspondent les trois racines du Bien : l'absence de convoitise, l'absence de haine et l'absence d'erreur...

— Comment cet écureuil, qui paraît mû par son seul instinct, aurait-il la possibilité d'opter pour une conduite morale ?

Je dis :

— Les bordures et les limites qui séparent les champs font naître les querelles et les haines entre les hommes ; il en va de même pour les animaux, lorsque ceux-ci marquent leur territoire au lieu de le partager.

— Comment les êtres doivent-ils s'y prendre, ô Siddhãrta, pour apaiser les remous de leurs passions ?

Je dis :

— Bienheureux vit celui qui est sans désir parmi les désireux, à qui rien n'appartient et qui est nourri de Joie comme les dieux resplendissants ! Bienheureux vit celui qui demeure dépourvu d'hostilité parmi ceux qui sont hostiles, qui est apaisé parmi ceux qui brandissent des armes et sans attachement parmi ceux qui s'attachent aux objets des sens ! L'homme est son propre flambeau et son propre recours ! Alors, peu à peu, dans ton cœur, les passions s'estomperont comme les brumes matinales sous l'effet des rayons du soleil !

26

L'Arhant[1]

Sous une hutte de branchages dans une clairière de la jungle, à l'écart des routes, je me suis isolé du monde, mais celui-ci bat au même rythme que les pulsations de mon cœur !

Je me laisse envahir par la paix de la nature quand le soleil darde ses premiers rayons, après la nuit au cours de laquelle mon esprit, calme et droit, a médité.

Je me sens heureux comme un laboureur dont la Foi serait la semence ; l'Ascèse la pluie ; la Sagesse le joug ; la Pudeur le timon ; l'Esprit la courroie du joug ; l'Attention le soc et l'aiguillon ; l'Énergie le bœuf de trait !

Autour de moi, je ne vois âme qui vive et, pourtant, tout n'est que vie et Douleur : les feuilles des arbres qui se faneront et tomberont, le moucheron qui viendra se poser sur elles avant d'être gobé par le caméléon, l'oiseau qui va chercher le ver pour le fourrer dans le bec de sa nichée, le chat sauvage qui bondira sur le mulot, le chasseur qui essaiera de tuer le tigre...

Comme j'ai hâte que chacun comprenne comment il

1. Arhant signifie en sanskrit « saint ayant atteint le nirvãna ».

faut s'y prendre pour arrêter le flux et le reflux perpétuels de l'inéluctable cycle des naissances et des morts, qui se nourrissent et découlent les unes des autres !

Aucun rite, aucun sacrifice, aucune cérémonie, aucune prière ne remplacera l'effort personnel. Aucune malédiction, aucun atavisme, aucune prédestination, aucun péché originel n'empêchera quiconque d'être sauvé, dès lors qu'il le décide !

Aucun dieu ne sauvera l'homme, si ce n'est lui-même !

Je pense à cette famille entière, le père, la mère et leurs cinq enfants, tous sur le point de mourir de faim, qui a rejoint l'ãsara de la Samgha à laquelle je rendais visite il y a quelques semaines. Bien sûr, j'ai accepté qu'ils restent là tout le temps nécessaire au père pour trouver un travail décent, de quoi nourrir sa famille.

— Comment fait-on, maître Gautama l'Éveillé, pour libérer son esprit de la prison du raisonnement ? me demanda l'aîné des enfants qui s'était introduit sur la pointe des pieds dans la clairière où je méditais.

Je lui ai dit :

— La libération de l'esprit comporte huit étapes, de celle des formes visibles à celle du monde sans formes, jusqu'à ce que toutes les sensations et toutes les perceptions s'anéantissent. Alors, seulement, l'esprit se libère. Alors, l'homme peut atteindre le grade du Saint Supérieur, c'est-à-dire celui de l'Arhant ! L'Arhant est une entité aussi pure que le diamant ; il en possède l'éclat, la transparence et la solidité. Il y a quatre sortes de Saints. Le premier est celui de l'Arhant « entré dans le courant », c'est-à-dire qui possède la Foi ; le deuxième est celui de l'Arhant « ne revenant qu'une seule fois », c'est-à-dire qui n'aura besoin de renaître qu'une seule fois de plus pour atteindre la Délivrance ; le troisième est celui de l'Arhant « ne revenant plus », c'est-à-dire à qui il ne sera plus nécessaire de renaître pour atteindre la Délivrance ; le quatrième est celui de l'Arhant « méritant » dont l'Extinction complète suivra la mort : l'Arhant parmi les Arhants ! Le bodhisattva sur le point de devenir Bouddha !

— L'Arhant peut-il aller tout droit au nirvãna ? me demanda enfin l'enfant.

Je lui ai dit :

— S'il a connu les Quatre Vérités par l'intermédiaire d'un Bouddha, il deviendra Bouddha Auditeur ; s'il les a découvertes lui-même et qu'il ne les enseigne pas, il deviendra Bouddha Solitaire ; et enfin, Bouddha Parfait, s'il consent à les enseigner à ses semblables.

— Tu as donc vocation à devenir Bouddha Parfait, conclut le gamin, imperturbable.

— Je n'ai pas cela en tête. Je souhaite simplement faire partager la Vérité aux autres. Tel est mon projet. Un point c'est tout, lui répondis-je.

Jusqu'au petit matin, je restai couché à même le sol, estomaqué par la pertinence des propos de ce jeune garçon.

Autour de moi, la nuit était vide.

Vide comme la première nuit que j'avais passée à même le sol, en compagnie d'Ananda, à l'issue de notre Grand Départ de Kapilavastu.

Le ciel y était noir et complètement fermé.

Noir comme le néant insondable et fermé comme le désespoir.

J'avais peur.

Aujourd'hui, ce n'est plus le cas, depuis que la Vérité m'a inondé de ses bienfaits.

Puisque, enfin, je sais.

Je sais que derrière le néant de la nuit se cachent des étoiles qui brillent de mille feux.

Je sais que la Paix m'a fait signe.

Je pense que l'espace est infini.

Je crois au Bonheur conféré par l'anéantissement du Moi et par la mort à soi-même...

Je crois au nirvãna.

27

Devadatta

Les traîtres ont toujours le même visage.

Devadatta nous a rejoints.

— Bonjour, Siddhãrta. Je souhaiterais m'enrôler auprès de toi, me dit-il.

Je lui demande :

— Quel bon vent t'amène ici ?

Je sais déjà qu'un jour ce cousin éloigné me trahira.

Mais je sais aussi qu'il finira par se convertir, et que je lui pardonnerai.

Devadatta reste jaloux de moi depuis que je lui ai ravi la belle Yashodãra, à l'issue de ce concours au tir à l'arc d'où je sortis vainqueur... Je devine, à la lueur de la haine qui traverse son regard, qu'il lui reste de cet épisode une blessure tenace et jamais cicatrisée.

Devadatta s'est abstenu de me regarder en face. Il a le visage de celui qui se perd.

Je dis :

— Le visage de celui qui se perd est facile à connaître.

Parce que les dépravés lui sont chers et qu'il déteste les vertueux ; parce qu'il a une propension au sommeil, qu'il se complaît en société et manque d'énergie ; parce qu'il est indolent et connu pour ses colères ;

parce que, étant riche, il n'entretient pas son vieux père ni sa mère devenus vieux ; parce qu'il est capable de mentir à un brahmane, à un ascète ou à un simple voyageur ; parce que, malgré ses richesses innombrables en or, en nourriture et en vêtements, il consomme tout seul ses biens ; parce qu'il est orgueilleux de sa caste, orgueilleux de sa richesse et orgueilleux de sa lignée, et qu'il méprise sa propre famille ; parce que, ayant soif de reconnaissance, il agit sans tenir compte des autres... tel est le visage de l'homme qui se perd.

Tel est le visage de Devadatta.

Enfant, lorsqu'il jouait avec moi, une fois l'an, pour la fête de Kalighat[1], il me faisait déjà les pires misères.

Devadatta a toujours été, depuis son plus jeune âge, un solitaire dont le caractère taciturne, malgré l'étrange beauté qui était la sienne, frappante et profonde, intimidait les filles. Quoique fort nombreuses à être attirées par son apparence physique, il n'est jamais parvenu à séduire une seule femme ni à se marier, car la méchanceté engendre la solitude.

Il sait que je sais qu'il me hait.

Cela fait des années que je n'ai pas revu Devadatta ; et son arrivée inopinée ne me dit rien qui vaille.

Ananda est du même avis, qui me souffle à l'oreille :

— Méfie-toi de lui, Siddhãrta !

— Siddhãrta, je compte sur toi pour m'expliquer les Quatre Stades de la Méditation Dhyãna, me lance Devadatta.

Sans ce regard en coin qui n'ose affronter le mien, il passerait presque pour un guerrier valeureux, avec son casque luisant de cheveux noirs et lisses, soigneusement noués par un chignon au sommet du crâne.

1. Fête annuelle de la déesse mère Kali.

— L'Éveillé a passé la nuit à méditer. Il est fatigué. Pourrais-tu revenir tout à l'heure ? lui demande Ananda, qui vient de se baisser pour ramasser sur le sol un caillou coupant, de peur, probablement, qu'il ne blesse mes pieds nus.

Au passage, je remarque qu'il s'est emparé d'un noyau d'abricot qu'il glisse dans sa toge.

— J'ai le droit, moi aussi, d'entrer dans le Courant, comme les autres. Ce n'est pas toi qui m'en empêcheras, Ananda ! rétorque Devadatta, hors de lui.

— Loin de moi de vouloir te priver de la Noble Voie... L'Éveillé a simplement besoin de prendre un peu de repos ! rétorque Ananda qui fait écran entre Devadatta et moi, comme s'il voulait me protéger.

Tandis que Devadatta, furieux, s'éloigne, je vois s'approcher le moine Subhũti qui tient par la main une jeune fille aux traits fins dont le sari en lambeaux est noir de crasse.

— Cette enfant voulait rencontrer l'Éveillé... Ses parents habitent dans un quartier pauvre de la ville.

Je pose ma main droite sur le front de la jeune fille qui ne paraît, au demeurant, nullement intimidée.

— Pourquoi avez-vous ramassé ce noyau, maître Ananda ? demande l'adolescente, à laquelle le geste de mon cousin bien-aimé n'a pas échappé.

— Ce noyau, une fois planté dans la terre, donnera un arbre qui, à son tour, produira un fruit qui contiendra également un noyau.

— Et ainsi de suite !

— Ananda aurait pu dire aussi, ajouté-je, que tout part de l'« avant-noyau », lequel conditionne le noyau, qui conditionne l'arbre, lequel conditionne le fruit ! Voilà ce que j'appelle la « Production conditionnée », c'est-à-dire l'enchaînement des causalités.

— Je constate que l'Éveillé est un grand savant...

En ville, on parle de vous en des termes très élogieux : on vous appelle Sage parmi les Sages, murmure l'adolescente en se prosternant devant moi.

— L'Éveillé Gautama est bien un Sage parmi les Sages. Il nous aide, en fait, à percevoir les choses sous un autre angle : la réunion avec ce qu'on n'aime pas, la séparation d'avec ce qu'on aime, l'inassouvissement de ses désirs, les cinq agrégats d'appropriation qui constituent, temporairement, la personne et peuvent amener celle-ci à l'autodestruction... explique Ananda, désormais complètement à l'aise avec la doctrine du Dharma.

— Au fait, on raconte que Gautama l'Éveillé enseigne le détachement du monde...

— C'est exact, sans détachement, tout n'est que contrainte, sujétion et donc, aliénation de l'être humain ! répond Ananda

J'observe cette jeune fille.

Sagement assise comme un élève devant son professeur, elle paraît boire les paroles d'Ananda.

Je leur lance en riant :

— Petite fille, à l'instar d'un excellent élève, tu es déjà un puits de science ! Quant à toi, Ananda, tu es devenu un excellent professeur.

— En ville, il se dit que vous êtes le médecin des âmes, maître Gautama l'Éveillé ! Vous commencez par décrire la maladie, puis vous l'expliquez, avant de délivrer les remèdes pour la guérir ! poursuit l'adolescente.

— J'essaie de faire de mon mieux pour indiquer la Voie du Salut à mes semblables.

— Il se prétend aussi que vous avez dompté le cobra que des brahmanes abritaient dans une hutte pour garder leur feu et que vous êtes capable de fendre le bois rien qu'en le regardant ! Est-ce vrai ? s'enquiert la jeune fille.

Je lui réponds :

— Il faut se méfier des « on-dit », ma chère enfant...

— Moi, par exemple, je ne crois pas un mot de ces sornettes de demeuré ! lance d'un ton aigre Devadatta qui a tout entendu, dissimulé qu'il était derrière un arbre.

Mon lointain petit cousin a toujours l'air aussi énervé.

— Que faisais-tu caché derrière ce cyprès, ô Devadatta ? lui demande Ananda.

— Je vérifiais le bien-fondé du Dharma tel qu'il est prêché par Siddhãrta ! rétorque Devadatta avant de tourner les talons pour s'enfoncer à grands pas dans la jungle.

— Cet homme ne changera jamais ! Comment peut-on porter en soi une telle haine ? gémit Subhũti qui connaît bien le caractère de Devadatta, étant originaire de la même ville que lui.

— Qui est cet individu ? Pourquoi a-t-il l'air si méchant ? s'enquiert alors l'adolescente d'un air triste.

Je lui réponds :

— C'est un homme sans bienveillance... Il s'appelle Devadatta. Quand les hommes souffrent trop, ils peuvent devenir très méchants...

28

Rahula et Mahãprajapati me rejoignent

Une année de plus est passée.

Il fait déjà nuit noire et la Samgha tout entière s'apprête à aller se coucher à même le dallage encore chaud de cet immense temple en ruine où nous avons trouvé refuge.

Une fois par an, je réunis l'ensemble de ceux qui ont bien voulu se joindre à moi pour échanger nos expériences, faire le point et répondre à leurs éventuelles questions.

C'est une foule de près de quatre cents adeptes qui s'est ainsi rassemblée dans cette vaste cour au dallage de pierre envahi par les herbes folles.

Je suis en proie à une douce somnolence, assis au pied d'une des rares colonnes encore debout.

À côté de moi, je devine la présence de Shãriputra et de Maudgalyayãna.

Cela fait quelque temps déjà que j'ai demandé à ces deux fidèles disciples de m'épauler pour les questions d'intendance [1].

1. Le premier deviendra, après la mort du Bienheureux, le fondateur du Theravada, et le second celui du Mahayana (le Mahayana, ou Grand Véhicule se différencie du Hinayana, ou

À force de marcher, de manger frugalement et de boire peu, la fatigue gagne l'organisme qui met plus de temps à récupérer. Le concours de ces deux moines m'est très précieux. Il me permet de me consacrer de façon pleine et entière aux sermons que je dois prononcer presque quotidiennement devant des foules de plus en plus nombreuses, auxquelles je m'efforce d'expliquer en termes simples et intelligibles la bonne façon d'appréhender les Nobles Vérités.

Quand je suis face à ce genre d'auditoire, composé essentiellement de pauvres gens qui ne savent même pas tenir un calame, je dois éviter de les heurter par la subtilité de la doctrine ; aussi ai-je l'habitude de leur décrire le cheminement de la connaissance et de la pensée en le comparant au singe qui progresse de branche en branche, d'un arbre à l'autre.

Lorsqu'on vient me dire : « Maître, je ne suis pas assez intelligent pour comprendre ce que tu as dit », je réponds invariablement :

— Il faut se méfier de la pensée ! À peine se forme-t-elle qu'elle est déjà dissoute... L'appréhension des Nobles Vérités n'est pas affaire d'intelligence mais essentiellement de bonne volonté ! Si certains de mes propos demeurent obscurs, je suis prêt à y revenir !

Généralement, cette manière de procéder produit d'excellents résultats.

Qu'il s'agisse de membres des castes les plus nobles ou encore d'intouchables, ils sont chaque jour plus nombreux à venir trouver mes disciples, à la fin du sermon, pour leur demander la faveur de les accepter parmi nous !

Au moment où je sens que je ne vais pas tarder à

Petit Véhicule, héritage du bouddhisme primitif, en prônant, contrairement à ce dernier, que le Salut est accessible aux laïcs).

m'assoupir, affalé contre ma colonne, j'entends une voix familière :

— Mon petit Siddhãrta, je suis venue te supplier de me laisser entrer dans la Samgha !

J'ouvre un œil.

Quelle n'est pas ma surprise de constater que la douce voix en question est celle de Mahãprajapati, ma tante et mère adoptive.

Je pousse un cri de joie.

C'est bien elle, la sœur cadette de Mãyãdevi, qui se tient devant moi, toujours égale à elle-même, à peine un peu plus grosse. Les reflets gris qui atténuent la noirceur de sa chevelure confèrent à son visage un air encore plus doux qu'il n'était déjà lorsque je venais me blottir dans ses bras.

Au côté de cette femme, dans les bras de laquelle il s'est également si souvent réfugié quand il était enfant, se tient Ananda, qui porte une lanterne sans laquelle Mahãprajapati eût à coup sûr trébuché sur les racines qui, tels des serpents, parcourent le sol autour du temple en ruine.

Je la serre longuement contre moi et lui dis :

— Heureux de te revoir, ô Mahãprajapati ! Que fais-tu là, ô sainte femme ?

Ananda enfonce la pointe inférieure de sa torche dans une branche de l'arbre, tout contre la colonne au pied de laquelle j'étais assis quelques instants plus tôt.

Mahãprajapati porte une robe coupée dans le même tissu jaune que celui des moines. Elle ôte le châle qui lui recouvre la tête, dévoilant son crâne rasé. Je remarque aussi que ses jambes sont toutes gonflées par le long trajet, qu'elle a sûrement effectué à pied, depuis Kapilavastu.

— Je suis venue te supplier de me laisser entrer dans la Samgha, répète-t-elle d'une voix brisée par l'émotion et le recueillement.

Je lui réponds :

— Tu n'es pas sans savoir que je suis réticent, petite maman... La vie monastique est déjà difficilement supportable pour les hommes.

Je n'ose pas lui expliquer, de peur de lui faire de la peine, que je n'ai jamais envisagé d'autoriser l'entrée de femmes dans la Communauté.

— Ce n'est pas le moment de lâcher sur un point aussi essentiel ! me murmure Shãriputra, qui a dû voir mon air embarrassé.

Ce moine auquel j'ai confié la tâche de veiller au respect des règles de fonctionnement de la Samgha a pour habitude de pousser la rigueur à l'extrême.

— Ne sois pas si péremptoire, Shãriputra. C'est le type même de décision que prendra seul Gautama. Tu peux lui faire confiance. Il agira comme il faut ! souffle Ananda.

— Je connais tes réticences, ô mon Siddhãrta l'Éveillé. La Samgha n'est toujours pas accessible aux femmes. À Kapilavastu, quand je suis partie pour te retrouver, tout le monde m'a mise en garde. Pour autant, tes réticences, je ne me les explique pas ! Pourquoi les femmes seraient-elles exclues du Courant ? s'écrie alors la vieille femme éplorée.

— Outre la dureté de la condition monastique, qui est faite d'errance, de méditation et de mendicité, le mélange des femmes et des hommes, au sein d'une même communauté, créerait forcément des problèmes. L'Éveillé a eu raison d'édicter cette règle. Revenir dessus serait fort risqué ! renchérit le moine théoricien Maudgalyayãna.

— Que je sache, une femme est un être humain, à l'instar de l'homme. Pourquoi réserver la Voie du Salut à un sexe ? N'est-ce pas une injustice ? Je t'en supplie, réponds-moi, insiste alors ma mère adoptive en se jetant à mes pieds.

— Selon moi, elle a raison ! Pourquoi la moitié de l'espèce humaine serait-elle privée de la connaissance de la Noble Voie ? Chacun, me semble-t-il, quel que soit son sexe, a le droit d'emprunter la Noble Voie ! proteste Ananda en volant au secours de Mahãprajapati.

— Ma vie est accomplie, ô Siddhãrta. Mon ventre a donné la vie. À présent, je peux tout quitter sans problème. Et puis ton propre fils ne t'a-t-il pas rejoint à son tour ? ajoute ma mère adoptive.

Effectivement, cela fait à présent plus de six mois que Rahula est entré dans la Samgha, où son zèle et sa modestie l'ont amené à devenir un efficace formateur pour les jeunes novices.

Le jour où mon fils m'a rejoint, je n'en ai pas été surpris.

Je lui avais promis, le jour du Grand Départ, lorsque nous nous étions quittés, qu'il pourrait me retrouver, s'il le souhaitait.

Dès vingt ans accomplis, Rahula, tout en prenant soin de refuser tous les partis qu'on lui présentait, n'eut de cesse qu'il n'arrachât à son grand-père l'autorisation de quitter la forteresse de Kapilavastu.

Lorsque je le vis s'approcher de moi, un soir, après un périple épuisant, ma joie fut immense. Depuis le jour du Grand Départ, il avait à peine changé ! Selon Ananda, il me ressemble trait pour trait, au même âge.

— Père, je suis venu marcher avec toi sur les routes et apprendre à connaître la Voie du Salut ! Je veux m'arracher à moi-même, m'annonça-t-il après s'être jeté dans mes bras.

J'étais tellement submergé par l'émotion de ces retrouvailles qu'il me fut impossible de retenir mes larmes.

— Bienvenue à la Samgha, Rahula ! Tu feras à

coup sûr un excellent novice ! s'exclama Ananda, avant de présenter mon fils au moine chargé de s'occuper des jeunes gens que leurs parents confiaient à la Samgha dès l'âge de dix ans.

La Communauté est désormais composée de disciples de tous âges, les plus âgés ayant le titre de « moine » et les plus jeunes celui de « novice », sachant qu'à part l'âge rien ne différencie ces hommes.

Depuis son arrivée, Rahula s'est toujours montré un élève zélé et attentif.

Toujours le premier levé, il n'a jamais rechigné à aucune corvée, qu'il s'agisse de ramasser le bois de chauffage ou de préparer l'unique repas frugal de la Communauté.

Rahula, qui a eu vent de l'arrivée de sa grand-mère, se précipite à présent vers elle.

— Mon petit Rahula, ta grand-mère Mahãprajapati a tenu à vivre la même existence que toi ! lui annonce-t-elle.

— Belle-maman, ta place est ici, à mes côtés. Tu verras, tu y seras heureuse, comme moi je suis heureux et apaisé ! lui lance mon fils.

Je dis à Mahãprajapati :

— Les conditions de vie que j'impose à mes disciples sont très dures : il faut marcher presque nu sur les chemins ; mendier sa nourriture ; se contenter de ce qu'on vous donne ; accepter les choses telles qu'elles viennent, sans se soucier de savoir si elles sont bonnes ou mauvaises. Ton corps de vieille femme est-il prêt à assumer tout cela, petite maman ?

— L'inconfort ne me fait pas peur. Regarde mes jambes. Je suis venue à pied de Kapilavastu jusqu'ici. Là-bas, ils pensaient tous que je n'y arriverais pas ! insiste-t-elle en dévoilant ses chevilles gonflées comme des sacs de sable.

— Je suis sûr que cette sainte femme se comportera aussi bien que moi dans la Samgha ! ajoute Ananda.

Autour de la lanterne fichée dans la branche de l'arbre, les papillons de nuit font la ronde.

Sous cet éclairage tremblotant, les visages de ceux qui m'entourent paraissent palpiter comme des cœurs.

Ma mère adoptive me regarde, pleine d'espoir, puis me sourit.

La décevoir serait absurde.

Les règles, qu'elles soient monastiques ou juridiques, dès lors qu'elles gouvernent l'accessoire et non l'essentiel, sont faites pour évoluer.

Les points de vue émis tant par Rahula que par Ananda ont achevé de me convaincre d'accepter le principe de l'entrée des femmes dans la Communauté.

Je l'annonce à Mahãprajapati qui, éperdue de joie et de reconnaissance, se jette à mon cou.

Puis Rahula conduit sa grand-mère vers un coin de la cour du temple afin de lui trouver un espace pour dormir.

À quelques pas de là, Maudgalyayãna et Shãriputra affichent une mine déconfite.

Je vais vers eux et leur dis :

— Je comprends votre étonnement devant mon changement d'attitude face à un point aussi essentiel que celui de la possibilité pour les femmes de devenir nonnes ; toutefois, je vous demanderai de réfléchir à la différence qui existe entre la foi et la rigidité. Ne croyez-vous pas que la Voie du Salut est suffisamment large pour que les femmes puissent y accéder ?

— Siddhãrta ! Tu viens de faire passer la durée de vie du Dharma de mille ans à cinq cents ans ! s'écrie alors Ananda en éclatant de rire.

— Pourquoi dis-tu ça ? lui demande Shãriputra.

— Désormais, grâce à la présence des femmes, nous

serons deux fois plus nombreux dans la Samgha pour arriver au bout du Dharma !

Que j'aime cette façon légère qu'a mon cousin Ananda de parler des choses les plus graves...

29

Le roi Bimbisāra et son médecin

La plante de mon pied gauche est en train de s'infecter et cela m'oblige à une brève halte à Rajghir, la capitale du beau royaume de Maghada, pour cautériser la plaie avec une bouillie de plantes médicinales.

Je me tiens sous le porche d'un somptueux palais de brique rose, dont l'élégante façade courbe est percée d'innombrables fenêtres.

Aussi l'appelle-t-on ici la « Maison des Mille Vents ».

Un petit homme en sort, un drap de coton jaune vif enroulé sous le bras.

Dès qu'il m'aperçoit, il se précipite vers moi.

— Prends cette étoffe ! Touche-la et prends-la. Elle te siéra ! me supplie-t-il.

Puis il me tend le drap de coton jaune qu'il vient de déplier.

— Tu veux vraiment me voir changer de haillons ?

— Il n'est pas convenable, quand on est Éveillé, de s'habiller comme un miséreux ! Cette étoffe neuve est à toi. Fais-moi l'honneur de l'accepter.

Il est vrai que, depuis que ma tunique coupée dans le vêtement du chasseur de gazelles est tombée en loques, je me contente de lambeaux d'étoffes trouvés dans les décharges publiques que j'attache les uns aux autres, avant de les enrouler autour de ma taille et de mes épaules.

Je réponds à cet homme :

— Quand on prêche le dénuement, il n'est pas mauvais d'en donner soi-même l'apparence !

— Il y a longtemps que je voulais accomplir ce geste auprès de toi, mais je n'ai jamais osé t'aborder ! ajoute l'homme qui vient de m'interpeller.

C'est alors qu'il décline son identité. Il s'appelle JîvakãKomarabacca et sert de médecin personnel au roi Bimbisãra du Maghada, lequel habite dans le palais de brique rose.

— Daigne accepter cette offrande, ô Éveillé, et tu me combleras, insiste le médecin du roi, avant de s'agenouiller à mes pieds.

Je lui dis :

— C'est bon. Je suis d'accord. Tu es un homme de bien et je ne voudrais pour rien au monde te faire de la peine...

Puis j'ôte mes hardes, avant d'enrouler mon corps décharné dans l'étoffe neuve.

— Le médecin des corps que je suis n'est rien, ô Gautama l'Éveillé, comparé au médecin des âmes que tu es ! soupire JivakãKomarabacca.

— Chacun doit agir le mieux possible, quels que soient son métier et sa fonction dans la société. Et je ne doute pas qu'il en soit ainsi pour ce qui te concerne.

— Veux-tu que je te masse les jambes ? Je constate que tu as la plante du pied gauche en sang. J'ai un onguent très efficace, dans cette pochette... ajoute le médecin du roi en ouvrant un pot dont il me fait sentir l'odeur camphrée.

— Accepte sa proposition ! Cela fait des semaines que tu peines sur les chemins ! Si l'infection ne cesse pas sous ton pied, elle risque de remonter tout le long de ta jambe ! me supplie Ananda qui n'a pas perdu une miette de notre conversation.

J'opine de la tête.

— La pommade est à base de camphre, de miel et de gel d'arnica ! précise le praticien, qui masse longuement la plaie infectée avec sa paume préalablement enduite d'onguent.

Puis il ajoute :

— Maître Gautama, je voudrais apprendre ta doctrine par cœur pour la réciter à mon tour à mes enfants. J'ai de la mémoire, je suis médecin. Au cours de nos études, nos professeurs nous ont fait apprendre par cœur des milliers de pages. Et je les ai toutes retenues...

— La doctrine n'est qu'un moyen, pas une fin ! Pour traverser un fleuve, quand il n'y a pas de pont, on utilise un radeau. Ce radeau, ô mon ami, qu'en feras-tu, lorsque tu auras atteint l'autre rive ?

— Je ne sais pas trop si je le porterai sur ma tête ou bien sur mon dos, me répond le médecin.

— Eh bien, pour ce qui me concerne, je le laisserai à terre, sur la rive où je viens d'accoster, à la disposition d'autrui. La Vérité que j'enseigne est comme un radeau : elle permet de traverser les fleuves où les hommes se noieraient s'ils n'en disposaient pas. Ma doctrine n'est pas faite pour être portée ni gardée pour soi. Elle n'est qu'un moyen de trouver la Sainte Voie et surtout pas une fin en soi !

— Mais si le courant emporte le radeau à un autre endroit, que se passe-t-il ? s'enquiert JivakãKomarabacca.

— Laisse-toi porter par le courant du fleuve... Tu verras bien jusqu'où il t'emmènera...

— N'est-ce pas faire preuve de faiblesse que d'agir ainsi ?

— Qu'est-ce que la faiblesse ? Qu'est-ce que la force ? Accepter les choses telles qu'elles sont et ne pas en avoir peur : tel est le début de la vraie sagesse. Elle seule permet de surmonter les Cinq Obstacles qui forment la masse des choses néfastes !

— Quels sont les Cinq Obstacles ? Je t'en supplie, dis-le-moi ! s'exclame, implorant, le médecin du roi.

Je dis :

— Les Cinq Obstacles sont la convoitise, la colère, la torpeur, l'agitation et le doute. Tels sont les Cinq Obstacles !

Alors Jivaka prend congé, éperdu de reconnaissance, en m'informant qu'il compte bien faire part au roi Bimbisãra des propos que je viens de lui tenir.

Deux jours plus tard, à la grande surprise des moines de la Samgha, arrive à l'ermitage un cortège d'éléphants harnachés d'or et de pierreries dont le plus gros porte le palanquin royal.

— Le grand roi Bimbisãra du Maghada a souhaité venir te rendre hommage ! m'explique le médecin avant de se prosterner devant moi.

— C'est la première fois qu'un roi accomplit une telle démarche auprès de l'Éveillé ! s'écrie, ravi, l'aîné des frères Kaçyapa, qui n'est pas insensible aux honneurs, surtout lorsqu'ils sont rendus par les puissants.

Je dis à Mahãkaçyapa :

— Je n'ai pas à savoir si un tel est un roi ou bien un pauvre cultivateur, ou encore un soldat sanguinaire. J'accueille sans aucune exclusive tous ceux qui cherchent à connaître le chemin de la Noble Voie !

À l'ombre d'un bosquet de canneliers, je m'entretiens avec le grand roi du Maghada.

— Qu'est-ce qu'un roi de mon espèce, à mille lieues du renoncement, hélas pour lui, peut faire pour toi, ô Éveillé ? me demande cet homme de pouvoir, pour lequel la fin justifie toujours les moyens.

Je lui réponds :

— Méditer et prier. Car c'est par la foi qu'on traverse les courants ; car c'est par la diligence qu'on franchit l'océan ; car c'est par l'énergie qu'on expulse la souffrance ; car c'est par la sagesse qu'on obtient la pureté.

— N'as-tu pas une demande plus précise à formuler au roi du Maghada ? Il suffit que je hausse un sourcil et toute ma cour m'obéit !

— Si tu pouvais nous procurer du tissu ocre, cela permettrait à la Samgha d'habiller ses moines et ses nonnes...

— Ton désir est un ordre pour moi ! me lance le roi qui, dès le lendemain, revient, accompagné d'un éléphant chargé de ballots de tissu orangé.

Alors, je convoque l'ensemble de la Samgha et je dis à mes disciples :

— À partir d'aujourd'hui, votre habillement se composera de trois parties superposées et indépendantes les unes des autres : l'antaravãsaka, un linge formé de cinq pans, enroulé autour des hanches et des cuisses ; une robe sans doublure, l'utarasanga, formant le dessin d'une rizière ; enfin, le manteau de dessus, ou sanghati, doublé celui-là, pour résister aux intempéries !

À l'appui de mes propos, je fais dérouler à Ananda l'un des morceaux de tissu apportés par le roi de Rajghir, puis je le coupe et le dispose sur le corps de mon fils, le novice Rahula, afin de montrer à tous les autres la bonne façon de procéder.

— Pourquoi l'utarasanga représente-il un champ de riz ? me demande le souverain.

— Pour nous rappeler l'importance des rizières ; s'ils ne disposaient pas de riz, ceux qui nous font l'aumône seraient bien en peine de pourvoir à nos besoins...

— J'ai vécu cinq grands espoirs ; j'ai espéré qu'un jour je serais roi ; j'ai espéré qu'un jour le Bouddha daignerait venir en mon royaume ; j'ai espéré qu'un jour je le contemplerais ; j'ai espéré qu'un jour il m'enseignerait sa Loi ; j'ai espéré qu'un jour je lui dirai ma foi. Et voilà que ce jour est là ! J'ai foi en toi, Seigneur ! J'ai foi en ta Loi ! s'exclame le roi Bimbisãra.

— Puis-je revêtir la tunique ocre et me plonger dans le courant ? murmure de son côté Jivaka-Komarabacca.

Une semaine plus tard, le roi du Maghada revient me voir.

— J'ai un jardin pour toi ! me dit-il.

— La Samgha ne possède rien.

— Je t'en supplie, accepte que je te donne le jardin de plaisance de Veluvana ! C'est la seule bambouseraie de la région. J'y tiens comme à la prunelle de mes yeux. Fais-moi l'honneur d'accepter !

Le roi me fait visiter la bambouseraie où ses jardiniers élèvent toutes les variétés de cannes, dont certaines, rarissimes, à tronc noir et rouge.

Je remercie Bimbisãra pour sa générosité.

Il me répond :

— Donner à la Samgha est pour moi une grande chance !

Puis il s'en va.

30

L'ombre et le mur

Avec la fin de la mousson, les pluies ont cessé.

Les routes, qui étaient transformées en ruisseaux et en mares, sont à nouveau praticables.

Nous avons quitté Srãvasti, au bord de la rivière Rãpti, où de riches dévots ont fait aménager dans un luxuriant jardin des pavillons de repos à l'usage de nos méditants.

Cela fait trois jours que nous marchons vers le nord, sous le soleil brûlant, Ananda et moi, en suivant un chemin encombré de charrettes traînées par des ânes, remplies de melons ou de cannes coupées.

Nous projetons de nous rendre à Kaùsãmbi, la capitale du royaume des Vatsa, construite au pied d'une haute falaise dans laquelle s'ouvre une grotte. Les habitants de Kaùsãmbi sont persuadés qu'elle est habitée par des divinités maléfiques.

Je compte profiter de ce périple effectué à deux pour faire le point sur l'année écoulée.

La Samgha est à présent forte de deux bons milliers de disciples bhiksu et bhiksuni [1].

Pour permettre à cette communauté de vivre en paix

1. Bhiksu : « moine » en sanskrit ; bhiksuni : « nonne ».

avec elle-même, j'ai édicté les Cinq Défenses : le meurtre, le vol, les unions sexuelles illégitimes, le mensonge et l'abus des boissons enivrantes sont interdits.

La haine ne peut être détruite par la haine ; elle ne peut être détruite que par l'amour.

Mes disciples qui restent laïcs s'engagent à vivre en respectant les Cinq Défenses : ils n'ont pas à renoncer à tous leurs biens matériels ni à vivre exclusivement d'aumônes.

De ce fait, ils seront encore loin de la Délivrance mais, sous réserve d'avoir accompli de bons karmans, ils pourront espérer renaître en devenant des moines, puis des Saints Arhants, et connaître à leur tour l'Extinction et la Délivrance au sein du nirvãna.

À mes moines, je demande plus, et notamment la chasteté absolue.

Je leur demande également de ne jamais élever la moindre protestation quand on leur refuse l'aumône. Ils doivent passer leur chemin et continuer à mendier jusqu'à ce qu'ils trouvent la bonne âme qui voudra bien leur faire la charité.

La plupart des disciples acceptent.

D'autres, probablement entrés dans le Courant par erreur ou pour de mauvaises raisons, ont davantage de mal à comprendre les règles de la Samgha.

À ceux-là, j'essaie d'expliquer :

Que sont ces simples règles de vie, dès lors qu'on les compare au Dharma, la Loi du Monde, la Loi qui « porte » le Monde ? Comment mes disciples pourraient-ils se conformer au Dharma s'ils rechignaient à appliquer les règles de la Samgha ?

À l'approche de la falaise hantée, je constate qu'Ananda a l'air à moitié rassuré.

— Certains disent que la grotte de Kaùsãmbi est

habitée par de terribles dieux ! Tu es sûr que ce n'est pas dangereux de vouloir pénétrer ainsi dans le ventre de cette montagne ? me répond-il, lorsque je lui demande la raison de son inquiétude.

— Nous verrons bien !

Il insiste :

— Pourquoi aller si loin ? Tes pieds sont blessés et tes chevilles enflées.

— Il est bon, de temps à autre, de se retirer loin du monde, y compris de celui de la Samgha. Et puis il faut que les disciples s'habituent au temps où je ne serai plus là...

À ces mots, le regard d'Ananda s'obscurcit, comme si imaginer une telle issue lui était très douloureux.

L'entrée de la grotte de Kaùsãmbi s'ouvre dans la paroi d'une falaise immense qui domine l'endroit où les eaux de la rivière Jamnã et celles du fleuve Gange se rejoignent, mélangeant leurs couleurs et leurs énergies.

Parfaitement vide est l'azur insondable du ciel ; parfaitement blanche est la roche calcaire, et parfaitement noir le trou de l'antre.

La paroi rocheuse est abrupte comme un mur ; pour monter jusqu'à la grotte, on emprunte un escalier taillé dans la falaise.

J'annonce à Ananda :

— C'est ici que je ferai retraite pendant quelques semaines !

Sur l'entablement rocheux de l'entrée ont été posés des plateaux d'offrandes remplis de mangues, de bananes et de grains de blé.

L'intérieur de l'antre est si sombre pour nos yeux éblouis par la lumière du soleil que nous avons l'impression d'entrer dans le néant.

La grotte de Kaùsãmbi ne se laisse découvrir

qu'après une longue période d'accoutumance. Ses parois sont noircies par les fumées des bougies allumées par des dévots venus s'y recueillir. Il y règne cette légère senteur de moisissure caractéristique des lieux où la lumière du jour ne pénètre jamais. Curieusement, cette odeur, parfaitement perceptible malgré la présence de bougies éteintes dont la cire mélangée à de l'encens embaume l'atmosphère, ajoute à ces effluves si riches et entêtants un note discrète mais tenace, reconnaissable entre toutes : celle de la pénombre.

Une fois mon regard habitué à l'obscurité, j'avise une pierre plate comme une table, de forme circulaire, légèrement surélevée par rapport au sol ; sur ce plateau de pierre, des paniers de fruits ont été déposés par des mains anonymes.

Quant à la paroi de la grotte, elle est verticale et lisse comme un mur.

Je tente de regarder jusqu'où elle monte. C'est inutile : le plafond de l'antre se dissout dans les ténèbres du vide, où j'entends le battement des ailes des chauves-souris.

Toutes les grottes sacrées se ressemblent.

— Pour quel usage ces cierges éteints sont-ils là ? me demande Ananda d'une voix angoissée.

— Ils honorent les dieux de la montagne.

— À qui profitent toutes ces offrandes ?

— Aux singes qui hantent cette falaise ! Regarde un peu ! Il y en a partout à l'entrée de la grotte !

Au moment où nous ressortons, une mère, son petit agrippé à son ventre, part en courant se blottir derrière un rocher. Un peu plus loin, trois ou quatre primates passent une tête hors du renfoncement où ils sont cachés.

— Tu as vraiment l'intention de faire retraite ici,

dans ce lieu sombre et humide investi par les singes ? me demande, inquiet, Ananda.

Je dis :

— Les animaux sont soucieux, comme nous, des conséquences de leur karma. Les insectes espèrent renaître dans des singes qui espèrent à leur tour revivre sous une forme humaine ! Ces primates auront à cœur de se comporter en conséquence. Je n'ai, à cet égard, aucune crainte.

— J'entends bien rester ici avec toi ! Ils risquent de t'attaquer. Il arrive que des singes dévorent des humains !

— Ton dévouement me touche, Ananda, mais j'ai besoin d'être seul. Va donc te reposer dans l'ãsara à l'usage des méditants que ce riche dévot a fait construire sur les berges de la rivière Rãpti.

— Permets-moi au moins de revenir dormir le soir, devant l'entrée de la grotte. Ainsi, en cas de besoin, tu n'auras qu'à m'appeler...

Je retourne seul à l'intérieur.

Je pose mes mains sur la roche grise ; elle est ridée comme une peau d'éléphant et me fait penser à la fable du roi nommé Face de Miroir.

Un jour, ce roi demanda à des aveugles de naissance s'ils connaissaient les éléphants. Non ! répondirent en chœur les aveugles. Alors, Face de Miroir fit amener un pachyderme devant les aveugles et leur proposa de le toucher avec leurs mains pour le décrire ensuite. L'un des aveugles prit la trompe, l'autre la queue, un troisième une défense, un autre une patte, un autre la cuisse et ainsi de suite. Décrivez-moi cet éléphant ! demanda alors Face de Miroir à ces hommes qui venaient tous de tâter le corps du pachyderme. À quoi ressemble-t-il ? À un timon recourbé ! s'exclama celui qui avait pris la trompe ; à une couverture ! expliqua celui qui avait agrippé une oreille ; à un pilon ! précisa celui qui s'était appuyé sur une défense ; à la colonne d'un temple ! ajouta celui qui avait failli être écrasé par une patte. Les descriptions se suivaient et ne se ressemblaient pas ; tant et si bien que les aveugles en vinrent à se quereller, en s'accusant mutuellement d'avoir tort. Alors, Face de Miroir s'écria : Pauvres aveugles, vous vous êtes tous fourvoyés ! Le corps de l'éléphant est unique. Vous n'en avez appréhendé qu'une partie !

Qui croit embrasser toute la Vérité n'en perçoit souvent qu'un des aspects !

Je vais m'asseoir sur la pierre plate.

Je suis face à la haute paroi rocheuse.

Méditer, pour moi, n'est plus difficile. C'est même devenu un geste naturel.

La lumière parvenue de l'entrée de la grotte projette à présent l'ombre de ma silhouette sur le mur de pierre.

Je pose doucement mes lèvres sur la muraille, sur cette peau d'éléphant minérale, et je dis à haute voix :

— L'ascète errant vit en plein air en suivant une route de lumière, tandis que l'opprimé vit à la maison en suivant un chemin poussiéreux. Le Tathãgata s'abstient du meurtre des êtres vivants, dépose les armes, demeure plein de pitié, de bienveillance et de compassion pour les êtres vivants, s'abstient de voler et de mentir ; il n'use pas de la parole grossière ; il réconcilie ceux qui sont désunis et se plaît à encourager l'union ; il abandonne les propos frivoles au profit des paroles opportunes ; il s'abstient d'acheter et de vendre ; il s'abstient de blesser, de percer et de couper ; il est pleinement satisfait de son sort et ne possède pour tout bien que son vêtement, tout comme l'oiseau n'emporte que ses ailes, là où il vole ; il n'agit qu'en connaissance de cause, et en pleine conscience, qu'il avance ou qu'il recule, qu'il étende ou replie ses membres. Alors, ayant abandonné toute agitation et tout regret, la pensée de l'ascète, désormais détachée de toute passion, peut commencer sa méditation et en franchir les Quatre Stades.

Je dis aussi :

— Le silence et l'intériorité participent de la connaissance : la tranquillité silencieuse permet à la conscience de se développer. Seule la conscience permet de remettre les désirs à leur juste place pour mieux les abandonner. L'intériorité permet à la sagesse de se développer. Seule la sagesse permet de couper les racines de l'ignorance.

Je dis :

— Pour atteindre la sagesse, l'ascète reste assis en croisant les jambes, le buste posé bien droit, à l'image de sa pensée ; alors, il peut s'exercer aux Quatre Applications de l'attention sur le corps, sur les sensations, sur la pensée et sur les idées. Être attentif à son corps est le plus facile : tu expires et tu inspires longuement, afin de prendre conscience de ton corps ; tu dois être à la fois « dans » ton corps et « à l'extérieur » de celuici ; tu dois te voir manger, boire, dormir, marcher, parler, et ce en parfaite conscience ; tu dois également considérer ton corps tel qu'il est : composé d'éléments instables, soumis à l'impermanence et voué à la mort ; être attentif aux sensations consiste à prendre conscience de toutes les sensations que tu ressens, qu'elles soient bonnes ou mauvaises, agréables ou désagréables, charnelles ou spirituelles ; être attentif à la pensée doit te conduire à détacher ta pensée de toute passion, qu'il s'agisse de la pensée erronée ou exacte, de la pensée inférieure ou suprême, la pensée délivrée ou sujette. Être attentif aux idées est bien plus difficile : il faut laisser cheminer ton esprit à travers le monde des idées jusqu'à ce qu'il ne soit plus qu'une simple réminiscence et tu déconstruiras mentalement tout ce que tu as appris...

Quand je rouvre les yeux, une fois ma méditation achevée, je constate que ma silhouette se détache sur la pierre avec une netteté incroyable.

Et lorsque je m'en éloigne – ô surprise ! – l'image de mon ombre reste fixée sur le mur de pierre...

31

Devadatta me poursuit de sa haine

Devadatta, pourquoi as-tu toujours la haine au cœur ? Pourquoi cherches-tu ma mort ?

Pourquoi, Devadatta, es-tu allé jusqu'à m'accuser, devant l'assemblée de mes moines, d'avoir laissé perpétrer une tuerie des miens sans réagir ?

Il y a deux mois lunaires que Prasenajit, le roi du pays de Kosàla, fut tué par son fils Virudhãka.

Virudhãka avait appris que les nobles Çãkya – le clan de ma famille –, peu désireux de donner au roi du Kosàla une de leurs propres filles, avaient envoyé à son père en guise d'épouse une simple esclave, laquelle devait devenir sa mère ! Furieux de découvrir ce secret qu'on lui avait toujours caché, Virudhãka s'est acharné contre son père à la machette et a cru bon, au passage, de massacrer plusieurs membres du clan Çãkya, coupable à ses yeux de lui avoir donné une mère indigne.

Et voilà que tu me reproches de ne pas avoir réagi ?

Qu'aurais-je pu faire, avec mes mains nues, contre des lances et des épées ?

J'étais tellement anéanti et dégoûté par le procès que tu instruisis contre moi qu'à la fin de ta harangue je demeurai coi, incapable de répondre à l'invective par l'invective.

Heureusement, le moine Shubũti vola à mon secours.

— L'Éveillé ne répond pas à la violence par la violence ! Tes remarques acerbes ne trouveront pas le moindre écho au sein de la Samgha... te rétorqua-t-il, alors que tu étais furieux de constater que ton offensive faisait chou blanc.

— L'Éveillé n'est pour rien dans cette histoire tragique. C'est Virudhãka qui mériterait d'être jugé par un tribunal. D'ailleurs, avec un tel karman, il n'est pas près de quitter le Samsãra ! ajouta Ananda, te clouant définitivement le bec.

Ta félonie, Devadatta, n'ayant pas de limites, c'est d'eux-mêmes que les moines ont procédé à ton exclusion de la Samgha !

Je n'y suis pour rien.

De moi-même, je ne l'aurais pas fait, considérant que le premier que tu punissais, en agissant de la sorte, c'était toi !

Puis tu crus avoir trouvé l'instrument de ta vengeance en la personne d'Ajatassatru, le fils unique du roi Bimbisãra.

Je sais comment tu t'y es pris pour fasciner Ajatassatru : tu lui montras tes iddhi [1]...

Ainsi gagnas-tu sa confiance, dès votre première rencontre, sur une vaste pelouse soigneusement roulée par les jardiniers du palais de Bimbisãra, où le fils aîné du roi du Maghada aimait à disputer des parties de croquet avec ses camarades.

— Salut à toi, ô Ajatassatru ! avais-tu lancé au prince, en te doutant de sa réaction.

1. Mot à mot « suprématie de l'esprit sur la matière », talents dont disposent les plus grands maîtres du yoga et qui leur permettent de transformer leur apparence ou d'entrer en lévitation.

— Comment connais-tu mon nom ? t'avait-il effectivement demandé.

— Qui n'a pas entendu parler du fils du grand roi Bimbisãra !

Ajatassatru avait regardé avec méfiance cet inconnu qui venait de l'interpeller au mépris de toute étiquette. Il n'aimait pas être dérangé, ce prince gâté et capricieux, surtout quand il était en train de gagner.

Très vite, ses serviteurs, qui jouaient aux cartes au pied d'un manguier, étaient accourus afin de chasser l'intrus qui avait osé s'adresser directement à leur maître. Car malheur à eux s'il était arrivé le moindre problème au prince héritier du royaume du Maghada, le roi Bimbisãra ne le leur eût pas pardonné !

Voulant en savoir plus sur cet individu culotté, le prince avait fait signe à son escorte de ne pas intervenir.

— Qui es-tu pour t'adresser ainsi à moi alors que nous n'avons pas été présentés ?

— Le yogi Devadatta, pour te servir, ô Ajatassatru ! lui avais-tu répondu crânement.

Le prince avait été frappé par ton apparence et surtout par la lueur de tes yeux, que tu avais pris soin de renforcer par un trait de khôl.

Comment le naïf Ajatassatru pouvait-il deviner que derrière ces yeux en amande candides, des yeux de séducteur, derrière ce visage fin à l'ovale parfait, se cachait un voyou de la pire espèce ?

Plus Ajatassatru te regardait et plus il te trouvait beau !

— En quoi consistent tes iddhi, ô Devadatta le yogi ? te demanda-t-il d'une voix émue.

— Je sais me transformer en tigre sauvage ; je sais flotter dans les airs, sans l'aide d'aucun appui.

Le mensonge ne te faisait pas peur...

— Des deux iddhi, tu me permettras de préférer le second. Je n'ai aucune envie de me faire dévorer tout cru ! te précisa le prince, et cette repartie plaisante déclencha l'hilarité de son escorte.

Après avoir inspiré et expiré à fond, puis effectué les exercices préliminaires adéquats, tu lui fis croire que tu étais entré en lévitation. Comment ? Par quel subterfuge ? Cela demeure un mystère pour moi...

Le prince raconta à qui voulait l'entendre – et c'est ainsi que cela revint à mes oreilles – que ton corps faisait avec le tronc de l'arbre sur lequel tu avais pris appui avec un seul coude un angle droit parfait !

— Comment fait-on pour disposer d'un tel iddhi ? avait demandé le prince, à la fin de l'exercice.

— Il faut du travail et surtout beaucoup de concentration. Je pourrais t'aider à y arriver aussi bien que moi...

— Je vois que tu portes la robe ocre des partisans de Gautama le séditieux... Est-ce lui qui t'a appris ce tour de magie ?

— Aujourd'hui, je ne côtoie plus ledit Gautama. J'ai quitté la Samgha. Je préfère habiter seul, à l'écart des autres moines. Comme tout yogi qui se respecte, j'ai aussi une vocation d'ermite.

— Où peut-on te trouver ?

— Au Pic du Vautour. J'y habite le petit ermitage situé à mi-pente.

— Ce n'est pas si loin d'ici !

— En effet. Quand comptes-tu venir me voir ? J'aurais plaisir à te recevoir ! avais-tu poursuivi, sans perdre un instant.

— Dès demain, si tu y es.

— J'y serai.

Le fils du roi Bimbisãra avait tenu parole et depuis ce jour-là, il ne se passa pas de semaine où le prince ne te rendît visite... au point que vous en arrivâtes à échanger des confidences.

C’est ainsi qu’un jour Ajatassatru finit par te confier qu’il avait hâte de succéder à son père...

Et tu sautas sur l’occasion.

— Je pourrais t’aider à réfléchir à la bonne solution pour lui succéder au plus vite. Tu le mérites...

— Que devrais-je faire pour t’y inciter ?

— J’ai l’ambition, un jour, de remplacer l’Éveillé à la tête de la Samgha...

— Donnant, donnant ?

Et sous la cime enneigée du Pic du Vautour, vous fîtes le serment, à la vie à la mort, de vous aider à atteindre chacun votre but.

À présent, je sais que tu mettras tout en œuvre pour parvenir à tes fins. Pourquoi, Devadatta, es-tu allé ainsi te perdre sur un chemin qui ne peut mener nulle part ?

Si tu savais ce que j’ai pitié de toi !

32

Upãli le barbier

L'atmosphère est si humide que toute la nature suinte, depuis les feuilles jusqu'aux troncs des arbres, en passant par les tiges de bambou et les corolles des fleurs... Quant aux flamboyants, la pluie bienfaitrice les rend encore plus enflammés qu'à l'accoutumée !

Je suis assis dans une hutte car, l'âge venant, je dois me reposer avant chaque prise de parole.

À quelques pas de moi, Upãli, le barbier qui me rasa la tête juste après mon Grand Départ de Kapilavastu, et rejoignit la Samgha trois ans plus tard, s'adresse à la foule des croyants :

— Oyez, oyez, braves gens ! Venez écouter le sermon de celui qui reçut l'hommage du Roi des nãgas, Mutchalinda, à Uruvilva, après être devenu Éveillé sous le figuier sacré ! s'écrie-t-il devant l'attroupement qui n'a pas tardé à se former devant lui.

— Ainsi Mutchalinda, le terrible nãga, serait venu en personne s'incliner devant cet Éveillé ? demande alors une matrone dont j'aperçois la face dégoulinante, qu'elle essuie avec un pan de son sari.

Elle tient dans ses bras un enfant amaigri au teint pâle.

— Il est exact que Mutchalinda le Roi des nãgas

enroula son corps sept fois autour de lui-même pour permettre à l'Éveillé de s'asseoir dessus, comme sur un fauteuil, puis de son capuchon ouvert il lui abrita la tête, comme sous un chaperon... Gautama resta ainsi sept jours et sept nuits, immobile, sans manger ni boire ! précise l'ancien barbier, avec la conviction d'un commerçant faisant l'article sur sa marchandise.

— Gautama l'Éveillé est donc plus fort que le plus fort des yogis ! lâche la matrone, les yeux exorbités de surprise.

— Il est très supérieur aux yogis les plus expérimentés... Il enseigne la Voie de la Délivrance.

— Sait-il résister à la douleur, dormir sur une planche à clous et se percer le ventre avec une aiguille ? s'enquiert la grosse femme dont la voix tremble à l'évocation de ces supplices.

— Bien plus que ça. Car il a élucidé la Loi de la Douleur et il explique aux hommes le moyen d'y échapper !

— Qu'est-ce que la Loi de la Douleur ? Je ne vois nulle Douleur en vous tous ! Dans la Samgha, vous avez l'air plutôt gais et heureux...

— Quand nous marchons sur les routes avec Siddhãrta Gautama, nous nous sentons pleinement heureux ! Quand nous voyons sourire un petit enfant aux bras de sa mère, nous nous sentons pleinement heureux ! Quand un chien errant, voyant l'Éveillé, cesse de montrer ses crocs et va lui lécher les pieds, nous nous sentons pleinement heureux ! La gaieté appartient à ceux qui savent. Une fois qu'on a pris conscience que la Duhkha gouverne le monde et qu'on a appris le chemin qui permet de s'en affranchir, on ne la craint plus, et donc on est joyeux !

Pourquoi Upãli enjolive-t-il ainsi mon Éveil pour cette femme ? La Noble Vérité n'est-elle pas beaucoup plus merveilleuse encore que ces manifestations superficielles et extérieures, dont mes disciples, pourtant, font volontiers leurs choux gras ?

Au fur et à mesure qu'il passe de bouche en bouche, le récit de l'Éveil se déforme et mes disciples embellissent tous mes faits et gestes.

Au moment où il se produisit, sous le figuier pippal d'Uruvilva, certes j'avais les yeux fermés et je priais, mais je doute fort que le dieu Mutchalinda ait été là. Et quand un chien féroce vient me faire fête, cela me semble normal. Pourquoi un animal en aurait-il après celui qui éprouve à l'égard du monde animalier autant de compassion qu'envers celui des humains ?

— Pourrais-je faire toucher par la petite main de mon enfant le bas de la robe de ce saint homme ? demande alors la matrone. Il paraît que les pauvres peuvent l'approcher sans crainte de recevoir un coup de bâton, comme cela arrive souvent avec les brahmanes, dont les assistants exigent toujours de l'argent.

Je sors de ma hutte.

Dès que la femme me voit, son visage s'éclaire.

Son enfant est au seuil de la mort. La fièvre le ronge et son front sur lequel je pose ma main est brûlant. Il a les yeux grands ouverts, mais je ne sais même pas s'il me voit. Sous la peau très fine de sa face, on devine son crâne.

Upãli continue de son côté à exhorter la foule à s'approcher pour écouter mon prochain prêche.

— Sa Merveilleuse Parole va bientôt vous être dite. Il vous racontera comment le salut des hommes ne tient qu'à eux-mêmes. La religion d'hier inculquait aux hommes la peur de la mort, la peur de déplaire aux dieux. Elle faisait d'eux de petits esclaves, dépourvus de tout libre arbitre, tels de minuscules cailloux dans leurs mains. Pour l'Éveillé Gautama, la mort n'est qu'une étape qui conduit vers la Délivrance Finale. À condition, bien sûr, de mener une vie fondée sur la bonté, la tolérance, la compassion et le respect des Cinq Défenses.

— J'ai peur que mon enfant ne vive pas ! J'ai beau supplier le dieu Indra depuis des jours, rien n'y fait ! lâche la femme en pleurs.

Je lui réponds :

— Je ne crains pas la mort. Indra qui se dit Roi des dieux, de même que Brahma, Isvara, Yama et tous les autres, qui se prétendent dieux immanents, uniques et éternels, tous ils sont soumis aux vicissitudes de l'impermanence et du Samsãra. Je le dis parce que j'ai appris à connaître le chemin de la Délivrance ! Et les dieux n'y sont pour rien !

— Indra, pourtant, n'est-il pas un grand dieu, si j'en juge par le nombre des fidèles qui se pressent à la porte de ses temples tant à la ville qu'à la campagne ?

Je réponds :

— Chaque univers du monde – et celui-ci comprend un nombre illimité d'univers – a la forme d'un cylindre qui s'étage sur quatre niveaux. Sur le disque le plus haut, au quatrième étage, il y a le mont Meru ou Sumeru, flanqué des quatre continents entourés par l'océan. À l'étage le plus bas du cylindre, celui de la concupiscence et du désir charnel, demeurent les damnés, les revenants affamés, les animaux et les hommes esclaves du désir, au-dessus desquels vivent, dans des palais célestes, les anciens dieux inférieurs de la religion védique indienne dont le chef est Indra. Entre les humains que nous sommes et ces dieux-là, il n'y a aucune rupture de continuité !

— L'étage inférieur de votre cylindre, maître Gautama l'Éveillé, me fait frissonner rien que d'y penser ! gémit la matrone dont les pupilles dilatées témoignent de la peur.

Je dis :

— Ceux qui explorent la Voie du Salut fréquentent le deuxième étage du cylindre de l'univers, celui des formes rũpa. Par rapport à lui, l'étage de la concupiscence et du désir charnel est situé tellement bas que l'individu ayant accédé à l'« étage des formes » est incapable de le voir, si bien qu'il échappe à toute tentation et à tout désir. C'est à l'étage des formes qu'on trouve les Quatre Paliers de la méditation Dhyãna qui permettent, si on les pratique correctement, de passer à l'étage supérieur. Je connais ces Quatre Stades de la Méditation pour les avoir franchis au cours de mon Éveil !

— Pourriez-vous m'aider à y accéder, ô Très Saint Homme ?

Je dis :

— Plus haut encore, juste sous le dernier étage, celui du mont Meru, se trouve celui de l'arũpya, le « monde sans formes », celui des Quatre Recueillements Immatériels, et des êtres dépourvus de corps dont la durée de vie est si vertigineuse et l'état de conscience si faible qu'ils se situent à la frontière du Néant !

— Comme on doit être heureux, à l'étage de l'arũpya, maître Gautama l'Éveillé ! s'exclame la femme désireuse de la Vérité, en même temps que meurt le fruit de ses entrailles.

Je dis à cette femme, dans les bras de laquelle l'enfant vient de rendre son dernier souffle et qui pleure à chaudes larmes :

— Pas plus heureux que malheureux. Le bonheur n'existe que par rapport au malheur. L'Éveil, c'est autre chose ! Tu dois savoir qu'il t'est possible de devenir moniale et de bénéficier de l'atout immense de te consacrer désormais à la recherche de la Sainte Voie !

Et Upãli ouvre ses bras à cette mère qui a perdu son enfant.

Telle est l'insupportable souffrance que je veux désormais éviter aux êtres, en leur indiquant la Noble Voie !

33

Je rends visite à mon père

Cela fait deux jours que je campe, en compagnie de quelques moines, non loin d'un terrain vague qui sert de dépotoir à la ville de Kapilavastu.

À un jet de pierre du cadre enchanteur où j'ai passé mon enfance, les immondices s'entassent ; dans une odeur pestilentielle à faire fuir les nez les plus aguerris, une dizaine d'orphelins en haillons et hirsutes sarclent le sol, à la recherche de la moindre miette. Lorsque les ordures sont par trop impropres à la consommation, les enfants les font brûler dans un brasier dont ils entretiennent les flammes de jour comme de nuit.

Un bambin, dont les grands yeux noirs mangent la moitié d'un visage déjà émacié par la faim, vient blottir contre mon épaule sa petite tête ronde recouverte de pustules.

Ananda glisse à l'enfant une banane que celui-ci agrippe très vite, à la façon d'un petit singe affamé, avant de partir en courant retrouver ses frères et ses sœurs, accroupis sur le tas d'ordures au-dessus duquel vole un épais nuage de mouches.

Quand je pense aux restes des gâteaux dont nous ne voulions pas, Ananda et moi, et qui ont dû atterrir ici, j'ai le cœur qui se serre !

Je comprends un peu mieux pourquoi mon père cherchait à tout prix à me cacher la réalité du monde. Si j'avais su ce qui se passait dans cette décharge, nul doute que je n'aurais eu de cesse que d'aller distribuer notre nourriture à tous ces enfants.

Arrive un père de famille qui doit obliger ses enfants à mendier, à en juger par le marmot à demi nu dont il tient fermement la main.

Je lui dis :

— Ce n'est pas correct de faire mendier des petits enfants...

— C'est ma fille, j'en fais ce que je veux ! Elle m'appartient. Sur elle, j'ai droit de vie et de mort ! me répond le père indigne.

— Cette enfant n'est pas à toi, même si tu es son père !

— Elle est mieux lotie que ces gamins qui risquent de se brûler à tout moment ! me rétorque-t-il.

— Je n'en suis pas sûr... Et tu n'es pas le mieux placé pour le dire !

C'est alors que je vois approcher monsieur Padãni, un notaire avec lequel j'ai souvent vu mon père jouer aux dés d'ivoire, à l'aide d'un petit gobelet d'argent.

— Suddhoddana a appris que tu étais arrivé ici. Il était trop ému pour se déplacer lui-même. Aussi m'a-t-il mandé auprès de toi pour te faire savoir qu'il serait très heureux de te recevoir, me souffle monsieur Padãni.

Nous partons pour la forteresse.

— On m'avait dit que mon fils Siddhãrta se trouvait actuellement en ville, en train de mendier avec son propre fils Rahula ! Au début, je ne l'ai pas cru ! gémit mon père dès qu'il m'aperçoit.

Au moment où je m'apprête à le serrer dans mes bras, il a un mouvement de recul.

Je le regarde avec tristesse.

C'est peu dire que Suddhoddana a changé, depuis le Grand Départ...

Le poids des ans a transformé l'homme svelte qu'il était, le valeureux guerrier, en une forme voûtée, adipeuse et ridée, au regard fatigué, preuve que les abus alimentaires et l'oisiveté ne sont pas bons pour le corps, au fur et à mesure que le poids des ans se fait sentir.

Mon père fait signe à un serviteur de me verser du jus de mangue dans une coupe de bronze gravée aux armes du clan des Gautama.

— Siddhãrta, savoir que tu es en train de mendier dans une décharge publique à quelques pas d'ici m'est insupportable... Pourquoi ne m'as-tu pas prévenu de ton arrivée, j'aurais été en mesure, au moins, de te loger ! proteste-t-il.

— J'avais peur de te déranger. En fait, je comptais me présenter demain, au château, pour te demander audience...

— Un fils ne dérange jamais son père, ô Siddhãrta ! Combien êtes-vous ?

— La Samgha est désormais très nombreuse. Nous sommes deux milliers de moines et de novices.

— Je vois...

— Père, tu as l'air de m'en vouloir. Puisque je t'ai face à moi, je voudrais en profiter pour te demander de me pardonner d'être parti de chez toi. En agissant ainsi, j'ai trouvé la Voie du Salut. On m'appelle désormais l'Éveillé

— Je sais... J'ai de temps en temps de tes nouvelles. Je me suis laissé dire que, là où tu passes, les gens se souviennent de toi !

Je pose la main sur l'épaule de mon père.

— Veux-tu entendre la Noble Vérité ? J'en ai

acquis la connaissance après avoir longuement médité sur la condition humaine.

Devant son silence éloquent, je reprends la parole.

— Tu dois penser que je ne suis qu'une tête brûlée, à l'instar de ces innombrables çramanas issus de familles riches qui ont tout abandonné et qui professent le renoncement aux biens matériels, choqués qu'ils sont par la misère de leur prochain...

— Mais tu avoueras que c'est dur, ô Siddhãrta, de voir mon propre fils s'en aller, puis mon petit-fils, qui a décidé de suivre les brisées de son père ! Quand je pense que tu as même réussi à entraîner cette pauvre Prajapãti Gautami dans cette aventure !

— Originellement, je n'envisageais pas d'ouvrir la Samgha aux femmes. Mais à bien y réfléchir, je n'ai pas trouvé de motif pour les en exclure...

— Je crains pour toi la colère des dieux, Siddhãrta ! Remettre en cause, comme tu le fais, le système des castes, c'est saper les fondements de notre société ! As-tu réfléchi à ce que deviendrait notre système, si chacun n'y avait pas une place strictement définie par l'ordre des choses ? Si les hommes vulgaires s'arrogeaient le droit d'allumer les feux sacrés, il n'y aurait plus de feu purificateur et tous les brahmanes seraient désœuvrés !

Je dis à mon père :

— L'ordre des choses, c'est précisément ce dont je cherche à débarrasser les hommes ; l'ordre des choses, c'est la loi de la Douleur. Je veux que les cœurs cessent de brûler du feu de la haine, du feu de l'avidité et du feu de l'aveuglement ! J'invite chacun à abandonner les vieilles lunes brahmaniques et à se convertir à la Noble Vérité !

Mon père courbe la tête.

Mes paroles doivent le heurter au plus profond de lui-même, mais il ne bronche pas.

Il reste muré dans ses certitudes.

Pourquoi est-il si peu réceptif à mes propos, alors que des foules de plus en plus immenses, désormais, y adhèrent ? L'opulence et le pouvoir éloignent de la vérité. Un intouchable est sûrement plus lucide qu'un Çãkya.

Et pourtant la douleur n'épargne aucun être humain, riche ou pauvre. À l'origine des conflits, des désordres familiaux et sociaux, il y a la soif et le désir, et ce quelle que soit l'extraction sociale des individus.

Je voudrais qu'il regarde un peu mes yeux, au lieu de fuir mon regard !

N'ai-je pas l'air, moi, apaisé et heureux ?

34

La mort de Rahula

La mort de mon cher Rahula m'a touché en plein cœur.

Hier matin, c'est à peine si Ananda, qui avait veillé mon fils toute la nuit pendant que j'étais en méditation, a eu la force de m'annoncer la terrible nouvelle.

La pointe de la houe rouillée avec laquelle mon fils s'est blessé au pied par mégarde lui a provoqué une infection à la jambe. Au fil des semaines, elle est devenue aussi grosse et dure, aussi bleuie et ridée que la patte d'un éléphanteau !

Les jours qui ont précédé sa mort, je suis venu m'asseoir auprès de lui.

Son corps amaigri faiblissait à vue d'œil ; je lui laissai poser sa tête sur mes cuisses et lui caressai longuement la tête en lui murmurant des paroles apaisantes. J'espérais qu'elles atténueraient son angoisse et calmeraient les effets de la terrible douleur ressentie par celui qui était devenu le plus zélé de mes novices.

— Père, ma jambe est en feu et la fièvre me ronge de l'intérieur ! Dans peu de temps, je ne serai plus de ce monde, murmura-t-il la veille de sa mort.

Puis, à un moment donné, mon enfant cessa de parler, de voir et d'entendre.

Alors, comprenant qu'il allait mourir, je me suis efforcé de faire taire la colère qui ne cessait de gronder en moi et de vaincre les doutes qui commençaient à m'assaillir.

Et si la mort de Rahula avait été la vengeance préparée par les dieux auxquels les Nobles Vérités dénient tout pouvoir divin et qui n'auraient pas supporté d'être ainsi remis en cause dans leur essence même ?

De mon esprit, j'ai vite chassé cette pensée qui ne tient pas debout.

Car, si j'avais besoin d'une preuve supplémentaire de la pertinence des Nobles Vérités, la mort de mon fils est bien là, au contraire, pour en témoigner !

À présent, je dois me battre contre moi-même pour me résigner, pour accepter, pour faire le deuil de cette mort insupportable.

Car, si comprendre la disparition de son enfant est une chose, l'accepter en est une autre...

Qu'y a-t-il de plus révoltant, en effet, pour un père, que cette mort-là ?

De tous les os de mon squelette, de toutes les fibres musculaires qui les recouvrent, de tous les pores de la peau qui habille mon corps, de tous les cheveux plantés sur ma tête et du plus petit des poils de ma barbe, je crie ma révolte !

Je me dis :

Rahula ayant déjà atteint le stade d'Arhant du deuxième grade, il n'aura besoin de revenir sur terre qu'une fois ; après quoi, il deviendra bodhisattva à son tour, comme moi, son père, je le suis actuellement. Alors, il ne lui restera plus beaucoup de chemin à faire pour accéder à la Délivrance Finale !

Je porterai le deuil de mon fils, mais sans jamais m'en plaindre.

S'il le faut, je consolerai mes moines et mes novices.

Même si les couleurs du ciel, l'odeur des fleurs et le chant des oiseaux me paraissent un peu plus fades qu'à l'ordinaire, parce que, pour moi, le monde sans mon fils n'est plus tout à fait le même, je n'en dirai rien à personne.

Ma douleur, je la garderai pour moi.

Je l'enfouirai au plus profond de moi-même et je l'offrirai au Monde, pour le Salut des Êtres...

35

Devadatta attente à ma vie

Je marche sur la route, vers le carrefour où je sais que m'attendent les tueurs de Devadatta et Ajatassatru.

La haine est toujours la plus mauvaise conseillère, mais, Devadatta, finiras-tu par le comprendre ?

Hier, ce cousin indigne a dit aux trois tueurs à gages qu'il a recrutés :

— C'est tout simple, lorsque vous verrez ce moine ascétique qu'on appelle l'Éveillé en train de marcher devant les autres, vous foncerez sur lui et le transpercerez avec vos épées ! Alors vous aurez accompli la mission et je vous verserai la prime convenue.

— Et si ce moine est armé ? s'est alors enquis le plus laid d'entre eux, un homme dont le nez disparaît presque complètement sous les boutons et les rougeurs.

— Dans ce cas, vous lancerez l'éléphant sur lui. Le pachyderme le piétinera comme une vulgaire botte de paille ! Tout Éveillé qu'il est, il ne pourra rien faire... a-t-il répondu en se frottant les mains.

Comme s'il avait compris qu'on parlait de lui, l'éléphant a commencé à se dandiner, ouvrant et refermant ses oreilles qui battaient l'air.

Six mois plus tôt, dans le parc des Bambous de Rajghir, où la Samgha a installé son campement en raison de la prochaine saison des pluies, Devadatta a vainement essayé de fomenter une énième révolte des moines contre moi.

Il a insinué que je les menais à leur perte, et tenté de les convaincre de me chasser de la Samgha pour lui en laisser la conduite !

Cela faisait des mois qu'il ruminait son affaire, toujours aveuglé par la haine et l'envie.

Ananda, une fois de plus, vola à mon secours.

— Comment oses-tu t'en prendre à l'Éveillé, au détenteur de la Noble Vérité ? protesta-t-il, prêt à lever la main sur lui.

Le félon osa lui rétorquer, ainsi qu'aux autres moines :

— Je ne fais pas le procès de l'Éveillé. Je propose simplement qu'il accepte de passer le relais à quelqu'un de plus jeune que lui ! Ne voyez-vous pas ses jambes ? Elles peuvent à peine le porter. Quant à ses bras, ils sont maigres et décharnés comme des tiges des roseau. Gautama, si vous voulez m'en croire, ne vivra pas longtemps. Je parierais même qu'il est au seuil de la mort. Il faut quelqu'un de plus jeune pour diriger la Samgha et porter plus loin encore l'écoute de la Noble Vérité !

— Comble de l'hypocrisie que tes paroles doucereuses, ô Devadatta que ton orgueil et ta haine font gonfler comme une outre ! Tu es à peine plus jeune que l'Éveillé ! s'écria Ananda.

— Mes jambes sont moins usées que les siennes et je suis loin d'avoir autant jeûné que lui. Mon corps est bien moins fatigué que le sien...

Alors, je suis venu vers vous et j'ai dit :

— Nul n'est irremplaçable. Si la Samgha décidait de se passer de moi, je m'en retournerais à Kaùsãmbi, dans la grotte sainte. Et Devadatta aurait le champ libre...

— Comment pourrions-nous accepter de nous doter d'un chef sans légitimité ? Devadatta ne connaît du Dharma que fort peu de chose ! Il veut prendre ta place pour des raisons obscures et il s'est mal comporté à ton égard. Ce moine est indigne ! s'écrièrent les trois frères Kaçyapa qui n'entendaient pas s'en laisser conter par un individu mû par la haine et la rancune.

— Les frères Kaçyapa ont raison ! Ce moine félon est indigne de succéder à l'Éveillé ! Et de surcroît, que je sache, nous l'avons exclu de la Samgha ! Chassons cet intrus. Un traître de son espèce n'a rien à faire ici ! renchérit Ananda.

Aussitôt, les moines firent cercle autour de lui, le serrant de si près qu'ils l'empêchaient de se mouvoir.

Obligé de battre piteusement en retraite, Devadatta prit ses jambes à son cou sans demander son reste, la haine au cœur et l'humiliation en bandoulière, pour aller se réfugier auprès d'Ajatassatru.

Alors, il se jura que la prochaine fois serait la bonne.

Mais, lorsque Devadatta fit part de son ultime projet au prince héritier du Maghada, celui-ci se montra réticent.

— Faut-il aller jusqu'à tuer l'Éveillé ? La mort est un échec, tant pour celui qui la donne que pour celui qui la reçoit ! Et si l'Éveillé dispose de pouvoirs surnaturels, ne risque-t-il pas de nous le faire payer très cher ? objecta Ajatassatru.

— Aide-moi et j'en ferai autant pour toi ! lui répondit Devadatta. Notre pacte le veut !

Et c'est ainsi qu'à force d'habileté et de persuasion Devadatta réussit à convaincre son allié de passer à l'acte.

Pendant de longues semaines, ils mirent au point, de la façon la plus minutieuse, le guet-apens qu'ils s'apprêtent à me tendre.

Et c'est pour être sûr, cette fois, de mettre dans le mille que Devadatta a recruté ces trois tueurs à gages, dans les bas-fonds de Rajghir.

Venant du bosquet de bambous, j'avance sur mes jambes frêles comme des lianes.

Les trois tueurs à gages s'élancent vers moi en hurlant des imprécations. Leurs épées dressées brillent de mille feux.

Lorsqu'ils arrivent à ma portée, j'étends la main droite, paume tournée vers leur regard.

Ils pilent net, comme s'ils s'étaient heurtés à un obstacle invisible, et tombent à genoux devant celui qu'ils étaient censés abattre, implorant mon pardon.

— Que se passe-t-il ? Leur élan a été brisé ! s'écrie Ajatassatru.

— Je ne comprends pas ! maugrée Devadatta.

— Moi si : regarde-les ! Ils se prosternent devant l'Éveillé comme s'il était leur maître ! J'aurais dû m'en douter. La gazelle aura dompté les lions... Quant à toi, Devadatta, ta haine t'aura, une fois de plus, fait perdre la tête ! s'exclame le fils du roi Bimbisãra.

— Je vais fouetter mon éléphant. Quand il déboulera sur l'Éveillé, il ne restera par terre que son cadavre disloqué... marmonne le félon en serrant les poings.

— Tu as tort ! Ce sera peine perdue ! lâche Ajatassatru.

Après avoir défait sa ceinture, Devadatta s'en sert pour frapper le plus violemment possible son pachyderme qui en barrit de douleur et s'ébranle.

Je vois fondre sur moi l'énorme masse de chair de l'animal.

Je fais le même geste qu'il y a quelques instants : à l'animal en furie, je montre la paume de ma main droite.

Il s'arrête brusquement à mes pieds, comme si une

force invisible avait interrompu sa course folle, laissant Devadatta pantois.

Puis l'éléphant se prosterne devant moi, tandis que les tueurs à gages se mettent à pousser des cris de joie et à baiser la robe de celui qui a le pouvoir d'immobiliser, par la seule force de l'esprit, un éléphant furieux.

— Je t'avais prévenu : l'Éveillé est bien trop fort pour nous... murmure, médusé, le fils du roi du Maghada.

Alors, ivre de rage et humilié à l'extrême, Devadatta lui répond par un borborygme, avant de prendre ses jambes à son cou.

L'Éveillé est devenu invincible, Devadatta.

Il ne te reste plus qu'à venir me demander pardon.

[illegible] avait [illegible] coups [illegible]
[illegible] parfois.

Tous l'orage se produisent devant moi, tandis que les menaces [illegible] de [illegible] de celle qui [illegible] en [illegible] éloignant [illegible]

[illegible] — [illegible] Magnésia.

[illegible] au [illegible] par un bateau qui, avant de prendre [illegible] à [illegible]

L'[illegible] est [illegible]

Il ne [illegible] pas [illegible]

36

La mort de Shãriputra et de Maudgalyãyana

Dans la forêt de Rakîla, où j'aime méditer à l'ombre des grands arbres, je viens d'apprendre une terrible nouvelle.

Mes deux disciples Shãriputra et Maudgalyãyana ont été retrouvés au fond d'un précipice, les membres disloqués. Vu la prudence dont ils faisaient preuve lorsque nous parcourions des chemins de montagne, il ne peut s'agir d'un accident mais plutôt d'un crime aussi mystérieux qu'abject, perpétré sans nul doute par des ennemis de la Samgha.

Avant de se consacrer pleinement à la propagation des Nobles Vérités, les deux victimes, amies d'enfance, étaient devenues membres de la Samgha grâce à un sermon du moine Asvajit ; auparavant, ils avaient été les élèves peu convaincus d'un célèbre ascète du nom de Sanjaya, qui prônait le scepticisme.

La sagesse proverbiale de Shãriputra et le pouvoir de guérir les malades de Maudgalyãyana avaient fait d'eux de véritables piliers de notre communauté monastique.

Qui a pu en vouloir à ce point à deux moines dont

la bonté et la compassion envers les autres étaient pratiquement infinies ?

Pourquoi le mal doit-il toujours côtoyer le bien ? Comment est-il possible de répondre à l'amour par autant de haine ?

Assis au pied d'un sal, j'ai du mal à retenir mes larmes.

Le disciple Mãlunkyaputta se tient à présent devant moi.

— Monseigneur, cela fait plusieurs jours que je t'observe en train de méditer, et la même pensée m'obsède, au point qu'elle m'empêche de dormir... Puis-je te poser la question qui me brûle les lèvres ? me demande ce moine qui, d'ordinaire, s'exprime peu.

Je lui réponds :

— Parle, ô Mãlunkyaputta ! Et n'aie pas peur de me dire ce que tu as sur le cœur.

— Tes sermons n'abordent pas certaines questions qui me paraissent essentielles. À cet égard, ma pensée devient quelque peu orpheline.

— Quels sont les problèmes qui te paraissent inexpliqués ?

— L'Univers est-il ou non éternel ? L'Univers est-il fini ou non ? L'âme et le corps sont-ils indissociables ? Peut-on être Tathãgata après la mort ? Telles sont, Monseigneur, les questions que je ne cesse de me poser, et auxquelles il ne me semble pas que tu apportes de réponse claire !

— T'ai-je promis, Mãlunkyaputta, que tu aurais la réponse à ces questions si tu entrais dans le Courant ?

— Non, Monseigneur, c'est un fait !

— Eh bien, suppose à présent qu'un homme blessé par une flèche empoisonnée, après avoir été conduit de toute urgence, par sa famille, auprès du chirurgien, dise à ce dernier : tu ne m'enlèveras cette flèche que lorsque je saurai le nom de mon agresseur, sa caste d'origine, la nature du bois dans lequel la flèche a été taillée, la longueur de son empennage et la grosseur de la corde de l'arc avec lequel elle a été tirée ! Ne crois-tu pas que tu serais mort avant de savoir tout cela ?

— Tu as raison... concède Mãlunkyaputta.

— Si je n'ai pas répondu à ces questions, c'est parce qu'elles sont dérisoires au regard de ce qui est essentiel !

— Comment fait-on, Monseigneur, pour distinguer l'essentiel de l'accessoire ?

Je lui dis :

— Celui qui s'assied dans la posture de l'ãsana[1], puis ralentit le plus possible son rythme respiratoire et se concentre afin de placer le soi au cœur de son être, en visualisant une fleur de lotus reposant à la surface d'un lac, alors celui-là peut distinguer l'essentiel de l'accessoire, car il a atteint l'ekãgratã[2], il est sur le seuil du nirvãna ! En ce qui me concerne, si je fais le bilan de ces dernières années, je peux t'affirmer que j'ai bien plus appris que je n'ai enseigné ! Je me serai borné à exposer les Quatre Nobles Vérités parce qu'elles conduisent au renoncement, à l'apaisement, à la compréhension suprême et à l'éveil parfait. Tout le reste, pour moi, est secondaire !

— Merci ! Une telle modestie, de ta part, est stupéfiante. Elle est à l'aune de ta sagesse... me répond Mãlunkyaputta en faisant mine de repartir.

Mais je le retiens un instant.

— Ce n'est pas de la modestie, Mãlunkyaputta. On reçoit d'autant plus qu'on ne demande rien ! C'est sans

1. Posture spécifique du yoga.
2. Littéralement, « concentration en un seul point » ou « refus de penser ».

l'avoir sollicité que la Communauté reçut un parc de plaisance à Srãvasti, de la part du très riche marchand Anãthapindaka, lequel avait au préalable persuadé le prince héritier du royaume de Koçala de le lui vendre ! Il en va de même pour ces trois banquiers auxquels je n'avais rien suggéré et qui nous léguèrent leur immense fortune l'année dernière. Sans oublier la belle Ambãpali, qui, après s'être convertie, nous légua tous ses biens mobiliers et ce jardin, où elle fit aménager un vihãra pour permettre à nos moines de passer la mousson au sec...

— Avec ta méthode, tu auras séduit autant les pauvres et les faibles que les riches et les puissants... autant les courtisanes que les notaires !

Je lui dis enfin :

— Il ne nous appartient pas de trier entre ceux qui sont dignes d'accéder à la Noble Vérité et les autres. Chacun peut y parvenir. Il suffit d'en être conscient et de le décider.

37

Le roi Pasedani

Le roi Pasedani, du pays de Koçala, se présente à moi, affligé.

Je lui demande :

— Pourquoi as-tu l'air si triste, ô Pasedani ?

— J'ai perdu ma femme il y a deux semaines ! Mais vu mon âge, je risque moi-même de ne pas durer très longtemps ici-bas... et j'entendais bien faire ta connaissance, ô Siddhãrta Gautama ! me répond-il sans ambages.

— J'en suis très honoré. Mais pour quel motif viens-tu rendre visite à un pauvre corps dont les forces s'en vont ?

— Il y a longtemps que je souhaitais t'approcher. Tes innombrables qualités sont revenues à mes oreilles. J'ai le sentiment d'être passé à côté de l'essentiel. C'eût été bien dommage de quitter ce monde sans être entré en contact avec celui qu'on appelle l'Éveillé ! me répond le roi en se jetant à mes pieds.

— Que puis-je faire pour toi ?

— Je suis las des intrigues et je ne supporte plus le bruit du monde, pas plus que la méchanceté des gens de la cour du Koçala, qui est devenue un lieu de violence. Ici, c'est incroyable ce que je me sens bien ! soupire le vieux souverain.

À cet homme tout-puissant et richissime, j'entreprends alors d'expliquer les Quatre Nobles Vérités ; à cet homme tout-puissant et richissime, je parle avec douceur des vertus du renoncement au pouvoir, au statut social ainsi qu'aux biens matériels.

Et je constate qu'il m'écoute avec beaucoup d'attention.

— Heureux les hommes qui ont la force de renoncer ! murmure pensivement le roi du Koçala en embrassant mes genoux avant de se relever pour prendre congé.

Je lui dis :

— Si tu veux rester ici, tu es le bienvenu !

— J'ai laissé en chemin mon chef d'état-major, le général Dighã Kãrãyana. S'il ne me voit pas revenir, il risque de s'inquiéter, me répond le souverain.

J'ai entendu parler de ce militaire de haut rang, chamarré d'or et d'argent des pieds à la tête, qui passe le plus clair de son temps, lorsque ses armées ne sont pas en campagne, à cirer ses moustaches tombantes.

J'insiste :

— Est-il bien nécessaire de revenir chez toi ?

— Un roi n'a pas le droit d'abandonner son peuple sans mettre auparavant ses affaires au clair. Il me faut d'abord régler ma succession. Cela ne prendra pas longtemps ; tout au plus quelques semaines. Après quoi, je reviendrai auprès de toi et, si tu le veux bien, je deviendrai un membre à part entière de la Samgha, m'assure le vieux roi.

Il s'en va et je sais, au moment où nous nous donnons l'accolade, que je ne le reverrai plus.

Dix jours plus tard, un homme en pleurs se présente à moi.

— Je suis le cornac de Sa Majesté Pasedani ! bredouille-t-il.

— Où est-il ?

— Sa Majesté est morte à Rajghir, comme un miséreux, dans une humble pension de famille ! Priez pour lui !

— Que s'est-il donc passé ?

— Pendant que Sa Majesté vous rendait visite, le général Dighã, furieux d'attendre, est reparti à Cravasti avec l'éléphant royal. Pour ma part, par respect et loyauté envers mon roi, je refusai de l'accompagner. Lorsque Sa Majesté Pasedani constata la défection de son général, il fut persuadé qu'il projetait un coup d'État destiné à le renverser, d'autant que Sa Majesté avait confié au militaire, avant de venir vous trouver, son épée et son turban, les attributs de commandant suprême des troupes du royaume !

— Pourquoi s'était-il dépouillé de ses insignes ?

— Il disait qu'il ne voulait pas se présenter devant vous dans un attirail de roi.

— Le pauvre homme a dû être très déçu par la conduite de son général.

— Il me concéda qu'il aurait sans doute mieux fait de l'emmener avec lui pour vous rendre visite, mais il était trop tard. Quand je lui demandai ce qu'il comptait faire à présent, sans éléphant ni attributs, il me répondit qu'il souhaitait aller demander l'hospitalité au prince du Maghada. Il comptait lui faire part du complot de ce général félon, ne doutant pas un seul instant que ce prince lui accorderait les renforts nécessaires !

— Sa Majesté Pasedani avait du courage, car la route est fort longue jusqu'au Maghada !

— Par crainte des brigands, le vieux roi avait pris soin de cacher les quelques bijoux qui lui restaient dans un vieux sac de jute. Nous partîmes cahin-caha. Il fallait le voir marcher avec difficulté, en s'appuyant sur mon épaule, lui le puissant roi du Koçala devenu homme de peu, le temps d'un périple. Notre voyage jusqu'à Rajghir dura trois jours, pendant lesquels personne ne consentit à donner l'aumône à deux inconnus qui n'étaient pas habillés en moines ; nous dûmes nous contenter d'avaler des détritus et de boire de l'eau fétide... Lorsque nous arrivâmes dans la capitale du Maghada, sous la pluie battante de la mousson, les portes du palais royal étaient déjà fermées. Alors, le roi Pasedani décida que nous irions dormir en ville, où nous échouâmes dans cette infâme pension de famille qui servait aussi de refuge aux mendiants. Moyennant une piécette de bronze, on nous donna pour chambre un réduit minuscule situé au bout d'un couloir bas de plafond et humide où régnait une insupportable puanteur. C'est là, au milieu d'ombres errantes au regard plaintif, que le roi rendit son dernier souffle.

— Ton histoire est bien triste !

— Le lendemain matin, le vieux souverain était mort, victime d'une terrible crise de dysenterie, gisant la bouche ouverte et nageant dans un flot de sang et de bile.

— Quel est ton nom, cornac ?

— Hama !

— Hama, veux-tu entrer dans le Courant ?

— Ce sera avec joie, ô Siddhãrta Gautama, répond Hama en essuyant une larme.

Un roi est mort, mais un nouveau disciple est né...

38

Les remords d'Ajatassatru

Ajatassatru est prostré devant moi, la mine affligée, et me supplie :

— L'Éveillé, je suis venu te demander de l'aide. Je ne suis qu'un pauvre pécheur. J'ai tué mon père...

Et le nouveau roi du Maghada pleure à chaudes larmes, comme un petit enfant qui regrette son comportement, la mort de son vieux père, l'ancien roi Bimbisãra !

Quelques mois plus tôt, ce dernier lui a légué le trône du Maghada, sur lequel, bouillant d'impatience, il a pu enfin monter.

Mais au lieu de remercier son père pour ce geste généreux, voilà que, sur les conseils de mon cousin Devadatta, il a fait jeter le vieil homme en prison, alors même qu'il ne présentait plus aucun danger pour lui.

Honte à toi, Ajatassatru, qui as laissé ton père mourir des fièvres dans un cachot obscur et putride !

Si tu n'en finis pas de te repasser le diabolique enchaînement des événements qui ont abouti à la mort de ton père, c'est tant pis pour toi, puisque tu en es à l'origine !

Ajatassatru se souvient maintenant de l'air interloqué du roi lorsqu'il le vit courir vers lui, un poignard à la main, sous le vaste péristyle aux colonnes de porphyre rose contigu à la salle des audiences du palais.

— Que fais-tu là, mon fils, dague au poing ?

Face à ce père dont le visage se décomposait à mesure qu'il le voyait s'approcher de lui, son ventre se tordit d'angoisse et il s'en fallut d'un cheveu qu'il ne perdît tous ses moyens...

Il était paralysé à l'idée de frapper son géniteur.

Sa sombre manœuvre allait échouer.

Quand on a décidé de tuer son père, on ne peut pas se permettre le luxe d'hésiter.

— Pourquoi agir ainsi, mon fils ? lança le roi d'une voix douce.

Alors Ajatassatru tomba à ses pieds et implora longuement son pardon.

Alertés par le brouhaha, les gardes du corps du roi, telle une nuée d'éperviers fondant sur leur proie, surgirent de derrière les colonnes de marbre et se ruèrent sur le prince pour le neutraliser ; il se retrouva promptement ligoté comme un fagot de bois, avant d'être traîné devant le trône sur lequel son père s'était assis.

— Je voulais ton royaume ! Je ne suis qu'un fils indigne ! Je me croyais un tigre sauvage, je ne suis qu'un pauvre rat, tout juste bon à être mangé par un chat ! s'écria-t-il.

— Si tu considères que le moment est venu de me succéder, pourquoi ne pas m'en avoir parlé tranquillement ? Vu mon âge, les responsabilités me pèsent. Va te reposer et nous reparlerons de tout cela demain ! lui dit alors Bimbisãra, avant d'ordonner à ses gardes de le reconduire dans ses appartements.

— Votre fils a été armé par un moine félon de la Samgha dont je connais le nom. Il s'agit d'un certain Devadatta. À votre place, je donnerais l'ordre d'exterminer tous ces moines avant qu'ils ne deviennent trop nombreux. Leur chef Gautama tient des propos de plus en plus séditieux ! s'exclama alors le commandant de la garde du palais royal, à peine le prince reparti sous bonne escorte.

— Homme de peu de foi ! C'est Gautama qui est dans le vrai pendant que toi, avec de tels propos, tu persistes à te vautrer dans l'erreur ! Laisse donc la Samgha en paix ! Le roi Bimbisãra n'a que faire des conseils d'un nigaud de ton espèce !

Le lendemain matin, le vieux roi convoqua son héritier dans la salle du trône.

— Ma couronne est à toi, Ajatassatru. C'est en homme libéré de toute attache et des devoirs de cette très lourde charge que j'entrerai à mon tour dans la Samgha. Je ne pensais pas avoir cette chance, dans cette vie. C'est grâce à toi, ô Ajatassatru, que je l'obtiens, puisque tu as souhaité reprendre mon flambeau dès maintenant !

Ajatassatru fut estomaqué par les propos du roi son père, dont la méfiance et la dureté de caractère étaient si grandes qu'elles étaient devenues légendaires !

Et c'est ainsi qu'il hérita du royaume du Maghada.

Et dire qu'avec Devadatta, quelques mois plus tôt, il avait essayé de m'écraser sous un énorme rocher au moment où je passais dans un étroit boyau formé par deux hautes falaises !

L'Éveillé mort, nul doute que son père n'eût refusé de donner les clés du royaume à celui qui l'avait tué...

Le temps de demander aux astrologues de la cour de définir le moment idéal, la cérémonie du couronnement se déroula en grande pompe, au milieu des volutes d'encens, au son des tambours et des flûtes. Et tandis que la foule du peuple lui rendait hommage en entonnant un immense chœur, un chambellan posa sur la tête d'Ajatassatru la couronne d'or sertie d'émeraudes que son père Bimbisãra avait portée lors de sa propre montée sur le trône, quelque trente ans auparavant.

Mais pourquoi Ajatassatru a-t-il écouté Devadatta lorsqu'il a prétendu qu'il serait dangereux de laisser aller et venir son père ? Certes, il protesta, mais si mollement !

Et lorsque Devadatta eut le culot de s'écrier qu'un grand roi se devait d'être implacable, faute de quoi il n'était pas sûr de rester longtemps sur le trône, Ajatassatru obtempéra !

— Qu'on enferme l'ancien roi dans un cachot scellé ! osa-t-il ordonner à ses gardes.

Et c'est ainsi que le pauvre Bimbisãra fut jeté en prison, où il mourut.

À peine le chambellan vint-il en avertir Ajatassatru qu'il alla se cloîtrer dans sa chambre, avant de se jeter sur son lit pour y noyer ses larmes.

Ajatassatru ! Pourquoi as-tu fait ça ?

Ne sens-tu pas le remords te tarauder, semblable à la blessure d'une lance en plein cœur ?

— Qu'on me laisse tranquille. Je ne veux voir personne, lança-t-il, en proie à un immense chagrin, au serviteur venu lui demander s'il souhaitait passer la nuit avec une jeune beauté d'à peine quatorze ans fraîchement intégrée au gynécée royal.

Le lendemain, il dit à Devadatta :

— Tu m'as fait commettre un crime inutile !

— Je me demande si tu as bien la trempe d'un vrai roi... ricana alors le moine félon.

— Pourquoi t'ingénies-tu ainsi à faire le mal ? insista Ajatassatru.

Et sa question fit baisser la tête à ce mauvais génie.

Et c'est ainsi que quelques jours plus tard, Ajatassatru vient me trouver pour me demander conseil, et pleure à chaudes larmes devant moi.

Je lui réponds :

— Je sais tout de toi, Ajatassatru !

— Même que j'ai comploté contre ton auguste personne ?

— Bien sûr ! Mais je n'éprouve aucune haine... Pas plus que je ne te juge. Ce qui est fait est fait !

— C'est renversant ! Comment peux-tu être aussi fort ?

— J'ai vaincu ma propre personne. À présent, je cherche à interrompre le cycle « vengeance-répression-surenchère » qui entraîne les hommes dans la folie de la haine, de la guerre et de la destruction. De même que je propose aux hommes une Noble Voie leur permettant de sortir de l'enchaînement du Samsãra ! La haine et le désir de vengeance, y compris quand on se sent l'injuste victime d'une situation, mènent toujours les hommes au malheur !

— Qui t'a appris tout cela ?

— Il y a bien longtemps que j'ai compris l'inanité de la vengeance. Les Nobles Vérités n'ont pas besoin de s'apprendre : elles viennent à l'esprit quand celui-ci a accompli les méditations nécessaires.

Il me supplie :

— J'aimerais à mon tour les connaître, ces Nobles Vérités...

— Convertis ton cœur et écoute les bruits venus du monde : alors, tu comprendras tout cela, à ton tour, et tu auras l'esprit contrôlé...

— Qu'est-ce que l'esprit contrôlé, maître Gautama l'Éveillé ?

— L'esprit contrôlé est semblable à la pierre des quatre orients. Posée au milieu de la cour, la pluie ne la détruit pas, le soleil la chauffe sans la faire fondre, le vent ne peut la soulever. L'esprit contrôlé ressemble à cette pierre...

Devant moi, Ajatassatru se prosterne, le front contre le sol.

Et lorsqu'il se relève, les yeux embués de larmes, il esquisse un sourire.

Parce qu'il est converti...

Il ne lui reste plus qu'à aller informer Devadatta de cette conversion.

— Tu lui diras de ma part que la porte de mon cœur lui est toujours ouverte, s'il vient lui aussi à se convertir, et que je passerai bien volontiers outre à toutes ses vilenies.

La vengeance m'est étrangère.

À ma bouche, ce jour-là, l'ineffable goût du pardon remonte.

Et je ne doute pas que Devadatta et Ajatassatru deviendront d'indéfectibles adeptes du Dharma !

39

Chunda le forgeron

Chunda le forgeron s'agrippe comme il peut au tronc du marronnier centenaire qui surplombe la placette noire de monde de son village.

Il veut à tout prix apercevoir au moins la tête de celui dont il entend parler depuis des années comme d'un Saint parmi les hommes.

Dès que je passe devant l'arbre sur lequel il a grimpé, le forgeron me hèle.

— Si tu acceptais de venir dans mon humble demeure, je serais heureux de te préparer un plat de champignons des bois...

— Quand veux-tu que je vienne chez toi ?

— Seul le Saint connaît le moment convenable !

— Donne-moi une heure et je tâcherai de venir.

— Demain soir, après le coucher du soleil : tout sera prêt. Mes enfants et moi serons très honorés de t'accueillir.

La maison où Chunda habite avec sa famille domine les remparts de la ville. Elle est construite au milieu d'une cour arborée dont les arbres sont peuplés de singes.

Je me présente à l'heure dite, accompagné par une

dizaine de disciples. Ananda, comme à l'accoutumée, se trouve auprès de moi.

— Le converti de fraîche date que je suis a de la chance de recevoir l'Éveillé dans sa pauvre demeure ! s'écrie le forgeron en guise de bienvenue.

— Il n'est jamais trop tard pour connaître la Noble Vérité. Il n'y a rien de mal, bien au contraire, à être un converti de fraîche date ! Tout le monde est passé par là...

Je suis à bout de fatigue et je m'appuie lourdement au bras d'Ananda qui m'aide à marcher.

Chunda s'affaire, tandis que sa femme et ses filles apportent des marmites fumantes, remplies de riz parfumé et de légumes frits.

Le forgeron, qui a l'air flatté par ma visite, m'explique s'être mis en cuisine dès la veille au soir.

Sa maison déborde de nourriture et de boissons fraîches. Comme promis, il a préparé une fricassée d'oreilles d'arbre de santal, cette espèce rarissime de champignon qui ne pousse que sur ces troncs odorants. Il l'a fait mijoter dans un plat de terre pendant des heures, avec des petits oignons et du masala, ce mélange de toutes sortes d'épices et de condiments réservé aux repas de fête.

— Tu devrais éviter de manger ça... me chuchote Ananda.

Il est vrai que je ne mange jamais de champignons, en raison d'un interdit que les membres de mon clan se transmettent de génération en génération.

— Mais j'ai peur de vexer ce brave homme... Il s'est donné tellement de mal !

— Mes enfants et moi avons cherché ce champignon pendant deux journées entières avant de tomber sur lui ! À croire qu'il était là exprès pour toi ! ajoute fièrement le forgeron en remplissant une écuelle à ras bord.

Ses fils se tiennent autour de lui et me regardent avec respect en attendant que je goûte à leur plat.

Je m'exécute en mangeant du bout des lèvres une cuillerée de ragoût de champignons que Chunda me tend à présent en souriant.

Je murmure à l'oreille d'Ananda, en prenant soin que Chunda n'entende pas :

— Ils ont un drôle de goût... Fais en sorte que les autres n'en consomment pas...

— Tu crois que ces champignons sont néfastes ? Tu n'aurais pas dû y toucher.

— À peine avalés, j'ai senti que mon ventre ne les supporterait pas ! Je crains bien d'être obligé de l'expliquer à Chunda le forgeron !

Un vieux moine s'approche alors du plat et, après m'avoir interrogé du regard, se jette dessus pour l'engloutir goulûment jusqu'à la dernière miette.

Manifestement, lui ne craint pas les champignons sauvages qui poussent sur les arbres.

— Maître Gautama, combien y a-t-il d'ascètes, selon toi, dans le monde ? s'enquiert le forgeron, à la fin des agapes, au moment où nous nous apprêtons à prendre congé.

— Plus que leur nombre, c'est leur typologie qui est importante. Il y en a quatre sortes : l'ascète vainqueur de la mort, parce qu'il a suivi la Voie de la Délivrance ; celui qui, grâce à sa bonté, sait expliquer correctement la Voie ; celui qui, par une conduite personnelle exemplaire, gagne correctement sa vie en s'appuyant sur la Voie, et enfin celui qui souille la Voie !

— Celui qui souille la Voie peut être un ascète ? s'exclame le forgeron incrédule, incapable d'imaginer qu'un Saint puisse ainsi « souiller la Voie »...

— Parfaitement ! Celui qui, à l'intérieur, est corrompu et faux, alors qu'à l'extérieur il paraît pur et candide, est un ascète qui souille la Voie. On dira aussi de cet ascète qu'il est un imposteur.

— Tu en connais beaucoup, de ces Saints usurpateurs ? m'interroge Chunda dont la voix tremble d'indignation.

— Au cours de ma vie, il m'est arrivé d'en croiser ! Mais il est inutile de me demander des noms : je n'en citerai aucun !

Assis sur sa chaise, émerveillé comme un petit enfant, le forgeron Chunda semble boire mes paroles comme le plus délicieux des nectars.

À ce moment précis, je sens que ma fin est proche.

40

Au parc des Bambous de Rajghir

La nuit vient de tomber et j'ai très mal au ventre.

Pour calmer la douleur, Ananda m'a installé dans un hamac accroché à deux ébéniers du parc des Bambous de Rajghir.

Les bambous de ce jardin sont si immenses et si drus qu'ils semblent, au premier abord, une muraille infranchissable dont il faut s'approcher très près pour découvrir les interstices entre lesquels on peut se glisser, à condition toutefois d'être suffisamment maigre et agile.

— Les bambous se multiplient comme du chiendent. Un tigre pourrait s'y cacher, que nul ne le verrait ! soupire Ananda qui m'évente depuis la fin de l'après-midi.

Je n'ai pas la force de lui répondre.

— Comme tu as l'air fatigué ! Je ne t'ai jamais vu dans un tel état ! ajoute mon cousin bien-aimé.

Je le rassure :

— Ce n'est rien. Je suis juste incommodé par la chaleur...

Je suis très faible, mais je ne souhaite pas inquiéter mon compagnon outre mesure, d'autant que je me sens calme et apaisé.

Aussi, je me borne à faire signe à Ananda de m'aider à ôter mon vêtement.

— L'Éveillé a l'air malade... Regarde comme il est maigre, à présent qu'il a ôté sa toge. Il n'aurait jamais dû toucher au plat de champignons préparé par Chunda ! souffle à Ananda, qu'il est venu rejoindre, le moine Subhũti dont la voix trahit la profonde inquiétude.

Un écureuil descendu de l'arbre s'approche tout près de moi.

Il me suffirait de tendre la main pour le caresser, mais ma douleur à l'estomac est telle que les adorables mimiques du petit rongeur ne me font ni chaud ni froid. Je tremble de fièvre.

— Son corps est semblable à un squelette ! On dirait qu'il va mourir ! gémit le disciple Anirudda, venu retrouver les deux autres.

Il doit croire que je dors, et que, par conséquent, je ne l'entends pas.

Ananda me frictionne doucement le dos avec une poignée d'herbe fraîchement coupée.

Je lui demande :

— Où sont les autres ?

Ma voix est lasse.

— La disette qui sévit dans les campagnes rend problématique la collecte des aumônes pour le reste de la communauté. De nombreux moines sont partis vers le pays de Vrji, où la récolte des céréales est bien meilleure, répond Yasa, l'ancien noceur devenu l'un des moines les plus doux et les plus pieux de la Samgha.

— Il ne s'agirait pas que l'œil du Monde perde de son acuité, ajoute un novice à voix basse, mais suffisamment fort pour que j'entende son propos.

Je lui réponds :

— Ne t'inquiète pas, petit. Si les moines sont partis

mendier ailleurs, tout va bien. Quel que soit mon sort, la communauté continuera à vivre !

L'après-midi, je suis si épuisé que je ne peux proférer le moindre mot aux deux médecins qu'Ananda a fait venir à mon chevet.

— Montre-moi l'endroit où tu as mal ? me demande l'un d'eux.

Je place ma main sur mon ventre.

Il me fait boire une décoction de plantes qui finit par calmer les terribles brûlures d'estomac auxquelles je suis en proie.

La nuit se passe mieux.

Le lendemain, la fièvre est retombée et je retrouve quelques forces, à tel point que je peux me lever et faire quelques pas dans le parc des Bambous.

— Tu as l'air d'aller mieux ! s'écrie Ananda, rempli de joie, dès qu'il m'aperçoit en train de marcher.

Je lui dis :

— Les décoctions du médecin ont fini par produire leur effet. Mon ventre me fait beaucoup moins mal. Je veux aller une dernière fois au bord du Gange, sous ce banian séculaire, tu sais... l'arbre de la Compassion !

— N'est-ce pas trop loin d'ici ? Il faut au moins deux jours de marche pour arriver jusque là-bas... et tu es si fatigué !

— S'il le faut, je monterai sur une charrette... Au bord du fleuve sacré, l'arbre de la Compassion m'attend.

Un riche dévot nous prête un attelage et je pars.

Sur les cahots du chemin, j'imagine déjà les dauphins, les feux sacrés et les bûchers mortuaires flottants ; j'imagine les pèlerins vêtus de leurs pagnes blancs faire leurs ablutions en plongeant, pour purifier leur corps ainsi que leur esprit, dans les eaux putrides et boueuses ; j'imagine les racines du banian séculaire qui rampent vers les eaux du Gange, comme des serpents ; j'imagine l'enfant qui viendra me voir, parce que ma méditation assise l'intrigue au plus haut point et qu'il n'a jamais vu un vieillard de mon espèce demeurer des heures immobile, dans la position du lotus.

Je pense à la paix que j'éprouverai lorsque je serai appuyé contre le majestueux tronc côtelé.

Les somptueux paysages que nous traversons m'indiffèrent.

Il fait très chaud, mais cette canicule ne m'incommode pas.

Je suis heureux.

J'ai l'impression d'avoir déjà un pied au nirvãna !

41

Sous l'arbre de la Compassion

Je suis sous l'arbre de la Compassion et il va faire encore plus chaud que pendant le voyage.

J'aime le va-et-vient des lianes, entre le haut et le bas de cet arbre qui, du coup, ressemble à un animal étrange, doté d'une vitalité extraordinaire.

Je lève les yeux.

À présent, les branches du figuier banian se mélangent dans le ciel tels d'inextricables et gigantesques serpents.

D'ailleurs, j'ai toujours été persuadé que les animaux et les hommes peuvent se réincarner dans des plantes.

Par leur ampleur, ces branches forment un abri efficace contre les rayons brûlants du soleil et font de mon figuier banian un refuge idéal pour les voyageurs harassés, qui viennent s'asseoir contre lui après avoir trempé leurs pieds endoloris dans les eaux du fleuve-roi.

Mais ce matin, il n'y a personne d'autre que moi sous l'arbre de la Compassion.

Devant moi, à peine caché par le rideau d'arbres, je vois un enfant.

Il regarde à droite et à gauche, puis il s'approche en tapinois du vieil homme que je suis.

Ses yeux brillent d'un éclat intense.

Ils sont noirs et immenses.

À présent, l'enfant est si près de moi qu'il pourrait me toucher le visage.

C'est toujours ainsi, quand je médite, figé dans la position du lotus : je fais tellement le vide en moi que les gens qui ne me connaissent pas croient toujours que je dors, alors qu'il n'en est rien.

Je vois tout, malgré mes yeux mi-clos.

— Comment vous appelez-vous, monsieur ? demande la petite voix de l'enfant.

Je ne vais tout de même pas répondre à cet enfant que bientôt mes disciples bien-aimés m'appelleront tous le « Bienheureux Bouddha » !

Je n'ai pas le temps de trouver la bonne réponse que l'enfant réitère sa question.

Il s'est même enhardi, puisqu'il touche le chignon qui retient au sommet de mon crâne mes cheveux blancs comme de la corde de chanvre.

— Je suis un vieil homme qui médite, mon enfant !

Le petit garçon est en haillons. Coiffé d'une abondante chevelure bouclée que la brise matinale fait doucement onduler, malgré son aspect miséreux et la poussière grisâtre qui le recouvre des pieds à la tête, il a l'allure d'un fier petit guerrier.

— Comme vous aviez l'air un peu triste, j'ai pensé que vous étiez dans l'embarras ! Avez-vous besoin de quelque chose, monsieur ?

— Non merci, petit...

— C'est quoi, au juste, « méditer », monsieur ?

— Faire le vide dans sa tête. Ne penser à rien. Laisser la Vérité s'engouffrer dans son cœur !

— En fait, je vous observe depuis un moment. Vous

étiez si immobile ! J'avais peur pour vous de ces vautours qui tournoient dans le ciel.

Je lève les yeux vers l'azur et j'aperçois la lugubre ronde de ces oiseaux qui ne laissent, des cadavres et des charognes, que des squelettes aux os plus blancs que du sel pur.

— C'est gentil de ta part de t'occuper ainsi d'une vieille carcasse comme la mienne !

— Je sais ce qu'il en coûte d'être seul. Depuis que je sais marcher, j'ai dû apprendre à me débrouiller tout seul...

— Tu n'as pas de parents ?

— Je suis orphelin.

— Et comment survis-tu ?

— Je fais les poubelles, le plus souvent le soir, pour ne pas être chassé...

— Tu en as du mérite ! Il arrive même à des moines mendiants d'être priés d'aller voir ailleurs !

Les vautours ont cessé de tourner.

À leur place, un vol de cigognes en formation de pointe de harpon vient trouer la douceur du voile, si bleu qu'il en paraît palpable, formé à présent par le ciel au-dessus du grand fleuve sacré.

Juste en face, sur l'autre rive, tapi dans la vase, un gavial se glisse dans les eaux boueuses avec de brusques battements de queue, pour semer la terreur et la mort parmi les innombrables sortes de poissons et de batraciens.

— Je te remercie de t'intéresser ainsi à moi. C'est vraiment très gentil de ta part.

— Comme ce fleuve est sale ! Pourquoi ce fleuve sacré est-il si sale ?

C'est à toute vitesse que défile la pourriture, emportée par le flot des eaux boueuses du Gange. Les arbres morts, les cadavres d'animaux et les corps humains enveloppés de linceuls blancs que le feu des bûchers mortuaires n'a pas pu brûler continuent à passer devant moi selon un ordre qui paraît immuable, comme si le Gange n'était que le sommet d'une immense roue aquatique qui tournerait sur elle-même sans relâche, pour revenir invariablement à son point de départ.

— J'arrive à la fin de ma vie, mon petit... Hier, quand j'étais jeune, je t'aurais répondu : parce que la nature est sale.

— Et aujourd'hui ?

— En amont d'ici, il y a plusieurs grandes villes, où habitent des milliers et des milliers d'êtres humains. La plupart vivent sur les berges de ce fleuve, dans un dénuement extrême. Alors, forcément, ils le polluent. On ne saurait le leur reprocher !

— Il y en a qui disent que des dieux se cachent dans ces eaux boueuses... Faut-il les croire ?

— Je n'en sais rien ! Pourquoi pas oui ? Pourquoi pas non ? Peu importe !

— Vous avez l'air de ne pas croire dans les dieux...

— J'y ai cru un temps, jusqu'à la fin de mon adolescence. Comme tout le monde, j'ai appris à m'incliner devant les brahmanes qui sacrifiaient au dieu du feu et à celui des eaux, en prétendant que c'était l'unique façon de les amadouer. Depuis, j'ai compris que c'était pour les brahmanes une manière efficace d'exercer une influence sur les autres...

Un immense bûcher enflammé dérive, entouré par d'autres, plus petits, portés par des eaux devenues sombres où ils se reflètent en se diffractant, sous la forme de mille scintillements.

La crémation des morts se fait aussi sur de petits radeaux que les familles poussent dans l'eau du fleuve sacré. Sur ces esquifs mortuaires, et en attendant qu'ils soient réduits en cendres par le feu purificateur, les cadavres entament leur lent cheminement vers l'évanescence, vers l'ultime mélange entre les deux éléments contraires de l'eau et du feu.

L'enfant a tourné son regard vers le fleuve.

— C'est beau ! murmure-t-il.

Autour des bûchers qui dérivent apparaissent des formes luisantes et fuselées.

Ce sont les dauphins du Gange.

Intrigués par la présence, au milieu de l'élément aquatique, de ce résidu d'homme que le fleuve sacré s'apprête à engloutir, ils se sont assemblés et virevoltent en bondissant, comme pour faire une dernière fête aux cadavres qu'un gavial ne va pas tarder à déchiqueter...

Une grosse barcasse pointe à présent son nez proéminent, orné d'une immense paire d'yeux peints de couleurs vives. Effilé et pointu comme un croissant de lune, le navire est tout hérissé de rames qui raclent en cadence les eaux tumultueuses du grand fleuve sacré.

— Vous avez vu ce bateau, ce qu'il est énorme, monsieur le méditant ? s'écrie alors l'enfant en battant des mains.

Comme tous les enfants de son âge, il est fasciné par les vaisseaux sacrés construits par des dévots qui cherchent à amadouer Ganga, la terrible déesse du fleuve. Quand elle sort de son lit, après certaines moussons particulièrement humides, elle emporte tout sur son passage, laissant dans le dénuement absolu des dizaines de milliers de familles déjà très pauvres.

En faisant de grands signes aux rameurs, l'enfant pousse des cris de joie qui finissent par attirer l'attention de l'équipage.

Les marins lui répondent en soulevant leurs rames à l'unisson, tandis que le bateau emporté par son élan glisse devant nous comme un trait de flèche, avant de disparaître derrière un bosquet d'arbres.

— Quel âge as-tu, mon enfant ?

— J'ai eu dix ans la semaine dernière ! me répondil fièrement.

— Dix ans ! Tu es un vrai petit homme !

L'air décidé, l'enfant se plante devant moi et me sourit.

— Quand vous avez expliqué ce qu'était méditer, je n'ai pas bien compris ! me dit-il.

— Méditer, c'est, à la fois, être ici et ailleurs ; ou, si tu veux, faire le vide dans sa tête et s'abstenir de penser à des tas de choses qui troublent l'apparition de la Vérité.

— Qu'est-ce que la Vérité ?

— C'est ce qu'on met très longtemps à trouver !

L'enfant paraît satisfait de mes réponses et, sans un mot de plus, vient s'asseoir à côté de moi.

Après avoir observé attentivement la façon dont je croise les jambes, il réussit, au prix d'une simple contorsion, à imiter ma posture, si bien que les promeneurs, à présent de plus en plus nombreux à marcher le long du fleuve, regardent d'un air étonné le spectacle du vieil homme que je suis et du tout jeune enfant qui sont assis côte à côte, telles deux statues identiques mais de tailles différentes, sous l'arbre de la Compassion.

— Quel est votre nom de naissance ?

— Siddhãrta Gautama ! Siddhãrta est mon nom ; Gautama, qui veut dire « le meilleur d'entre les bovidés », est celui de mon clan.

— À quelle caste appartient votre clan ?

— Le clan dont est issue ma famille appartient à la caste des Kçatrya, celle des guerriers.

— Vous n'êtes donc pas brahmane ?

— Non !

— On dit que seuls les brahmanes ont le droit de sacrifier aux dieux !

— C'est en effet ce qu'on dit. Mais peu m'importe. Le dieu Agni[1] et le dieu Soma[2] peuvent parfaitement se passer de sacrifices !

— Vous n'avez pas peur de les courroucer ?

— Pas vraiment. Si les dieux existent, c'est qu'ils n'ont pas les mêmes réflexes ni les mêmes comportements que les hommes... S'ils devaient se montrer pusillanimes envers les hommes, ils ne seraient plus des dieux...

— Si vous êtes issu de la caste des guerriers, c'est que vous avez été soldat, n'est-ce pas ?

— Il est vrai que, chez nous, les garçons étaient destinés à la guerre ! Heureusement pour moi, ce ne fut pas mon cas.

— Pourquoi ?

J'aime la naïveté et la franchise du regard de cet enfant.

— Un jour, j'ai pris ma vie en main et j'ai quitté ma caste.

— Moi, j'aimerais bien être un soldat ! Je porterais l'épée. J'aurais un arc et un carquois.

— Ce n'est pas pour autant que tu serais invincible !

— Oui mais, au moins, je serais fort ! On arrêterait de me pourchasser et de me battre quand j'ai faim et que je suis obligé de fouiller les détritus, les jours où je n'ai croisé personne d'assez gentil pour me donner une banane ou un bol de soupe !

— La force n'est pas là où l'on pense, mon enfant...

— Où est-elle, la force ?

1. Agni était le dieu du feu de l'ancienne religion indienne védique.

2. Soma était le dieu de la fraîcheur, de la Lune et, partant, de l'élément liquide.

— Dans l'âme des hommes et nulle part ailleurs... Plus tard, si tu le décides, tu auras l'occasion de le découvrir toi-même !

— Comme j'aimerais être plus tard ! Je suis sûr que ce sera mieux qu'aujourd'hui... soupire l'enfant.

Je m'abstiens de lui répondre, ne voulant pas le décevoir.

Il est encore trop jeune pour lui expliquer que le monde n'est que Douleur, laquelle agit comme une gangue qui enserre les âmes et dont tous les êtres humains, grands ou petits, riches ou pauvres, sont prisonniers.

Quelle serait sa réaction si je lui disais que, « plus tard », précisément, il découvrira la triste condition de ses semblables : les esclaves qui travaillent à bas prix pour les riches, dans les forges et les entrepôts ; les paysans dont le dos se casse à force de se courber sur le sol, pour sarcler une terre aride où le millet qu'ils ont semé risque de ne pas pousser ; les innocentes victimes des guerres que se livrent les roitelets en faisant croire à leurs peuples que leur survie est à ce prix ; les mères dont les seins ridés peinent à nourrir leur dernier-né...

Alors, il sera devenu un adulte.

Mais le chemin qui mène de l'enfance à l'adolescence, puis à l'âge adulte, chacun l'accomplit à son propre rythme.

Parfois, je me dis que j'ai gardé une âme d'enfant et d'autres fois que j'ai atteint le stade où plus rien ne m'étonne...

C'est entre ces deux extrêmes que la pensée humaine oscille, comme un balancier.

L'enfant s'est levé. Il est au bord du fleuve et y jette des cailloux.

Je me lève avec plus de difficulté que d'habitude ;

quand je reste longtemps à méditer assis, mes genoux se bloquent, mais là, c'est pire, la fièvre me fait trembler ; je rejoins tant bien que mal l'enfant au bord du fleuve, à l'endroit où les racines de l'arbre de la Compassion plongent dans l'eau.

— Tu te souviens de ce bûcher et de ces dauphins ?

— Oui, je m'en souviens !

— Eh bien, « avant » ils étaient là... et maintenant, il n'y a plus rien !

— Je sais : il y a toujours avant et il y a toujours après ! répond l'enfant qui s'empare d'un gros galet qu'il hume comme une fleur, avant de le projeter dans les eaux orangées du fleuve où il disparaît instantanément.

— Cela s'appelle l'impermanence. Tu crois tenir quelque chose, alors qu'en fait tu ne tiens rien. Pas plus que l'eau et le sable ne te restent dans la main une fois que tu l'as refermée...

— Comment faites-vous pour accepter cela ? Moi, je ne l'accepte pas. Si je prends de la terre dans ma main, j'entends bien la garder dans ma paume !

— Les choses sont d'autant plus acceptables pour l'homme que ce dernier a décidé lui-même de les accepter ! Pourquoi le fait de disparaître dans un tourbillon du Gange ne serait-il pas une belle destinée pour une branche d'arbre ?

L'enfant demeure coi.

Manifestement, mes propos le font réfléchir.

Un couple de cormorans vient s'abattre sur l'eau. Ils y plongent leur bec – et parfois leur corps entier ; puis ils gobent, tels des avaleurs de sabres, les poissons au corps argenté.

À présent, l'enfant s'est approché de la berge et se baigne.

Il se met à nager vers le large, puis me fait un grand signe, avant de regagner la berge.

Tout ruisselant d'eau, il me fait penser à mon petit Rahula, lorsqu'il sortait du bassin d'agrément de notre jardin où il était allé se plonger nu, bravant le courroux de la gouvernante.

Des moines revêtus de haillons jaunes m'ont aperçu et s'approchent de nous. Ananda, qui n'est jamais loin, leur fait signe de me laisser tranquille.

— Ils ont l'air si pauvres que personne ne doit oser leur refuser l'aumône ! s'exclame l'enfant.

— Mes disciples n'ont pas le droit de travailler ! Ils consacrent leur vie à la prière. Ils vivent de mendicité et dépendent du bon vouloir des autres...

De dessous ma robe, je sors mon bol à aumônes, luisant comme une lampe de cuivre à force d'avoir servi.

— Vous aussi vous mendiez ? dit l'enfant, quelque peu étonné.

Je fais oui de la tête.

— C'est bizarre, ajoute-t-il, il m'est arrivé de voir des brahmanes ou des yogis chasser ces hommes en jaune des abords de leurs temples !

— La liberté heurte toujours la conscience de ceux qui ont peur.

L'enfant, qui s'est accroupi devant moi, a l'air pensif.

À en juger par son regard, je crois qu'il a compris le sens de mon propos.

— J'ai soif. Puis-je vous emprunter votre bol ?

Je le lui tends.

— Il a l'air si usé... soupire le petit garçon.

— Il a beaucoup servi... et puis, au contact du tissu, il finit par se patiner. Et c'est qu'il en a reçu, des aumônes !

L'enfant fait trois pas vers le fleuve, puis il plonge le bol dans les eaux du Gange et se désaltère.

— Vous voulez boire ? me demande-t-il en s'approchant de moi, au moment où Ananda nous rejoint.

Au loin, sur le Gange, un autre bûcher flottant vient à son tour de disparaître dans un tourbillon d'eau boueuse.

De sa présence, il ne reste plus qu'un peu de fumée au-dessus des flots.

Les dauphins, eux aussi, se sont évanouis.

Les eaux du fleuve-roi sont à présent étrangement vides et lisses.

— Ananda, je te présente un petit bonhomme qui n'a pas la langue dans sa poche mais qui parle déjà vrai et bien, dis-je à mon cousin.

— Tu devrais te reposer, Siddhãrta ! Tu as l'air d'un revenant ! me souffle ce dernier.

— Bon, il faut que j'y aille ! dit l'enfant.

— Où habites-tu ?

— Partout !

— Comme moi, c'est-à-dire nulle part... Toi et moi, nous sommes faits pareil !

Sautant de joie, à l'ombre du figuier banian géant, l'enfant esquisse alors un pas de danse.

C'est un pas de la danse du Lion.

Une danse que l'enfant a vu pratiquer au cours de certaines fêtes villageoises.

C'est une danse noble.

Une danse qui me fait penser à celle des mâles de mon clan.

Celui des guerriers Çãkya dont je me sens désormais si loin...

Rien, assurément, n'a jamais dû être donné à ce petit, si ce n'est cette incroyable maturité dont il fait preuve et qui atteste que la vie lui a déjà beaucoup appris.

Mais pourquoi s'est-il mis à danser comme un Çãkya, alors qu'il fait partie des intouchables ?

— Je voudrais rester avec vous ; aller avec vous là où vous irez ! Vous pourriez vous appuyer sur mon épaule. Je suis sûr que, vous et moi, nous pourrions aller très loin... me supplie-t-il.

— Mais où donc veux-tu que j'aille, mon pauvre enfant ? Sais-tu que je suis un vieillard et que mes jambes peuvent à peine me porter ? Tu es jeune. Va dans le monde. Moi, je l'ai déjà parcouru en long et en large.

L'enfant vient de m'embrasser le front.

— Merci de m'avoir parlé ! Je suis content ! répond le petit bonhomme.

Je le regarde s'éloigner.

Quand je ne serai plus là, le Gange continuera à couler et d'autres enfants viendront sous l'arbre de la Compassion...

42

Le jardin de Jadhu

À tout petits pas, nous quittons la ville de Bhũmi pour nous rendre vers celle de Pãva, la capitale de la république aristocratique de Malla.

Mon ventre, d'ordinaire plat comme une planche, est à présent gonflé comme une outre, et je sais que ma fin est proche, mais j'en accepte sereinement l'augure.

Ce matin, j'ai dit à Ananda :

— Il nous faut repartir. Le moment approche, mais il n'aura pas lieu ici !

— Seul le Sage connaît le moment... Je me souviens de ce propos de Chunda le forgeron, a alors murmuré Ananda.

Quand nous arrivons à l'entrée de Pãva, une immense foule nous attend, formant une haie d'honneur. Il y a là quantité de pauvres et de mendiants venus nous accueillir ; ils sont curieux de voir à quoi ressemble l'hurluberlu qui prétend qu'aucune différence n'existe, en matière d'acquisition des Nobles Vérités, entre les riches et les pauvres, entre les membres des castes supérieures et ceux des castes inférieures, entre les grands et les petits, entre les ignares et les savants.

La foule réclame un sermon.

Je puise en moi-même les ultimes forces nécessaires pour parler de la Noble Vérité à ces hommes et à ces femmes qui ont patienté des heures, en plein soleil.

Dans un silence que rien ne trouble, je leur raconte la Douleur ; je leur raconte la façon d'analyser la Douleur ; je leur raconte la façon de faire cesser la Douleur ; je leur raconte la façon de s'extraire de la Douleur.

Tous, ils m'écoutent béatement, sourire aux lèvres. Ils savent que le Salut est désormais à leur portée.

Une fois mon devoir accompli, je demande à Ananda :

— Pourrais-tu m'amener au jardin de Jadhu ?

Le parc, magnifié par les pluies de la mousson qui l'inondaient encore quelques jours plus tôt, est somptueux.

Les orchidées les plus rares poussent au creux des lianes, les mousses, douces au toucher comme du velours, recouvrent les troncs des manguiers et des canneliers ; le jasmin et la rose embaument l'air ; les haies de buis, taillées par de savants jardiniers, prennent la forme de vases et de colonnes.

De l'autre côté de la rivière Hirangavati, qui traverse cet extraordinaire jardin, j'avise un bosquet de sals à proximité d'un terrain d'exercice où de jeunes Malla s'entraînent au maniement des armes.

Je dis à Ananda :

— J'aperçois là-bas deux sals jumeaux entre lesquels je me reposerais volontiers. Allons-y, si tu le veux bien !

— Tu veux traverser la rivière ?

— Je monterai sur les épaules d'un jeune moine robuste.

Ananda hèle un novice.

Quand je traverse l'onde fraîche, juché sur son dos,

j'éprouve une joie intense. La joie de celui qui sait qu'il touche au but.

Suivis par une dizaine de moines, nous arrivons auprès des deux sals noueux. Ils ressemblent à un vieil homme et à une vieille femme qui se seraient fait face, du début à la fin de leur vie.

Le bosquet d'arbres jouxte un gros village appelé Kuçinagara.

— Tu veux que nous y accrochions le hamac ? me demande Ananda d'un air accablé quand nous arrivons devant les troncs jumeaux.

Je lui réponds :

— Avec mon mal au dos, me hisser sur un hamac constituerait un effort au-dessus de mes forces. Le mieux serait encore d'étendre un matelas sur le sol, entre les deux arbres... Ce sera très bien ainsi !

Alors je me couche sur le côté droit, la tête tournée vers le nord et les jambes croisées l'une sur l'autre.

En un instant, et bien que ce ne soit pas la saison, les sals jumeaux se couvrent de fleurs, provoquant des exclamations médusées de la part des disciples présents autour de moi.

— Qu'a-t-il donc pour se coucher ainsi à même le sol ? s'écrie Upãli le barbier avant d'éclater en sanglots.

— Vous avez vu toutes ces fleurs, n'est-ce pas là un vrai miracle ? s'extasie Asvajit.

De toute part, j'entends fuser les remarques, admiratives et inquiètes à la fois.

Mais, de tous, c'est Ananda qui est le plus nerveux.

Ananda a compris que mes forces vont m'abandonner définitivement. Il a vu apparaître, aux commissures de mes lèvres exsangues, le filet de bave blanche annonciateur du coma. Aussitôt, il se précipite vers une fontaine située à quelques pas, dans le bassin de laquelle il plonge son bol à aumônes avant de revenir vers moi et de le porter à ma bouche desséchée.

Derrière lui, je vois un homme nu, dont la chevelure hirsute et grisâtre témoigne qu'il se couvre la tête de cendres, en signe de pénitence.

— Où se trouve l'Éveillé ? demande-t-il à mon cousin bien-aimé.

— Il se repose entre ces deux sals jumeaux. Que lui veux-tu ?

— J'ai entendu dire qu'il allait monter au nirvãna cette nuit, au moment du troisième quart. Je voudrais le saluer avant, si c'était possible.

— Comment t'appelles-tu ?

— Shubhãdra.

— Qui t'a raconté ça, Shubhãdra ? l'interroge Ananda.

— Les plus sages parmi les ascètes de la communauté à laquelle j'appartiens affirment depuis des semaines qu'un Éveillé va bientôt quitter ce monde... J'aimerais juste voir ses prunelles ! Pour moi, ce serait important.

— Il est trop fatigué, il faut qu'il dorme ! N'oublie pas que cela fait près de quarante-cinq ans qu'il parcourt les chemins et dispense ses sermons à des foules immenses. Tu aurais pu t'arranger pour croiser son regard plus tôt...

Ananda, manifestement décidé à m'éviter toute fatigue inutile, fait écran entre l'ascète errant et moi.

Je lui souffle de laisser l'homme s'approcher.

— Monseigneur l'Éveillé, avant que vous ne quittiez ce monde, je veux savoir la Vérité ! me déclare l'ascète après s'être incliné à trois reprises.

Je dis à mes moines :

— Laissez-moi seul avec Shubhãdra.

Du bout des lèvres et avec ce qui me reste de force,

je lui explique les Quatre Nobles Vérités, les Cinq Défenses et les Huit Opinions Correctes.

— Explique-moi comment les mondes se détruisent et se créent ? me demande-t-il une fois ma démonstration achevée.

Je dis :

— Tous les mondes, quels qu'ils soient, après une période de grande paix et de stabilité, finissent par être détruits par les vents qui soufflent sur les quatre continents et les quatre-vingt mille îles de la mer ; tous les mondes, quels qu'ils soient, après une période de grande paix et de stabilité, finissent par être détruits par l'eau de la mer qui monte et noie peu à peu, sous l'effet de la houle, les étages du monde ; tous les mondes, quels qu'ils soient, après une grande période de stabilité et de paix, sont détruits par le cataclysme du feu dont les flammes sont attisées par le vent. Après leur destruction, les mondes se recréent avant d'être à nouveau détruits, et ainsi de suite. Celui qui réussit à atteindre le nirvãna sort de ce cycle de destructions et de créations.

— Tes paroles sont merveilleuses ; tu redresses ce qui est courbé ; tu dévoiles ce qui restait caché ; tu montres le chemin aux égarés. J'aimerais, à mon tour, devenir membre de la Samgha ! s'écrie l'ascète, enthousiaste.

Je dis à mes disciples :

— Vous pourvoirez à l'ordination de Shubhãdra sans attendre la période d'approbation de quatre mois. Cet ascète, de par la vie qu'il mène, a déjà un pied à l'intérieur de la Samgha !

— J'ai eu raison d'oser venir te déranger, ô Éveillé ! Sans ta rencontre, je persisterais dans l'erreur ! s'exclame l'ascète nu.

Je souris aux miens.

Ce sera mon adieu.

43

Parinirvãna

Mon kalpa [1] actuel est le dernier.

Je sens que le grand moment, tant attendu, est enfin arrivé.

Vous croyez que je dors, mais je ne dors pas.

Je veille.

Simplement, je suis si affaibli que je n'ai plus la force de maintenir ouvertes mes paupières. Si vous les souleviez, vous verriez, au fond de mes orbites noirâtres, mes yeux de braise, intacts, continuer à briller comme des gemmes.

Je suis dans l'antichambre de la Délivrance.

Bientôt j'entrerai dans la Première Méditation Dhyãna, puis dans la Deuxième et ainsi de suite, jusqu'à la Quatrième et dernière.

Après quoi, je plongerai d'abord dans le recueillement où toute conscience cesse, ensuite, dans celui où il n'y a plus rien de palpable, puis dans celui de l'infinité de la conscience, et enfin dans celui de l'infinité de l'espace.

Je murmure :

— Que tous les êtres vivants qui existent, mobiles

1. Période de l'existence en cours.

et immobiles, sans exception, qu'ils soient longs ou grands, moyens ou courts, minces ou gros, visibles ou invisibles, qu'ils soient loin ou près, nés ou à venir, que tous les êtres soient heureux !

Tel est mon vœu le plus ardent au moment où j'expire.

Je vous quitte, mais je reste au milieu de vous et ma Compassion vous accompagnera jusqu'au bout.

Mes chers disciples, je vous vois.

Vous êtes tous là, pas loin de moi, au milieu des sals.

Ananda, tu es là et c'est bien ainsi.

En signe de reconnaissance pour tout ce que tu as fait pour moi, je t'ai laissé mon bol à aumônes. Tu as été un frère, un secours perpétuel, un merveilleux compagnon de route, la bonté incarnée. Tu as accepté de sacrifier tes objectifs à ceux que je m'étais fixés ! Tu es un homme de bien, Ananda ; tu as toujours été humble ; tu n'as jamais abusé de ta proximité avec moi, pas plus que de ton antériorité puisque, de tous mes disciples, tu fus le premier des premiers.

Sans toi, je ne me serais pas arraché aux miens. Tu m'en donnas le courage. Je ne l'oublierai jamais.

Je t'aimerai toujours, Ananda ! Lorsque je ne serai plus là, je garderai précieusement le souvenir de ton visage aux yeux doux !

Les trois frères Kaçyapa, vous êtes là aussi, de même que Subhũti, Maudgalyayãna et Shãriputra !

Je vous observe à travers mes paupières presque refermées.

C'est à peine si vous osez regarder mes os saillants ! Ma déchéance physique doit sûrement vous choquer. L'enveloppe charnelle de l'Éveillé ne diffère en rien de celle des autres êtres humains. Je sais bien que cela vous chiffonne... Je sais bien que cela ne va pas avec les miracles que vous m'avez vu accomplir, par exemple, quand j'ai enfermé dans mon bol à aumônes ce terrible serpent cracheur de feu qui gardait la hutte du feu sacrificiel d'Uruvilva, ou quand cet éléphant sauvage est venu m'apporter de l'eau avec sa trompe, ou encore lorsque certains arbres sous lesquels je méditais se couvraient de fleurs...

Mais c'est ainsi : même si je suis devenu le Tathãgata, je ne suis qu'un homme parmi les hommes, dont l'apparence physique n'a rien à envier à ses semblables, quand ils atteignent un âge vénérable.

Si vous saviez, ô mes chers disciples, ce que j'ai pu vous aimer et vous respecter, tous autant les uns que les autres !

Certains jours, j'en venais à me dire que mes exigences allaient trop loin, en matière d'ascétisme et de renoncement, quand je vous voyais vous contenter d'un bol de soupe aux lentilles après deux jours de jeûne forcé ou que vos pieds étaient en sang, à force de marcher sur les chemins empierrés.

C'est à vous qu'il reviendra de transmettre le Dharma à tous ceux qui entreront dans le Courant après ma mort. Car le Dharma, c'est sûr, me survivra. Les idées, quand elles sont justes, sont invincibles.

Ce sera à toi, Ananda, qu'il reviendra de prendre sur toi, et de consoler les autres disciples qui pleureront ma mort, même s'ils savent qu'elle est pour moi l'ultime point de passage obligé pour la Délivrance Finale et l'antichambre de l'Extinction Suprême à laquelle je vais enfin accéder.

Et je ne doute pas qu'ils seront nombreux à désirer s'extraire, comme j'ai réussi à le faire, du cycle incessant des morts et des renaissances.

Un jour viendra, mes chers amis, où l'écriture devra succéder à la mémoire, parce que aucun témoin direct de ce que nous avons vécu ne sera plus de ce monde.

Bientôt, je ne serai plus de ce monde ; c'est à présent une question d'heures ; mais plus le nirvãna approche, et plus je me sens calme et heureux.

Je ne suis pas au bord du gouffre ; je suis sur le seuil du territoire où la conscience individuelle se dissout dans le « Monde Auquel On Ne S'attache Pas ».

Je sens qu'Ananda m'embrasse sur le front.

J'aimerais lui dire tout le respect que j'éprouve à son égard, mais ma bouche est incapable de s'ouvrir.

Désormais, je suis là où tout s'apaise parce que rien n'y est noir, pas plus que blanc, parce que rien n'y est creux, pas plus que plein, parce que rien n'y est bien, pas plus que mal, parce que rien n'y est beau, pas plus que laid, parce que rien n'y est chaud, pas plus que froid.

À ce stade, la douleur n'a plus lieu d'être ; l'homme y est définitivement libéré de tout ce qui le fait souffrir.

Mon esprit est à l'extérieur de mon corps.

Je vois à présent mon cadavre, comme si j'étais complètement extérieur à lui.

Autour de lui, je vois cinq princes Malla, venus aux nouvelles au lieu d'aller se livrer à leurs exercices d'arts martiaux, conscients qu'un événement extraordinaire venait de se produire entre les deux arbres jumeaux, ainsi que le moine Shubhãdra, le dernier converti.

Ils se penchent au-dessus de moi et murmurent, la voix brisée par le chagrin et l'émotion :

— La flamme de la bougie s'est éteinte...

À présent, c'est Ananda qui s'approche de moi et me frotte la peau avec un linge parfumé en disant :

— Tout comme la flamme éteinte par le vent entre en repos et ne se laisse plus contempler, de même l'homme Éveillé, libre de tout égoïsme, une fois éteint, ne se laisse plus voir. Indescriptible, il échappe à toutes les images. Il échappe au pouvoir des mots ! Le bruit que l'ascète Siddhãrta Gautama, Tathãgata ou Éveillé, vient d'entrer au nirvãna ne va pas tarder à se répandre dans la ville comme le torrent inondant le chemin après l'orage. Il ne faut pas le laisser là !

Ils me transportent sous ma hutte et m'étendent sur un lit de branchages.

Très vite, les dévots affluent. Ce sont des hommes et des femmes éplorés, souvent les plus pauvres parmi les pauvres, munis d'un simple bouquet d'anémones ou de quelques grains d'encens.

La ferveur des humbles et des déshérités est forte et puissante comme le courant qui pousse les eaux du fleuve Gange.

Le désespoir d'Ananda, qui pleure dans son coin, fait peine à voir.

Alors, je décide de lui envoyer un signal

Juste au sommet de l'arbre, Ananda voit soudain la fleur.

Comme elle est belle !

C'est une fleur d'or, éclatante comme un petit soleil, dont la luminosité est si forte qu'il n'arrive pas à la fixer plus de quelques secondes.

Elle exhale une odeur exquise.

Une odeur dont il se souvient.

Alors, Ananda, malgré l'immense malheur qui vient de s'abattre sur lui, se sent d'un seul coup apaisé.

C'est la seconde fois qu'Ananda voit s'épanouir la sublime fleur de l'Udumbara !

les nuages. Il échappe au pouvoir des dieux. Le bruit qui l'escorte [illegible] [illegible] [illegible] du [illegible] vers d'autres au niveau moyen des terres, se répandre dans la ville comme le torrent inondant le chemin après l'orage. Il ne fait pas le [illegible].

— Ils me caressent [illegible] et m'étendent sur un lit de branchages.

J'ai [illegible]. Les dévots arrivent. Ce sont des hommes et des femmes [illegible], souvent les [illegible] des [illegible] et [illegible], munis d'une [illegible] d'[illegible] ou de quelques grains d'encens.

Le [illegible] des [illegible] [illegible] et [illegible] comme la courant [illegible] les [illegible] du flot [illegible].

[illegible] d'Amida qui plane dans son [illegible] [illegible].

Avant [illegible] de [illegible] un signal.

Bien au sommet de l'arbre, Amida [illegible] soudain la [illegible].

Encore. Elle est belle!

Par une fleur d'or [illegible], comme [illegible] soleil, [illegible] [illegible] plus de quelques [illegible].

Elle [illegible] une [illegible] extase.

Une [illegible] dont il se souviendra.

Alors, on [illegible] l'[illegible] qui vient [illegible] sur [illegible] seul [illegible] [illegible] est la seconde fois [illegible] [illegible] de l'Illumination?

[illegible]

Épilogue

Le Bouddha te parle, cher lecteur.

Et à présent que tu connais un peu mieux ma vie, tu sauras écouter mon silence.

Laisse-toi faire et cesse d'avoir peur.

Accueille la Vérité.

Elle est à tous les hommes.

Elle va te réconcilier avec toi-même.

Elle va faire de toi celui qui sait accorder sa vie à ses espoirs et à ses aspirations.

Elle va faire de toi un être apaisé.

Ne sois pas désespéré ! Chaque être humain, quel qu'il soit, est appelé à construire son avenir. Le salut de la planète n'est pas soumis au bon vouloir ou aux caprices de la main invisible d'un dieu finalement étranger à l'homme parce qu'il le dépasse complètement.

Si chacun le décide, demain sera meilleur.

Laisse pénétrer en toi l'espoir, comme si tu t'immergeais dans l'eau du fleuve, en goûtant cette délicieuse sensation de fraîcheur procurée par l'élément liquide beaucoup plus froid, en raison du courant et du vent, que l'air brûlant de cette fin d'après-midi...

N'est-ce pas là l'un des plus beaux états du Samsāra

que celui qui va te permettre de passer une nouvelle vie dans les eaux du fleuve sacré ?

Alors, à l'instar de toute cette pourriture purifiée par les eaux du Gange, recyclée par sa force, éparpillée en mille morceaux grâce à la puissance de son courant, émulsionnée par l'énergie inépuisable de ses tourbillons, digérée par ses myriades de poissons de toute taille, des plus minuscules aux plus monstrueux, qui s'en gavent ;

Alors, à l'instar de ce gigantesque mécanisme de rotation qui gouverne le monde : la Roue de l'Évolution qui part du grain de poussière et aboutit aux étoiles, en passant par le cerveau humain ; la Roue du Cycle infini des existences ; la Roue de la Fortune et celle du Malheur ; et la Roue qui les contient toutes : la Roue de la Loi, celle que moi, Gautama le Bienheureux, Gautama l'Éveillé, Gautama le frère des hommes, j'ai voulu, pour le bien de l'humanité tout entière et pour le tien en particulier, mettre en mouvement ;

Alors, dis-je, ton esprit retrouvera la force de vivre.

Et cette Roue de la Loi que j'ai réussi à faire bouger de la case de la Douleur à celle du Salut, elle sera tienne.

À présent, regarde ce qui se passe dans ton cœur : le vrai visage du Bouddha s'y trouve.

Le Bouddha te sourit et il te tend la main.

Ce Bouddha qui est en toi.

Pour toi.

Car, même si tu ne le vois pas, il est à tes côtés, celui qui a réussi à « faire bouger les choses » ; celui dont le but a été de rendre l'espoir à toutes les victimes de la vie, qu'elles soient riches ou pauvres ; celui qui a prouvé que, sans l'amour, rien n'est possible ; celui qui a dit aux hommes qu'ils n'étaient pas condamnés à rester indéfiniment esclaves de leur condition et de leurs besoins ; celui qui a allégé le fardeau que chaque être porte sur ses épaules ; celui qui a osé formuler une explication du monde sans la baser sur l'existence de divinités tutélaires, bienfaisantes ou méchantes, qui échappent totalement à l'homme et l'écrasent de tout leur poids ; celui qui propose d'articuler le bonheur humain sur des valeurs spirituelles bien plus subtiles que les valeurs matérielles : l'évanescence, la méditation, le vide et le non-soi ; celui, qui, le premier, a proclamé, dans un monde où la loi du plus fort est si affirmée, que la compassion vaut mieux que la haine et qu'il est mieux que la tolérance l'emporte sur l'exclusion et l'opprobre.

Celui, en somme, dont nous avons, les uns et les autres, aujourd'hui et demain, besoin, parce qu'il parle différemment :

Le Bouddha d'hier, le Bouddha d'aujourd'hui et le Bouddha du futur.

Le Bouddha que tu seras un jour... qui sait ?... comment ne pas te le souhaiter ?

Sans t'en rendre compte et sans effort, ô lecteur, tu viens d'entrer dans le Premier Stade de la Méditation Dhyãna et je suis à présent tout près de toi.

Si tu te laisses aller un peu plus, tu verras mon vrai visage.

Tu verras ce crâne soigneusement rasé, dont le sommet forme un léger monticule.

Tu verras ce front haut parfaitement lisse, à peine bombé.

Tu verras ce nez effilé, qui sépare en deux parties rigoureusement symétriques ce visage émacié aux pommettes un peu saillantes.

Tu verras, au-dessus du menton arrondi comme le sabot d'un cheval noble, la bouche aux lèvres restées charnues malgré le peu de nourriture qu'elle a absorbé.

Mais, surtout, tu verras mes yeux.

Des yeux d'amour qui te regarderont.

Des yeux noirs qui te paraîtront des gemmes précieuses.

Des yeux à l'éclat intense qui te souriront.

Les yeux de la Compassion.

Je suis là, avec toi !

Parce que tu es là, avec moi !

Postface

Qui n'a pas entendu parler du Bouddha ?

Mais qui le connaît vraiment ?

Depuis longtemps, Bouddha et le bouddhisme nous sont devenus familiers mais souvent de façon approximative et même, parfois, erronée.

Réduite à la seule non-violence, parfois travestie par l'exotisme – souvent de pacotille – des images qu'elle nous renvoie, sa doctrine, pourtant, constitue l'une des tentatives les plus ambitieuses et les plus poignantes d'explication du monde et surtout du sens que les hommes doivent donner à leur place dans celui-ci, à leur destin et à leur vie.

Philosophie et religion à la fois, le bouddhisme est à compter au nombre de ces ruptures qui, à un moment donné, pour des raisons mystérieuses, mais toujours, aussi, parce qu'elles sont incarnées par une personnalité exceptionnelle, affectent les croyances traditionnelles d'une société et font progresser la civilisation – tout comme l'esprit humain – vers des valeurs universelles de tolérance et de paix qui, aujourd'hui, nous semblent aller de soi, mais qui, à l'époque où elles furent proposées, étaient de véritables révolutions intellectuelles et morales.

Au-delà des aspects philosophiques et moraux de sa doctrine, que ce récit s'efforce d'expliquer au lecteur en termes simples, c'est à la découverte du Bouddha lui-même, de sa vie, de ses paroles et de sa trace, que nous avons invité ceux qui ne le connaissaient pas encore.

Et d'abord, le Bouddha exista-t-il ?

À une telle question, la réponse ne peut être que oui.

Pourquoi les hommes auraient-ils éprouvé le besoin d'inventer de toutes pièces un tel personnage ?

Assurément, vers le milieu du VIe siècle avant Jésus-Christ vécut, au nord de l'Inde, un homme exceptionnel dont l'immense charisme personnel et le discours, en rupture avec le contexte religieux de son époque, ne laissèrent pas indifférents ses contemporains.

La doctrine qu'il prêcha fut tellement étudiée, classée et codifiée, qu'il est d'ailleurs possible, grâce à l'étude des textes anciens, d'en avoir une idée assez précise.

Mais par-delà les textes innombrables de ces sermons, qui se répandirent peu à peu vers l'Asie pour faire de la Chine puis du Japon, à partir du début de notre ère, les deux pays bouddhistes majeurs, au moment où cette religion commençait à décliner dans son pays d'origine, l'Inde, c'est l'homme que fut Bouddha qui doit avant tout nous interpeller.

Qui était-il ?

Son apparence physique devait être assurément plus proche de celle d'un Indien ascétique aux cheveux bouclés, aux traits fins et aux yeux noirs, que de celles de ses représentations sous forme d'un moine ventru et grassouillet tel qu'on le vénère dans les temples dorés de Thaïlande, du Vietnam, de Chine ou du Japon.

Et c'est là qu'il devient passionnant à connaître.

Car jamais, sans doute, un homme n'aura été l'objet d'appropriations si différentes de la part de civilisations aussi éloignées les unes des autres.

Car sa parole, par-delà le temps et l'espace, acquit très vite une portée universelle.

C'est la raison pour laquelle la meilleure façon de découvrir qui il était est encore de revenir aux sources.

Comme d'autres personnalités de son envergure (on pense au Christ, à saint François d'Assise, ou encore à Gandhi) capables d'aller très loin dans la rupture avec l'ordre établi, moral ou religieux, le Bouddha fut, à n'en pas douter, un personnage paradoxal.

Il prêchait pour les pauvres, mais il fut écouté par de nombreux princes.

Après sa mort, de puissantes dynasties impériales, en Inde puis en Chine, défendirent sa doctrine.

Le Bouddha ne croyait pas à l'immanence d'un dieu suprême.

Il croyait, en revanche, au salut de l'homme.

C'est pourquoi la meilleure façon de comprendre le bouddhisme est encore de découvrir qui fut, réellement, Siddhãrta Gautama, celui qui, après sa mort, devint le Bouddha.

Peu à peu, le bouddhisme deviendra une religion en bonne et due forme, avec ses deux grands courants, le Petit et le Grand Véhicule ; le premier qui réserve le salut aux seuls moines et l'autre qui le permet aux croyants, même s'ils n'ont pas accompli de vœux particuliers.

La ritualisation de cette spiritualité fait que, si l'on veut bien la comprendre, il convient de revenir au bouddhisme primitif, c'est-à-dire à la parole elle-même de Siddhãrta, à son mode si particulier – et si poétique – d'expression et de pensée, qu'on a essayé de respecter et de faire passer tout au long du récit de *Moi, Bouddha*.

[illegible] ont été l'objet
d'interprétations si différentes [illegible]
[illegible]
Ce [illegible] par delà le temps et l'espace, acquit
[illegible] une portée universelle.
C'est la doctrine pour laquelle la meilleure façon de
découvrir un [illegible]
Comme [illegible] de son enseignement [illegible]
pensée au [illegible] sont [illegible]
[illegible] dans la [illegible]
l'ordre [illegible], moral et religieux, le Bouddha [illegible]
n'a pas [illegible]
Il prêchait pour les pauvres, mais il fut écouté par
de nombreux princes.
[illegible] de puissants [illegible]
en Inde, puis en Chine, répandirent sa doctrine.
Le Bouddha ne croyait pas [illegible] d'un dieu
[illegible]
[illegible] le salut de l'homme.
Bien [illegible] la meilleure façon [illegible]
[illegible]
[illegible] qui, après la mort
[illegible] du Bouddha.
[illegible] bouddhisme [illegible] religion
[illegible] deux grands courants, le
Petit et le Grand Véhicule, [illegible] qui réserve le
salut [illegible]
[illegible]
[illegible]
[illegible] de cette spiritualité [illegible]
[illegible]
[illegible]
[illegible]
[illegible]
[illegible]
[illegible]

Annexes

Annexe 1

Le bouddhisme : bien plus qu'une religion, une attitude devant la vie, devant la mort, devant les autres... »

Bien plus qu'une religion, le bouddhisme est une philosophie ; mais, plus encore, c'est une attitude devant la vie, une posture morale – et physique ! – qui constitue un immense défi pour les êtres faits de chair et de sang que nous sommes, éponges à sensations, avides de plaisir et de bonheur, craignant la douleur et le malheur, invités à se départir de ce qui les rattache aux biens matériels pour se projeter dans le monde spirituel où l'homme peut enfin échapper à sa condition humaine.

À la notion de bonheur/malheur, de plaisir/souffrance, de richesse/pauvreté, c'est-à-dire à la réalité duale (chaud/froid, lumière/jour, vie/mort) qui est la nôtre, le **Bouddha** propose le dépassement : le nirvãna est le monde idéal où toute sensation a disparu et où règnent la paix, le vide, le néant.

Même si le postulat de l'omniprésence de la **douleur** du monde peut paraître excessif, aux yeux des Occidentaux que nous sommes, force est de constater que cette vision s'accorde de plus en plus avec la situation de la majorité des êtres humains de notre planète, désormais confrontée à de gigantesques défis démographiques et écologiques, où les inégalités n'ont cessé de se creuser depuis cinquante ans.

Le bouddhisme naquit en rupture avec les religions traditionnelles indiennes, dans une société – celle de l'Inde au VIe siècle avant notre ère – où la plupart des hommes et des femmes vivaient, dans un grand dénuement, une condition d'esclaves.

Mais vouloir réduire l'enseignement du **Bouddha** à une théorie destinée à alléger les souffrances de ses congénères est bien trop réducteur.

À la base de l'enseignement du **Bouddha**, il y a la volonté de libérer l'homme des jougs spirituels et matériels qui le « tirent vers le bas », comme s'ils étaient des sacs de sable empêchant un ballon de monter dans l'atmosphère.

Le discours de rupture du bouddhisme, qui sera tenu, quoique sous des formes différentes, par d'autres éminents successeurs du **Bouddha** comme **Jésus Christ** ou **Saint François d'Assise** consista aussi à expliquer aux adeptes de la religion traditionnelle indienne que les brahmanes, en leur faisant invoquer à longueur de journée, à grand renfort d'offrandes pour lesquelles ils se saignaient aux quatre veines, le panthéon traditionnel des dieux indiens, dont beaucoup serviront de modèles aux dieux gréco-latins, cherchaient à les maintenir dans l'ignorance et l'asservissement.

Mais, plutôt que d'invoquer le **vrai dieu** des monothéistes, c'est la notion même de divinité censée agir dans – ou contre – les intérêts des hommes – selon leur comportement et leur degré d'adhésion –, dans le cadre de l'implacable contrat : *adore-moi, fais ce que je te somme d'accomplir et je te sauverai,* qui peut conduire ceux-ci à l'acceptation de tout, *puisque dieu l'a voulu ainsi*, le **Bouddha** va placer l'être humain au centre de l'univers.

Son salut ne dépend que de lui.

Sa plus grande victoire, c'est sur lui-même qu'il doit la remporter, en se dépassant, en se dépouillant peu à peu de ce qu'il croit être de précieux vêtements, alors que ce ne sont que des oripeaux et des chaînes.

À ce titre, le bouddhisme est la philosophie religieuse la plus éloignée du monothéisme, puisqu'il propose aux êtres une voie radicalement différente, d'où la notion d'être suprême, dont dépend le sort de hommes, est totalement absente.

Face à la **douleur** du monde, les êtres ne sont pas seuls : ils ont des milliards de prédécesseurs et de successeurs. Tout ce qui nous arrive est déjà arrivé à d'autres et arrivera à ceux qui nous succéderont.

Cette constatation induit la notion de **compassion** qui est au centre des rapports humains tels que les conçoit le Bouddha. Les êtres sont **solidaires** les uns des autres, puisqu'ils sont tous appelés à vivre le même enchaînement d'existences, que le Bouddha propose de rompre par la **délivrance**.

Cet humanisme profond, fondé sur l'absolu respect de l'autre, explique l'immense succès du bouddhisme, malgré l'absence de volonté de prosélytisme conquérant de la part de ses adeptes, qui se contentent, par leur attitude, de montrer l'exemple.

À cet égard, il est le seul courant religieux à avoir toujours refusé de faire appel à la force des armes.

Certaines intuitions de la pensée bouddhique, comme la notion d'espace-temps, celle de l'unicité de la création et de la multiplicité des univers, de la structure de la matière en particules infinitésimales ont été confirmées par les découvertes récentes de la science telles que la théorie de la relativité d'Einstein, la mécanique quantique et la théorie des cordes.

Le bouddhisme est la quintessence du spiritualisme.

C'est grâce à la **méditation**, cette gymnastique de la pensée qui s'apprend par une très longue pratique, que l'esprit finit par trouver la voie de la délivrance de la condition humaine. Le bouddhiste cherchera le **vide**, le **néant**, dans la réflexion très complexe – de nature ontologique – qu'il mène autour de la notion d'**atman** (sorte d'en-soi des choses dont le bouddhisme nie, par définition, la réalité).

Même si certains ont pu voir dans le bouddhisme une philosophie conduisant l'homme à l'acceptation de sa condition – et donc une « religion aliénante », au sens marxiste du terme –, le **Bouddha** a voulu enseigner la délivrance à ses semblables.

Là aussi, comment ne pas être frappé par la justesse de ses intuitions quand on voit le sort de peuples censés avoir été « libérés » par des révolutions qui les conduisirent à l'asservissement et au dénuement ?

Mais le bouddhisme est enfin une véritable phénoménologie analytique de la perception de la réalité du monde, où sont disséquées les phases de la compréhension de celle-ci. L'adepte est ainsi guidé dans sa démarche, pas à pas, comme s'il s'agissait de monter un escalier dont les marches sont de plus en plus hautes, et dont la dernière conduit au nirvãna... lequel n'est ni un *ciel,* ni un *au-delà* où tout ne serait que luxe, calme et volupté pour ceux qui le mériteraient, mais un simple *ailleurs* où l'être, enfin libéré de tout, ne souffre plus, parce que, tout simplement, il n'a plus de *raison d'être*.

Annexe 2

Le Grand Sermon du Bouddha

C'est dans le parc des gazelles de Bénarès que le Bouddha délivra son premier grand sermon, qu'on s'est efforcé ici de rendre le plus proche possible du langage et du mode d'expression qui devaient être ceux du Bienheureux.

La situation de tous les êtres relève des Quatre Nobles Vérités : la Noble Vérité de la Douleur, la Noble Vérité de l'origine de la Douleur, la Noble Vérité de la cessation de la Douleur et enfin la Noble Vérité du chemin qui mène à la cessation de la Douleur.

Je dis :

— La vie n'est que Douleur, depuis la naissance jusqu'à

la mort : telle est la Première Vérité ; c'est la soif et le désir de posséder qui sont à l'origine de la Douleur : telle est la Deuxième Vérité ; seuls le détachement, l'abandon de cette soif et de ce désir peuvent faire cesser la Douleur : telle est la Troisième Vérité ! Quant à la Quatrième, qui donne l'accès aux moyens permettant d'atteindre les fins précédentes, je la nomme l'Octuple et Noble Sentier, la Sainte Voie aux Huit Membres, les Huit Voies de la Connaissance et de la Vérité, le Chemin Sacré aux Huit Embranchements !

Je dis :

— Je la nomme aussi « Voie du Milieu », celle du chemin qui mène à la cessation de la Douleur et à la Délivrance Finale, c'est-à-dire à la sortie du Samsāra. Entre les deux voies extrêmes, celle des tentations, des délices et des plaisirs temporels, tant matériels que charnels, et celle des macérations, des souffrances et pénitences que l'homme peut décider de s'infliger en croyant qu'elles mènent à la Vérité, alors qu'elles ne mènent qu'au dégoût de soi, je vous conjure d'opter pour la Voie du Milieu.

Je dis :

— Oui, je nomme ainsi les vues justes, la volonté parfaite, le langage pur, l'action pure, les moyens d'existence purs, l'effort parfait, l'attention parfaite et la méditation parfaite. Tel est le bon remède qui conduit à la suppression de l'ignorance, à la suppression de la Douleur et des renaissances, c'est-à-dire au nirvāna...

Je dis :

— Car il existe, mes chers amis, un domaine où il n'y a ni terre, ni eau, ni feu, ni vent, ni espace, ni conscience, ni néant, ni perception ni absence de perception, ni ici ni là, ni soleil ni lune ; dans ce domaine, on ne va ni ne vient, on ne meurt ni ne naît ; ce domaine est dépourvu de fondement, de progression et de support : ce domaine, je le nomme « fin de la douleur » ; je le nomme « nirvāna ». C'est vers lui que je vous invite à aller avec moi.

Je dis :

— À l'origine de la Duhkha [1], il y a le désir ; il y a la

1. Douleur, en sanskrit.

soif de concupiscence et de jouissance ; il y a la soif d'existence et de vie ; il y a la soif d'inexistence et de mort !

Je dis :

— À l'origine de la Duhkha, il y a aussi la suite des enchaînements qui partent de la Douleur et mènent à l'Ignorance.

Je dis :

— À l'origine de l'Ignorance, il y a les Compositions, c'est-à-dire les différents actes, bons ou mauvais, du corps, de la voix et de la pensée ; à l'origine des Compositions, il y a la Conscience ; à l'origine de la Conscience, il y a le Nom et la Forme, c'est-à-dire la personne dans son ensemble, le nom étant la partie psychique de celle-ci, à l'exclusion de la conscience, et la forme étant la matière du corps ; à l'origine du Nom et de la Forme, il y a les Six Domaines Sensoriels : la vue, l'ouïe, l'odorat, le toucher, le goût et la pensée ; à l'origine des Six Domaines Sensoriels, il y a le Contact ; à l'origine du Contact, il y a la Sensation ; à l'origine de la Sensation, il y a la Soif ; à l'origine de la Soif, il y a l'Appropriation ; à l'origine de l'Appropriation, il y a l'Existence ; à l'origine de l'Existence, il y a la Naissance ; et c'est de la Naissance que proviennent la Douleur et son cortège de malheurs : la mort, la vieillesse, les chagrins, les souffrances et les tourments de tous ordres qui assaillent les êtres.

Je dis :

— Tel est l'enchaînement des effets et des causes que je vais vous apprendre à briser.

Je dis :

— Naître, c'est venir au monde ; c'est se soumettre au monde de la Douleur.

Je dis :

— Exister, c'est « devenir » ; car l'existence est un mouvement perpétuel ; car rien ne vient de rien ; car la naissance n'est possible que s'il y a une existence antérieure.

Je dis :

— S'approprier, c'est s'attacher ; car notre vie est faite d'attachements aux êtres que nous aimons et aux choses que nous souhaitons posséder ou garder.

Je dis :

— Celui qui dit : « Je suis, donc je veux », se trompe.

Je dis :

— Il y a quatre sortes d'appropriations, toutes aussi néfastes les unes que les autres : celle du désir, qui nous pousse vers les femmes, vers les friandises, vers ce qui nous procure du plaisir ; celle des opinions, qui fait de nous des dictateurs de la pensée et des intolérants ; celle des superstitieux aux pratiques rituelles ainsi que celle des dévots qui essaient de monnayer leur salut ; mais la pire, c'est l'appropriation de la croyance en « soi », qui fait de nous des tyrans inhumains.

Je dis :

— Avoir soif, c'est être l'esclave de ses sens et de ses pulsions, qui nous poussent à posséder les êtres et les choses.

Je dis :

— Ressentir, c'est se laisser imprégner par les couleurs, les odeurs, les goûts, les touchers, les sons et les pensées.

Je dis :

— Entrer en contact, c'est se laisser guider par ses yeux, par ses oreilles, par son nez, par sa langue, par sa main et par sa pensée.

Je dis :

— Nommer et décrire, c'est se soumettre à l'ordre de l'Univers tel qu'il est.

Je dis :

— Avoir conscience, c'est avoir l'intelligence de la connaissance de ce qu'on nomme et de ce qu'on décrit.

Je dis :

— Les compositions sont les formations du corps, de la voix et de l'esprit ; ces dernières désignent les dispositions des individus, qui conditionnent leur psychisme.

Je dis :

— Ignorer, c'est se laisser entraîner par le cycle des enchaînements qui conduisent à la Naissance et à la Douleur ; c'est ignorer le début et ignorer la fin ; c'est ignorer ce qui est intérieur aux êtres et ce qui leur est extérieur ; c'est ignorer l'arbre et ignorer le fruit ; c'est ignorer le noir et ignorer le blanc ; c'est ignorer la Douleur et c'est ignorer la Naissance.

L'Ignorance est un feu qui se nourrit de manque de maîtrise des sens, d'inconscience des impressions ressenties, d'attention mal dirigée, de refus d'accepter les Quatre Nobles Vérités, de méconnaissance de la Doctrine et de mauvaises dispositions de l'esprit.

Je dis :

— La cause de tout est l'Ignorance et la conséquence de tout est la Douleur.

La flamme qui s'élève est produite par du combustible tout en se nourrissant d'air qui attise ses ardeurs, mais elle ne s'attache ni à l'un ni à l'autre : nos vies en perpétuel devenir sont semblables à la flamme : elles errent à travers l'espace et le temps ; comme la flamme, elles sont la proie du vent qui peut renforcer celle-ci ou bien l'éteindre...

Je dis :

— Imaginez dans une forêt, au bas des pentes d'une haute montagne, un lac profond près duquel vit un troupeau de bêtes sauvages. Arrive un individu, qui souhaite le malheur et la souffrance de ce troupeau : il obstrue le chemin par lequel il lui faut passer pour être en sécurité et en ouvre un autre qui donne sur des marécages ; le troupeau subira un grand malheur et périra sous les eaux. Mais si, à présent, arrive un homme qui veut le bien de ce troupeau, il ouvrira le chemin par lequel il lui faut passer pour être en sécurité et il obstruera celui qui mène aux marécages : alors, le troupeau croîtra et prospérera.

Je dis :

— Mes chers amis, ce lac profond, c'est le plaisir ; ce troupeau, ce sont les êtres ; l'homme qui leur veut du mal, c'est Māra, le dieu du Mal, et le chemin qui conduit vers les marais, c'est celui de la jouissance, du désir et de l'ignorance. Et l'homme qui veut du bien aux êtres, c'est celui qui un jour deviendra le Bouddha ! Le chemin par lequel on passe en toute sécurité, c'est la Sainte Voie aux Huit Membres ; c'est l'Octuple Sentier ; c'est la Voie du Milieu, celle de la vue juste, de la volonté parfaite, du langage et de l'action purs, des moyens d'existence et de l'effort parfaits, de l'attention et de la méditation parfaites !

Je dis :

— Si tout n'est que Souffrance, tout n'est aussi qu'Impermanence et tout n'est aussi qu'Absence de Soi.

Je dis :

— Tous les êtres, toutes les choses, tous les phénomènes sont le résultat de compositions éphémères et passagères, qui se transforment au fur et à mesure qu'elles se font et se défont. Comme l'eau et le sable, aussitôt que la main croit les saisir, elles filent sous les doigts. Le temps ne suspend jamais son vol.

Je dis :

— S'attacher à ce qui est, par nature, impermanent conduit inexorablement à la Souffrance, puisque tu crois tenir ce que tu ne posséderas jamais !

Je dis :

— Rien n'existe en soi, puisque tout n'est que création mentale ! Les êtres et les choses sont dépourvus de tout élément stable auquel l'être humain est susceptible de s'agripper. L'homme n'est pas le seul à être dépourvu de « Soi » ; les choses en sont également privées ! Rien, en fait, dans ce que nous voyons, dans ce que nous aimons ou que nous détestons, dans ce que nous ressentons, n'est permanent. Le monde dans lequel nous évoluons est celui de l'Impermanence. La réalité ne résulte que de la réunion provisoire de Cinq Éléments, les Skandha. C'est parce que toutes les choses et tous les êtres sont comme vides, privés de tout élément stable auquel on puisse se raccrocher, qu'il s'agisse de l'*atman* des brahmanes ou du principe vital jîva des jaïna, lesquels sont persuadés que l'univers est gouverné par le Destin niyati, voire de tout autre élément analogue, que le monde dans lequel nous vivons est douloureux !

Je dis :

— L'Atman[1], le principe essentiel et vital, tel que l'enseignent les brahmanes, n'a pas de sens.

1. Atman, en sanskrit, pronom réfléchi servant à désigner le principe d'individualité.

Je dis :

— Je dénie à l'Atman toute existence, car les êtres et les choses sont bien trop complexes pour être appréhendés à l'aide d'un seul mot !

Je dis :

— L'Anatman[1] conduit les hommes à extirper de leur esprit toutes les formes d'égoïsme. Car pas plus le « mien » n'existe, si c'est déjà le cas du « moi » !

L'Anatman fait des hommes des alliés et non des concurrents.

L'Anatman engendre la Compassion et la Solidarité entre les êtres.

Je dis enfin :

— Face à la Douleur, face à l'Impermanence et face à l'Absence de Soi, ou Anatman, il n'y a, pour l'homme, que le nirvãna comme ultime refuge !

Annexe 3

La notion d'Agrégats

Le bouddhisme est une doctrine complexe dont certains aspects visent à décrire et à expliquer le monde qui nous entoure.

Il en va ainsi des Agrégats.

Tout ce que tes yeux voient et tout ce qui t'entoure est composé de cinq agrégats, de douze domaines et de dix-huit éléments sensoriels.

Le Premier Agrégat, celui de la matière, te sera le plus familier des cinq puisqu'il comprend la terre solide, l'eau liquide, le feu chaud et le vent fluide. Ces quatre éléments se présentent sous forme de particules minuscules...

1. Anatman, principe inverse de l'Atman.

Plus petites qu'un grain de riz.

Agglomérées les unes aux autres, elles forment la matière dérivée des quatre éléments, les « Quatre Grands Êtres », dans laquelle on trouve les cinq sens. On y trouve aussi les couleurs et les formes, les odeurs, les saveurs et la sensation du toucher. S'y ajoutent les caractéristiques des matières : mollesse ou dureté, pesanteur ou légèreté, douceur ou rugosité, mais aussi les éléments mâle et femelle ainsi que les boissons et les aliments...

Je dis :

— Sur les berges du lac, un couple de canards sauvages lisse gracieusement ses plumes. Ils viennent de sortir de l'eau, après s'y être posés dans un battement d'ailes destiné à freiner leur course.

J'invite Ananda à s'asseoir sous un manguier dont les frondaisons majestueuses se reflètent dans les eaux limpides du plan d'eau.

Ces oiseaux sont constitués par des particules de matière infiniment petites dont les belles couleurs t'éblouissent et le duvet des plumes te paraît si doux que tu aimerais les toucher !

Le Deuxième des Agrégats, celui des Sensations, comprend effectivement tous les types de sensations...

Les bonnes, les agréables, les mauvaises, les désagréables et bien sûr les neutres !

Et il en va de même du Troisième Agrégat, celui des Perceptions ou des Notions. En revanche, les deux derniers Agrégats sont plus complexes, puisque le Quatrième a trait aux Compositions Psychiques et le Cinquième à la Conscience.

Je dis :

— Le Quatrième Agrégat est celui des fonctions mentales : l'entendement, la compréhension, la volonté, la réflexion, l'indifférence, la mémoire, la paresse, la concentration, et ainsi de suite. Dans cet Agrégat, l'esprit aime vagabonder. Quant au Cinquième Agrégat de la Conscience, la conscience du mana[1] et de la citta[2], il se décompose en

1. Mana signifie l'« esprit » en sanskrit.
2. Citta signifie « pensée » en sanskrit.

cinq consciences sensorielles auxquelles il convient d'ajouter la conscience mentale. Les Douze Domaines Sensoriels sont ceux des cinq organes et des cinq objets des sens ainsi que celui de l'Esprit et enfin celui des Idées, où l'on retrouve d'ailleurs le mot « dharma » puisque c'est ainsi qu'on le caractérise. Les dix premiers domaines appartiennent à l'Agrégat de la Matière, tandis que celui de l'Esprit est identifié à l'Agrégat de la Conscience. Quant au domaine des Idées, il comprend les Agrégats des Sensations, des Perceptions et des Compositions Psychiques mais surtout ce qu'on dénomme les choses « conditionnées » ou encore « incomposées » telles que le nirvãna. Je pourrais parler aussi des dix-huit Éléments dhãtu et des vingt-deux Facultés indriya. Parmi ces dernières, on trouve la mémoire smrti, la concentration samãdhi et la sagesse prajnã. Toutes, elles sont faites pour nous permettre d'avancer avec succès sur la Voie de la Délivrance !

Bibliographie sélective

Pour tous ceux qui souhaiteraient aller plus loin dans la découverte de cette fascinante doctrine, les livres suivants peuvent être utilement conseillés.

AMSTRONG Karen, *Le Bouddha*, Fides, Québec, 2003.

BAREAU André, *La Voix de Bouddha*, Philippe Lebaud, Paris, 2001.

BAREAU André, *Les Religions de l'Inde, bouddhisme, jaïnisme, religions archaïques*, Payot, Paris, 1966.

BROSSE Jacques, *Le Bouddha*, J'ai lu, Paris, 2001.

CONZE E., *Le Bouddhisme*, Payot, Paris, 1971.

GROUSSET René, *Sur les traces du Bouddha*, L'Asiathèque, Paris, 1991.

Dictionnaire du Bouddhisme, Encyclopaedia Universalis/Albin Michel, Paris, 1999.

TABLE

Lutte impériale

José Frèches
L'Impératrice
de la soie
2 Les yeux de Bouddha
POCKET

(Pocket n° 12280)

La trêve entre les trois religions est officiellement rompue. Cinq Défenses et Umara, la jeune chrétienne nestorienne, se sont enfuis du Dunhuang menacé par les pillards turcs, emportant avec eux un précieux fardeau : les Jumeaux Célestes. Leur chemin les conduit dans la capitale où Umara est contrainte à la clandestinité. Transgressant les ordres de l'empereur, Wuzhao recueille le jeune couple et les nourrissons. La lutte entre l'impératrice rebelle et son mari va alors déchaîner intrigues et passions…

Parfait Équilibre

(Pocket n° 12281)

La Route de la Soie est devenue le théâtre d'une lutte de pouvoir sans merci. Wuzhao a pris sous son aile les Jumeaux Célestes, étranges réincarnations divines, qui deviennent entre ses mains un atout majeur pour asseoir son pouvoir. Mais le chemin est semé d'embûches : Umara est séquestrée par le chef du bouddhisme chinois, Lune de Jade kidnappée et vendue à l'empereur de Chine malade. Un jour viendra pourtant où tous les destins se rejoindront autour de Wuzhao à la cour de Chine, et où tous les héros se libéreront de leurs entraves…

Il y a toujours un Pocket à découvrir

Photocomposition Nord Compo
59650 Villeneuve-d'Ascq

Impression réalisée sur Presse Offset par

BRODARD & TAUPIN

GROUPE CPI

34003 – La Flèche (Sarthe), le 15-02-2006
Dépôt légal : mars 2006

POCKET – 12, avenue d'Italie - 75627 Paris cedex 13
Tél. : 01.44.16.05.00

Imprimé en France